# LE MUSÉE DES JARDINS

Phaidon
2, rue de la Roquette
75011 Paris

www.phaidon.com

Première édition française 2002
Réimpression brochée 2004, 2005
© 2002 Phaidon Press Limited

ISBN 0 7148 9387 0
Dépôt légal février 2004

Traduit de l'anglais par Françoise Gaillard
Imprimé à Hong-Kong

NOTE
Ce livre a été conçu pour un public
international, et a été rédigé à l'origine
en anglais. C'est la langue anglaise qui
a présidé au classement alphabétique
des architectes paysagistes, mécènes et
propriétaires. D'où la présence de quelques
incohérences dans la présente édition
française. Ces incohérences sont les
suivantes :

ABRÉVIATIONS

A = Autriche
ALL = Allemagne
ARG = Argentine
AUS = Australie
AN = Afrique du Nord
AS = Afrique du Sud
B = Belgique
BAH = Bahamas
BAR = La Barbade
BR = Brésil
C = Canaries
CAN = Canada
CHI = Chili
CH = Chine
COL = Colombie
COR = Corée
CR = Costa Rica
CRO = Croatie
CU = Cuba
DK = Danemark
EGY = Égypte
EQU = Équateur
ESP = Espagne
EU = États-Unis
F = France
FIN = Finlande
GR = Grèce
HON = Hongrie
IND = Inde
IR = Iran
IRL = Irlande
ISR = Israël
IT = Italie
JAM = Jamaïque
JAP = Japon
LAO = Laos
MAR = Maroc
MART = Martinique
MEX = Mexique
NOR = Norvège
NZ = Nouvelle-Zélande
OUG = Ouganda
PAK = Pakistan
PB = Pays-Bas
POL = Pologne
POR = Portugal
ROU = Roumanie
RU = Royaume-Uni
RUS = Russie
SING = Singapour
SL = Sri Lanka
SUE = Suède
SUI = Suisse
TCH = République tchèque et Slovaquie
TUR = Turquie
UKR = Ukraine
VIET = Vietnam

**LE MUSÉE DES JARDINS** présente une vaste étude illustrée des réalisations des 500 créateurs de jardins les plus influents – architectes paysagistes, mécènes et propriétaires. Cette sélection offre une exceptionnelle vue d'ensemble de parcs et paysages du monde entier, depuis les temps anciens jusqu'à nos jours. L'art des jardins n'a rendu célèbres que peu d'élus – Capability Brown, Kobori Enshu, Gertrude Jekyll ou André Le Nôtre. **LE MUSÉE DES JARDINS** permet de mieux connaître leur travail et de découvrir des créateurs moins renommés. Cet ouvrage, organisé selon l'ordre alphabétique, reflète les époques et les lieux où l'innovation et la créativité appliquées aux jardins atteignirent leur apogée : la Chine et le Japon anciens, la Renaissance italienne, le XVII$^e$ siècle en France et en Hollande, le XVIII$^e$ siècle en Angleterre et les États-Unis au XX$^e$ siècle. Chaque article est accompagné d'un commentaire resituant le lieu et son créateur dans leur contexte historique et stylistique. **LE MUSÉE DES JARDINS** permet de découvrir le riche héritage de cet art en perpétuel changement.

# Aalto Alvar

## Villa Mairea

Tout simplement inscrit dans une clairière en pleine forêt, ce bassin asymétrique évoque les contours d'un lac. Les montants de la véranda de la villa, en bois de charpente, rappellent les rythmes des troncs d'arbre. Cette étonnante création – à la fois organique et moderne – se poursuit à l'intérieur de la maison avec, par exemple, l'irrégularité de la balustrade de l'escalier qui fait écho à la perspective boisée. La conception de la villa Mairea et de son jardin s'inspire de l'opposition métaphorique entre les formes artificielles et naturelles ainsi que de l'énergie qui en

découle. Très admirée depuis son achèvement en 1941, cette demeure constitue un lien entre la tradition romantique finnoise et le mouvement constructiviste rationnel du début du XXᵉ siècle, dont se réclamait son architecte et designer, Alvar Aalto. Outre de nombreuses pièces de mobilier, Aalto a réalisé plus de 200 bâtiments. Il occupe en effet, au XXᵉ siècle, la seconde place après Frank Lloyd Wright pour l'abondance de sa production.

☛ **Asplund, Church, Scarpa, F. L. Wright**

**Alvar Aalto. n.** Kuortane (FIN), 1898. **m.** Helsinki (FIN), 1976. **Villa Mairea**, Noormarkku (FIN), 1938-1941.

# Abd al-Rahman III Calife de Cordoue

Médina Azahara

Construite sur un versant escarpé de la sierra de Cordoba, à 5 km au nord-ouest de Cordoue, la cité palatine de Madinat al-Zahra tire son originalité de deux grandes sources d'inspiration : la tradition omeyyade de Cordoue pour la création de domaines plantés, et la sophistication des palais-jardins des cours abbassides rapportée d'Irak par les chefs musulmans d'Espagne. Madinat al-Zahra fut bâtie sur une série de niveaux étagés et irrigués. Il s'en dégage trois grandes terrasses : la terrasse supérieure, dite « jardin du Prince », où se dressait le palais du calife, l'esplanade intermédiaire, réservée à l'administration et aux notables, dite « jardin Supérieur », et le « jardin Inférieur », occupé par le peuple et les soldats. Canaux, parterres divisés en quatre et allées pavées assurent la symétrie et l'intimité des jardins islamiques traditionnels. Madinat al-Zahra sert de modèle aux futurs palais royaux islamiques et aux capitales espagnoles, surtout en Andalousie. Les palais et les jardins de cette région du sud de l'Espagne, dont l'Alhambra, furent érigés sur des sites élevés offrant des perspectives spectaculaires.

☛ Allah, Gouverneurs maures, Muhammad V, Nazarite

Abd al-Rahman III (Calife de Cordoue). Actif au début du Xᵉ siècle.
Médina Azahara (Madinat al-Zahra), Cordoue (ESP), vers 936.

# Aberconway 2ᵉ baron    Bodnant

The Pin Mill, résidence d'été bâtie vers 1740, fut déplacée de Woodchester, dans le Gloucestershire, afin d'être reconstruite sur le Canal Terrace en 1938. Ce fut la dernière amélioration réalisée par Henry Duncan McClaren, 2ᵉ baron Aberconway, au cours du XXᵉ siècle. Parmi ses autres ajouts importants, réalisés entre 1904 et 1914, on compte les cinq terrasses à l'italienne qui font face à la demeure. Elles reflètent l'immense influence de la Renaissance italienne sur le dessin des jardins dans l'Angleterre édouardienne. Le site de Bodnant était idéal car les terrasses offrent une très belle perspective sur la Conway et sur Snowdon, dans le lointain. Les jardins furent conçus en 1875 par le parlemenataire Henry Pochin, avec l'aide du dessinateur Edward Milner. Une de leurs plus belles réussites fut le Dell, un jardin encaissé et sauvage que la rivière Hiraethlyn parcoure en cascade. Ce parc a aussi bénéficié des trouvailles de plusieurs passionnés de botanique comme Ernest Wilson, Frank Kingdon-Ward et George Forrest.

☛ Barry, Colchester, Rochford, Savill, Sitwell

**Henry Duncan McClaren, 2ᵉ baron Aberconway. n.** Denbigh (RU), 1879. **m.** (RU), 1953.
**Bodnant**, Gwynedd (RU), 1875 (complété de 1904 à 1914).

# Acton Arthur

## La Pietra

Un remarquable ensemble de statues antiques anime la succession de balustrades, de terrasses, de bosquets ombragés, de fontaines et de bassins de ce raffiné jardin. Bien que de style baroque, le jardin de La Pietra fut créé, entre 1908 et 1910 par Henri Duchêne pour Arthur Acton, l'une des personnalités les plus brillantes du groupe d'Anglais cultivés et aisés qui colonisèrent les collines florentines et la campagne toscane environnante à la fin du XIXᵉ siècle. Acton, qui étudiait et aimait passionnément l'esthétique italienne, décida de redonner vie à ce jardin idéal en s'inspirant librement des plans originaux dessinés au XVIIᵉ siècle par le cardinal Capponi (également concepteur de La Gamberaia). Ceux-ci avaient malheureusement disparus, victimes de l'incontournable mode des jardins paysagers qui balaya l'Europe au XIXᵉ siècle. C'est ainsi qu'un grand préjudice commis au nom du « jardin anglais » fut réparé grâce aux efforts d'un Anglais.

☛ **Capponi, Harrild, Peto, Sitwell**

**Arthur Acton**. Actif (IT), fin du XIXᵉ siècle et début du XXᵉ siècle. **La Pietra**, Florence, Toscane (IT), 1908-1910.

# Aislabie John

## Studley Royal

Ce jardin d'eau réalisé au début du XVIIIe siècle à Studley Royal est une composition d'une beauté abstraite. Un lac, un canal et une série de pièces d'eau formelles ornent le fond d'une vallée encaissée du Yorkshire, la Skell Valley. De petits édifices champêtres, dont une salle de banquet réalisée par Colen Campbell, décorent les flancs de la colline, offrant une grande variété de perspectives. Contrairement à certains des premiers jardins paysagers, la topographie de Studley Royal prend le pas sur les impulsions architecturales du dessinateur, et annonce le mouvement pittoresque de la fin du siècle. Le point fort de ce site, que l'on atteint en longeant l'un des versants de la vallée, est la vue surprenante que l'on a depuis le château d'Anne Boleyn sur les ruines médiévales de Fountains Abbey. Une restauration récente entreprise par le National Trust a permis de recréer les différents effets voulus par John Aislabie pour jouer sur les émotions des visiteurs.

☛ W. Aislabie, Bridgeman, Cane, Jencks, Kent

**John Aislabie. n.** environs de York (RU), 1670. **m.** (RU), 1741. **Studley Royal**, Yorkshire (RU), 1693-1741.

# Aislabie William

## Hackfall

La tour romantique de Mowbray Castle domine les frondaisons du jardin boisé de Hackfall, créé au milieu du XVIIIe siècle par William Aislabie, un propriétaire terrien local membre du Parlement qui avait aidé son père à concevoir le jardin de Studley Royal. La gorge boisée qui descend à l'abrupt jusqu'à l'Ure fut acquise à l'origine pour son potentiel agricole, mais William Aislabie décida finalement d'en faire un jardin paysager agrémenté de quelque quarante fabriques. D'étroits sentiers conduisent à des bancs ou à des édicules comme le pavillon Fisher, du nom du jardinier d'Aislabie, d'où l'on a de superbes points de vue sur la rivière. La terrasse de la salle de banquet de Mowbray Point domine tout le paysage et jouit d'un point de vue sublime. Dès la fin du XVIIIe siècle, Hackfall Wood devint un lieu de promenade très prisé des touristes amateurs du style pittoresque, comme le poète William Wordsworth ou le peintre William Turner. Aujourd'hui, les fabriques sont malheureusement pour la plupart en piteux état et à l'abandon.

☛ J. Aislabie, Gilpin, Knight, Wordsworth

William Aislabie. n. (RU), 1700. m. (RU), 1781. **Hackfall**, Yorkshire (RU), 1749-1767.

# Akbar Empereur

## Fatehpur Sikri

La cour principale et l'immense bassin de la cité palatine de l'empereur Akbar, à Fatehpur Sikri, non loin d'Agra, furent dessinés en 1571 par l'empereur lui-même. Des milliers de maçons et d'ouvriers vinrent de tout le royaume pour y travailler. Il en résulta un riche mélange des styles décoratifs hindou, indien et persan. On y trouve certains des systèmes hydrauliques les plus perfectionnés de la période moghole, notamment des aqueducs ingénieusement intégrés dans les murs et les pavements. Le grand bassin, dont le centre est occupé par une plate-forme carrée accessible par quatre passerelles, évoque le plan du *chahar-bagh* classique et constitue la première forme de retraite insulaire. Les édifices du palais sont reliés par une imbrication de terrasses et de pavillons ; des bassins, dispersés dans de vastes espaces, ouvrent de larges perspectives sur l'ensemble du site et des environs. Ce palais est aéré, accueillant et élégant, avec ses jardins conçus selon un plan ouvert, qui contrastent singulièrement avec l'intimité des jardins persans enfermés dans une cour ceinte de hauts murs.

☞ Ineni, Jahangir, Musgrave, Sangram Singh, Sennachérib

# Albert et Isabella Archiduc et archiduchesse

Quand Jan Bruegel peint ce tableau du jardin de Mariemont, vers 1608, le site se trouve dans la seconde phase des multiples transformations qu'il va subir jusqu'au XVIII⁢e siècle. Le style du parc porte alors la marque de l'influence espagnole imprimée par l'archiduc Albert et son épouse Isabella, fille de Philippe II d'Espagne, venus gouverner les Pays-Bas en 1598. Ils supervisent les transformations et l'entretien du jardin jusqu'à son abandon, en 1633, à la mort d'Isabella. À l'origine, Mariemont, ou Mont de Marie, doit son nom à Marie de Hongrie, sœur de l'empereur Charles Quint, qui, au milieu du XVI⁢e siècle, dessina ces vastes jardins en terrasses dans le style italien et les fit planter de rosiers français. Après sa mort, le parc resta à l'abandon jusqu'à l'arrivée d'Albert et d'Isabella. En 1668, Louis XIV s'approprie ce domaine négligé depuis 35 ans et, en 1756, Charles de Lorraine reconstruit le château et transforme les jardins en jardins « à la française ». Mais la Révolution française anéantit l'ensemble.

☛ Arenberg, Balat, Joséphine, Ligne, Philippe II

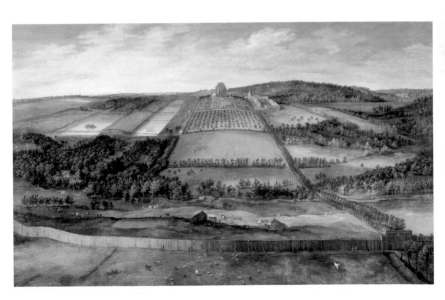

**Archiduc Albert et archiduchesse Isabella.** Règne (PB), 1598-1621.
**Mariemont,** Hainaut (B), peint par Jan Bruegel vers 1608.

# Aldington Peter

## Turn End

Dans sa propre demeure de Turn End, Peter Aldington a réussi une heureuse transition entre la maison et le jardin grâce à cette cour fermée, dotée d'un bassin et d'un faux acacia robinier noueux. Les trois maisons avec jardins du complexe de Turn End ont été conçues comme un tout par le même architecte. Le fait que cette démarche ait semblé révolutionnaire, même dans les années 1960, est symptomatique du clivage qui sépare traditionnellement le travail du paysagiste de celui de l'architecte. Peter Aldington, qui est non seulement un jardinier accompli et imaginatif, mais également un architecte moderniste, a ainsi réussi à moduler ce petit bout de terrain en plusieurs zones distinctes, variées, souvent pleines d'imprévus : un jardin de pâquerettes, une cour fermée classique plantée chaque année de fleurs aux couleurs vives ; des arbres et des arbustes qui servent d'écrins à des sculptures ou encore une zone couverte de gravier, baptisée *No-Mans*, agrémentée de jardinières de plantes alpines et de poireaux d'ornement en pots et régulièrement plantée d'une multitude d'herbacées et de vivaces.

☞ **Crowe, Jellicoe, Nordfjell, Tunnard**

Peter Aldington. **n.** Preston, Lancashire (RU), 1933. **Turn End**, Haddenham, Buckinghamshire (RU), 1964.

# Allah

## Description coranique du Paradis

L'agencement du *chahar-bagh*, jardin divisé en quatre parties par deux canaux perpendiculaires avec en son centre une fontaine, tel qu'il apparaît dans cette vision du Paradis, est omniprésent dans tous les jardins de l'Islam. Il s'inspire à la fois de l'ancienne tradition du jardin persan et de celle du jardin de la Félicité que le Coran promet en récompense aux justes. L'espace clos de murs (*pairi-dæza* dans l'ancienne Perse) figure le jardin d'Éden qui renferme la fontaine de Vie en son centre, des arbres porteurs de fruits en permanence symbolisant l'Arbre de Vie, des plantes à fleurs et quatre cours d'eau. Cette symbolique du Paradis, héritée de la Mésopotamie, est devenue au fil du temps commune à tous les mythes sémitiques. Pour les musulmans, le jardin est le plaisir qui concentre toutes les réjouissances terrestres, c'est un don de Dieu et la richesse de la description coranique du jardin d'Allah n'a pour seul but que d'exalter l'intarrissable opulence de la nature : une succession d'enclos verdoyants plantés d'arbres fruitiers, traversés par des ruisseaux de lait, de miel et de vin, et une fontaine.

☞ **Almohade, Dieu judéo-chrétien, Muhammad V, Nazarite**

**Allah. Description coranique du Paradis**, in *Une vision du Paradis et les hauts faits d'Ali (cousin et gendre du prophète Mahomet) et ses compagnons*, Perse, miniature peinte, 1686.

# **Allason** Thomas et **Abraham** Robert

Alton Towers

De nombreux conifères servent aujourd'hui de toile de fond à des allées de gravier qui contrastent avec les pelouses irréprochables et les parterres de fleurs ostentatoires. Conçu en 1814, puis enrichi de nombreux éléments disparates, notamment un mégalithe, une tour en fer forgé de trois étages et un cottage suisse destiné à un musicien aveugle, ce site romantique et vallonné devint célèbre au début du XIXᵉ siècle pour être le jardin le moins harmonieux de son temps. Abraham y installa par la suite un ensemble de serres exotiques, ce qui fit dire en 1820 à John Claudius Loudon, le plus célèbre critique de jardins de l'époque, que ce parc était le « produit d'une imagination morbide dotée de ressources illimitées ». Le principal apport d'Allason à l'art des jardins fut peut-être d'amener les paysagistes de l'ère victorienne à prendre en compte les particularités topographiques d'un paysage. Dans les années 1840, Alexander Forsyth, jardinier en chef, planta les conifères et les rhododendrons qui apportèrent une certaine harmonie à l'ensemble en estompant les contrastes trop brutaux.

☛ **Barron, Barry, Lainé, Loudon, Tyers**

**Thomas Allason**. n. (RU), 1790. m. (RU), 1852. **Robert Abraham**. n. (RU), 1773. m. (RU), 1850.
**Alton Towers**, Staffordshire (RU), 1814.

# Allen Ralph

## Prior Park

La demeure de Prior Park fut dessinée en 1735 par John Wood père pour Ralph Allen, mais c'est la perspective qui s'ouvre depuis la maison jusqu'au pont palladien et au lac qui retient l'attention. La simplicité pastorale des pelouses ondulantes, offertes en pâturage au bétail, évoque un poème bucolique de Virgile et s'accorde à merveille avec le classicisme de cet hôtel particulier. Allen réduisit au minimum le nombre des édifices ornementaux érigés dans ce parc, du fait de la somptuosité de la vue principale : un Élysée en miniature se détachant en premier plan de la vue panoramique sur Bath. Il dessina une simple allée circulaire qui descend de la terrasse et fait le tour du lac. L'espace sauvage situé à proximité de la demeure, avec son faux pont rococo et la grotte de Mrs Allen, fut sans doute créé sur les conseils d'Alexander Pope. Il est aussi probable que Capability Brown (1716-1783) ait fait quelques recommandations à Allen pour mener à bien les transformations du parc d'origine, afin qu'il devienne le merveilleux jardin anglais que nous visitons aujourd'hui.

☛ **Brown, Grenville-Temple, Kent, Monet, Pope**

Ralph Allen. n. Bath (RU), vers 1694. m. Prior Park, Bath (RU), 1764. **Prior Park**, Bath (RU), 1734-1764.

# Almohade Empire

## Jardins de la Ménara

Les jardins et les pavillons de la Ménara sont des souvenirs enchanteurs des merveilleux palais et jardins de l'Alhambra et du Generalife, à Grenade. Au cours des XIIᵉ et XIIIᵉ siècles, sous la domination de l'empire almohade (1130-1269), l'art et la culture mauresques de l'Espagne andalouse se répandirent jusque dans les villes d'Afrique du Nord. Construite à la périphérie de Marrakech, avec les monts de l'Atlas en lignes de fond, la Ménara était une vaste résidence champêtre (*agdal*), réservée à l'élite. Les jardins, conçus à l'origine pour l'agrément, étaient aussi plantés de légumes

et de fleurs pour alimenter la maison du souverain, et les immenses vergers, surtout des palmiers dattiers et des oliviers, fournissaient une source de revenus supplémentaires. Ce pavillon dans les tons roses dominant un grand lac artificiel fut un lieu de retraite délicieux pour la dynastie saadienne. Cette vaste pièce d'eau servait en même temps de réservoir pour l'irrigation des champs et de lieu de détente pour les membres de la cour, qui s'y baignaient et s'y promenaient en bateau.

☛ **Asaf Khan IV, Muhammad V, Nazarite, Sangram Singh**

# Ando Tadao

## Jardin des Beaux-Arts

Au fond d'un long bassin, les *Nymphéas* de Monet miroitent sous une eau limpide et peu profonde. Tout autour, des murs de béton, de grandes plaques de verre et des chutes d'eau sculptent le ciel et dessinent l'espace. Plus loin se trouvent d'autres reproductions de quelques-uns des chefs-d'œuvre les plus célèbres de l'histoire de la peinture (*La Cène* de Léonard de Vinci, *La Grande Jatte* de Seurat), qui donnent couleurs et textures à cette saisissante structure en plein air, faite d'eau et de béton. Très résistantes, ces reproductions grandeur nature sont des photographies transposées sur des panneaux de céramique. Tadao Ando est l'un des architectes les plus influents de la fin du XXᵉ siècle. Dans ce jardin, il a appliqué les mêmes théories que dans ses églises et ses temples. Autodidacte et grand voyageur, Ando se distingue par une grande indépendance d'esprit face à l'architecture. La philosophie zen et les traditions architecturales japonaises le guident dans son approche des paysages et des éléments et lui permettent d'exprimer l'essence même du vide et de la sérénité.

☛ Barragán, Halprin, Libeskind, Suzuki, F. L. Wright

**Tadao Ando. n.** Osaka (JAP), 1941. **Jardin des Beaux-Arts**, Kyoto (JAP), 1994.

# André Édouard

## La Roseraie du Val-de-Marne

Ces roses grimpant sur des tonnelles appartiennent à l'une des 3 000 variétés qui ornent le jardin de L'Haÿ-les-Roses (rebaptisée ainsi en 1910 par les habitants à cause de son jardin). En 1892, Jules Gravereaux demanda à l'architecte paysagiste Édouard André de dessiner – sur 1,7 hectare – les parterres, les treillis, les murs, les tonnelles et les allées d'un jardin qui serait consacré aux roses sauvages et aux roses rares, dont certains spécimens sauvés des roseraies de l'impératrice Joséphine à la Malmaison. Édouard André est également connu pour ses réalisations dans d'autres jardins du monde, dont Sefton Park à Liverpool, et pour avoir redessiné les jardins de la villa Borghèse à Rome. On doit à cet érudit un ouvrage intitulé *L'Art des jardins : Traité général de la composition des parcs et jardins* (1879), dans lequel il procède à la classification des grands principes qui gouvernent l'aménagement des parcs et jardins.

☛ **Barillet-Deschamps, Forestier, Joséphine, G. S. Thomas**

**Édouard André. n.** Bourges (F), 1840. **m.** 1911. **La Roseraie du Val-de-Marne,** L'Haÿ-les-Roses (F), 1892.

# Anhalt-Dessau Leopold Friedrich Franz von Château de Wörlitz

Cette vue classique du temple de Vénus (construit en 1794), prise depuis le pont Wolf, à Wörlitz, à la fin de l'époque communiste en Allemagne de l'Est, est totalement obstruée par un luxuriant *Rhododendron ponticum*. Wörlitz, le seul jardin paysager important d'Europe centrale, est d'une beauté fulgurante et semble recéler une infinité de surprises. Le prince Franz, qui voyageait beaucoup en Angleterre, parfois accompagné de plusieurs jardiniers, s'inspira souvent des nombreux jardins qu'il visitait, comme Stourhead, Stowe ou Claremont. Ainsi le temple de Wörlitz est une réplique du temple de Vénus de Colen Campbell, à Hall Barn. Le prince Franz cherchait à magnifier le paysage tout en améliorant son domaine. Wörlitz s'étend sur environ 120 hectares, dont 80 sont occupés par des lacs et des zones agricoles aujourd'hui aménagées en parc. En réalité, la principauté tout entière, longue de quelque 40 km, fut conçue comme un paysage ininterrompu, dont la beauté est toujours aussi saisissante deux cents ans plus tard.

☛ **Bridgeman, Grenville-Temple, Hoare, Pückler-Muskau**

**Leopold Friedrich Franz von Anhalt-Dessau. n.** (ALL), 1740. **m.** (ALL), 1817.
**Château de Wörlitz**, Halle (ALL), 1765-1817.

# Arakawa et Gins

## Site des Destinées réversibles

Dans une vaste dépression ovoïde, qui occupe le paysage comme le cratère d'un accident géologique, un monde de petites collines, d'édifices étranges et de sentiers glissants attend le visiteur. Le site des Destinées réversibles, à Kyoto, vise à inverser les perceptions et à déstabiliser le visiteur, physiquement et conceptuellement, dans le but éventuel « de lui ouvrir un nouvel horizon ». Ici, comme dans les jardins japonais traditionnels, on découvre une perspective différente à chaque détour du chemin : des rangées d'éléments de cuisine à demi enterrés, des canapés retournés, des escaliers plats ou des toits de tuiles jonchent le sol. Shusaku Arakawa, artiste conceptuel né au Japon et vivant à New York, et sa compagne américaine, l'écrivain et artiste Madeline Gins, ont trouvé ici l'occasion de porter le concept de déconstruction à un autre niveau. Ils ont repris le principe du labyrinthe de jardin en concevant une promenade ponctuée par une série de rencontres physiques, auquel ils ont ajouté une strate textuelle avec leur « mode d'emploi », qui est distribué sous forme de brochure à tous les visiteurs.

☛ **Chand Saini, Hamilton Finlay, Hideyoshi, Miró, Tschumi**

Arakawa et Gins. **Shushaku Arakawa. n.** Nagoya (JAP), 1936. **Madeline Gins. n.** New York, New York (EU), 1941.
**Site des Destinées réversibles**, Kyoto (JAP), 1995.

# Arenberg Antoine d'

## Château d'Enghien

En 1606, Charles d'Arenberg acheta Enghien à Henri IV. Antoine, le sixième de ses douze fils, se fit capucin et prit le titre de Père Charles. C'est lui qui commença à établir les plans d'un vaste parc s'agençant de manière complexe en différentes sections. Il dessina la plus grande partie du jardin avec l'aide de son neveu Philippe-François, Iᵉʳ duc d'Arenberg. En 1650, Mademoiselle de Montpensier décrivait Enghien comme le plus beau jardin du monde. Des gravures de Romeyn de Hooghe montrent des parterres avec quatre cabinets, une plate-bande de fleurs avec des orangers, un labyrinthe et un amphithéâtre. L'arc de triomphe, la porte de l'Esclave, existe encore ; le pavillon Chinois et le pavillon aux Toiles ont été restaurés. Quelques statues veillent sur un canal en forme de L et sur deux lacs, dont l'un porte le nom d'étang du Miroir. Dans la partie boisée, le pavillon des Sept Étoiles, entouré de douves, se dresse au centre de sept allées rayonnantes, chacune bordée d'une rangée d'arbres d'espèces différentes.

☛ Bingley, Cockerell, Le Nôtre

Antoine d'Arenberg (Père Charles). **n.** Bruxelles (B), 1593. **m.** 1669. **Château d'Enghien** (B), milieu du XVIIᵉ siècle. 21

# Armstrong Lord

## Cragside

En amont de la rivière, la forêt offre un cadre étonnant à l'imposante demeure dessinée par Norman Shaw au cœur d'un paysage sauvage et pittoresque. Lord Armstrong, le créateur de ce jardin, puisa son inspiration dans un ouvrage intitulé *Himalayan Journals*, publié en 1852 par le chasseur de plantes sir Joseph Hooker, lequel recélait des descriptions romantiques du paysage sauvage et accidenté de ce qui était à l'époque le royaume du Sikkim. Lord Armstrong s'embarqua dans une étonnante aventure en essayant de recréer sur le flanc d'une colline anglaise la végétation d'une vallée himalayenne. Dans les années 1890, il y avait déjà installé plusieurs « centaines de milliers » de rhododendrons. Cette vogue d'imitation de la nature s'inscrivait dans le mouvement de la fin de l'époque victorienne emmené par l'Irlandais William Robinson, qui récusait la rigueur des parterres guindés et des terrasses décorées, et prônait le retour à une forme de jardin plus sauvage, le « jardin naturel ». Cette conception bénéficia de la diffusion en Angleterre de plantes exotiques robustes rapportées par les grands voyageurs.

☛ **Cook, Rhodes, Robinson, Savill**

**Lord Armstrong (William George)**, n. Newcastle (RU), 1810. m. (RU), 1900.
**Cragside**, Northumberland (RU), vers les années 1890.

# Asaf Khan IV

## Nishat Bagh

Fidèle à son nom, ce « jardin de la Joie » est le plus gai et le plus fantaisiste des jardins moghols d'Inde. Sis dans un paysage d'une beauté époustouflante, Nishat Bagh s'étire sur les rives du lac Dal, au pied des flancs rocailleux et bleutés des monts s'étendant entre Shalimar et Srinagar. Ce jardin, qui n'était pas une commande du roi et qui fut construit vers 1625 à l'initiative de l'empereur moghol, beau-frère de Jahangir, se composait à l'origine de douze terrasses, chacune symbolisant un signe du zodiaque. Les cascades sont alimentées par un large canal courant sur toute la longueur du jardin qui, en raison de ses pentes fort escarpées et de ses chutes d'eau rapides et abondantes, offre un cadre encore plus saisissant et vivant que les autres jardins moghols. Il s'en distingue aussi par une somptuosité visuelle et auditive, radicalement opposée à la tranquillité à la fois sublime et subtile qui caractérise les jardins moghols. Ce site est une pure merveille. Un véritable joyau du Cachemire.

☛ Akbar, Almohade, Jahangir, Nazarite, Sangram Singh

**Asaf Khan IV**. Actif au début du XVIIᵉ siècle. **m.** (IND), 1641. **Nishat Bagh**, Cachemire (IND), 1625.

# Ashikaga Takauji

## Tenryu-ji

Depuis la véranda, qui semble encadrer la vue, cette clairière parfaitement calme en automne évoque une peinture de paysage chinois de l'époque Sung. L'horizontalité de l'étang, des îles, du pont et de la cascade a été intentionnellement étudiée pour rendre l'effet de profondeur des tableaux de style Sung. Les affiliations entre Tenryu-ji et les arts visuels chinois sont si fortes que certains érudits pensent que ce jardin a peut-être été dessiné par une main chinoise. Tenryu-ji fut commandité par Takauji, premier shogun Ashikaga, qui avait contraint l'empereur Gosaga à l'exil.

Par la suite, il suivit les conseils de l'influent prêtre d'État et maître zen Muso Kokushi, qui lui suggéra d'apaiser l'esprit du vieil empereur décédé en exil en bâtissant un temple et un jardin zen sur les lieux de son palais impérial. Déjà prêtre de Saiho-ji, qu'il avait dessiné et construit, Muso Kokushi devint maître de Tenryu-ji, bien qu'il ne soit sans doute pas intervenu dans sa conception.

☛ **Ashikaga Yoshimasa, Ashikaga Yoshimitsu, Kokushi**

Takauji Ashikaga. n. (JAP), 1305. m. (JAP), 1358. **Tenryu-ji**, Kyoto (JAP), 1249-1388.

# Ashikaga Yoshimasa

## Ginkaku-ji (pavillon d'Argent)

Nul ne sait si le nom de ce superbe édifice est dû à un souhait qui ne fut jamais exaucé ou si ce palais fut jadis argenté. Il fut converti en temple zen après le décès de Yoshimasa. Modelés sur le vieux jardin Saiho-ji, ceux du pavillon d'Argent se partagent entre un jardin en pente couvert de mousse et un étang en contrebas. Cette petite pièce d'eau aux rives tortueuses est jonchée d'îles et de presqu'îles. L'une des particularités de ce jardin escarpé est une cascade de 3 m, baptisée « Source dans laquelle la lune se baigne ». Comme son grand-père Yoshimitsu, bâtisseur

du pavillon d'Or, Yoshimasa – huitième shogun Ashikaga – quitta de bonne heure le gouvernement pour se consacrer à la pratique des arts qu'il aimait : la littérature, le dessin de jardins et la cérémonie du thé, dont il fut l'un des premiers défenseurs. Mais il dut faire face à de nombreuses années de guerre civile qui retardèrent d'autant la construction du site du pavillon d'Argent.

☛ Ashikaga Takauji, Ashikaga Yoshimitsu, Kokushi, Soami

Yoshimasa Ashikaga. n. (JAP), 1435. m. (JAP), 1490. **Ginkaku-ji (pavillon d'Argent)**, Kyoto (JAP), 1473.

# Ashikaga Yoshimitsu

## Kinkaku-ji (pavillon d'Or)

Baignant dans une brume dorée, ce merveilleux pavillon donne sur un lac tranquille divisé par une presqu'île. Dans la partie la plus proche se trouve un archipel animé de plusieurs « îles » formées par de gros rochers dont la plupart sont des présents de vassaux – une pratique fort répandue au Japon à la fin du XIVᵉ siècle. La partie du lac la plus éloignée est virtuellement vide, d'où une impression d'espace et de distance. On l'utilisait surtout pour des promenades en bateau et, dans une certaine mesure, le jardin est conçu pour être vu depuis l'eau. Le troisième shogun Ashikaga,

Yoshimitsu, était un homme raffiné et d'une grande spiritualité, contrairement à ses ancêtres. Sa dévotion sincère au bouddhisme zen – religion nouvelle à l'époque – l'amena à abandonner très tôt les tâches gouvernementales pour s'installer dans sa nouvelle propriété en 1394. En 1408, Yoshimitsu invita l'empereur Gokomatsu à séjourner au pavillon d'Or. La somptuosité de cette visite est restée légendaire. À la mort de Yoshimitsu, le palais fut transformé en un temple bouddhiste qui existe encore aujourd'hui.

☛ **Ashikaga Takauji, Ashikaga Yoshimasa**

**Yoshimitsu Ashikaga** . n. (JAP), 1358. m. (JAP), 1408. **Kinkaku-ji (pavillon d'Or)**, Kyoto (JAP), vers 1394-1408.

# Asplund Gunnar

## Cimetière Woodland

Dissimulée parmi les arbres, une modeste chapelle attend le cortège funèbre. Les épicéas qui l'entourent, deux fois plus hauts qu'elle, trouvent un écho dans les douze colonnes de béton, très simples, de l'entrée. Plus loin, le paysage s'ouvre de manière impressionnante sur une vaste étendue herbeuse qui prend la forme d'une colline artificielle que domine une croix monumentale. Cet environnement typiquement biblique est complété par un bâtiment semblable à un temple et par les chapelles de la Foi, de l'Espérance et de la Charité. Une impression d'équilibre et de paix émane de ce complexe paysager créé par Asplund dans le cimetière de Stockholm. Ici, la géométrie du modernisme se fond harmonieusement dans les qualités intrinsèques du paysage. Asplund est l'un des rares architectes à avoir réussi cette synthèse au début du XXᵉ siècle. À cette époque, les jardiniers paysagistes et les premiers écologistes avaient tendance à rejeter l'architecture moderne, tandis que leurs homologues modernes fuyaient les schémas traditionnels de la maison et du jardin.

☛ Aalto, Brongniart, Le Corbusier, Scarpa, F. L. Wright

**Gunnar Asplund.** n. Stockholm (SUE), 1885. **m.** Stockholm (SUE), 1940.
**Cimetière Woodland**, Enskede, Stockholm (SUE), 1935-1940.

# Assurbanipal Roi

## Palais de Ninive

Ce bas-relief nous montre les préoccupations courtoises du roi Assurbanipal tandis qu'il se repose dans son palais-jardin de Ninive. Dattiers, pins et grenadiers bordent les terrasses, et l'on devine des treilles chargées de lourdes grappes de raisins. Il s'agit vraisemblablement d'une salle du palais construite en plein air où les amants royaux célèbrent la victoire, festoient et boivent dans de la vaisselle ornée de joyaux. C'est un paradis terrestre rempli de chants et de couleurs chatoyantes, où les musiciens assurent le divertissement, où les oiseaux font vivre les branches des arbres et où la végétation luxuriante offre un spectacle apaisant. Deux traditions des jardins se développèrent à cette période : les jardins en terrasses, fermés, installés à l'intérieur d'un complexe palatin, et les grands parcs royaux clos de murs, réservés à l'origine à la chasse à courre. Les cours d'eau et les canaux qui divisent les jardins en quatre parties et les somptueux pavillons ouverts sont les principales composantes de ces jardins de l'ancien Proche-Orient.

☛ **Babur, Khosrow II Parvis, Sennachérib, Thoutmosis**

**Roi Assurbanipal. n.** Perse (IR). Roi d'Assyrie, 669-633 av. J.-C. **m.** Perse (IR), vers 626 av. J.-C.
**Palais de Ninive,** Perse (IR), représenté dans *Banquet sous la tonnelle,* bas-relief, VIIᵉ siècle av. J.-C environ.

# Atabak Qaracheh Gouverneur de Chiraz — Bagh-e Takht

Ce spectaculaire jardin persan épouse la pente naturelle des monts Baba-Kuhi. Il fut construit au nord-ouest de Chiraz pour servir de retraite champêtre à Atabak Qaracheh, gouverneur de la ville au XIᵉ siècle. L'enceinte fortifiée donne au site un air de puissance et d'austérité. Sept terrasses plantées descendent en cascade jusqu'au pied de la colline rocheuse. L'ensemble est couronné par le palais, édifié sur la terrasse supérieure, tandis qu'un grand lac artificiel et navigable occupe la terrasse inférieure. Ce jardin a été créé sur l'emplacement d'une source dont la pression naturelle suffit à alimenter les jets d'eau, les canaux et les bassins très élaborés de toutes les terrasses. Ces pièces d'eau peu profondes, avec leurs margelles de pierre, couvrent l'intégralité de la surface de chaque terrasse et s'imbriquent selon des schémas savamment étudiés, formant des octogones, des étoiles, des croissants de lune ou des feuilles de lotus. La symétrie et les détails du dessin de ces jardins sont étonnants. Tombés en ruines au début du XXᵉ siècle, les bâtiments ont été réhabilités et sont aujourd'hui habités.

☛ Bahur, Fath Ali Shah, Jahangir, Shah Jahan

Atabak Qaracheh, gouverneur de Chiraz. Règne, XIᵉ siècle (IR). **Bagh-e Takht**, Chiraz (IR), XIᵉ siècle.

29

# Auguste le Fort Roi de Saxe

## Château de Gross-Sedlitz

Cette vue panoramique est l'une des vastes compositions baroques qui entourent le palais et conduisent à des perspectives sur la vallée de l'Elbe et les monts Sandstein. La plus grande partie de ce jardin a été conçue par Auguste le Fort, roi de Saxe, après l'acquisition de cette propriété en 1723. Bien qu'il soit peut-être plus connu pour avoir engendré la bagatelle de 365 enfants illégitimes, Auguste le Fort se passionna aussi pour les jardins : il créa ceux de Pillnitz sur l'Elbe, et fit agrandir les parcs déjà célèbres de Dresde et de Moritzburg. Son intervention à Gross-Sedlitz comprend tout ce qui est visible sur cette image : l'Orangerie basse, le bassin bordé de jarres et le magnifique parterre semi-circulaire connu sous le nom de Stille Musik. Ce nom provient des statues d'anges musiciens qui ornent les deux côtés de l'escalier situé à l'arrière-plan, et qui sont l'œuvre de M. D. Pöppelmann, le célèbre architecte du baroque allemand (1662-1736).

☛ **Bouché, Esterházy, Rinaldi, Tessin**

**Auguste le Fort, roi de Saxe. n.** Dresde (ALL), 1670. **m.** (POL), 1733. **Château de Gross-Sedlitz**, Dresde (ALL), 1723.

# Babur Empereur

## Ram Bagh

Une enfilade de fontaines orne le pourtour du Ram Bagh – originellement Aram Bagh ou jardin du Repos – qui fut dessiné par l'empereur Babur, fondateur de la dynastie moghole. Ce jardin, le plus ancien jardin moghol ayant survécu sous une forme identifiable, inspira directement tous les parcs du Cachemire et de l'Inde du Nord. Il reflète les traditions du dessin de jardins en Asie centrale et en Perse, et il inaugura en Inde la division en quatre parties, ou *chahar-bagh*. Respectant les vœux de Babur, ce site est ordonné et symétrique, dominé par un cours d'eau, avec des allées pavées et des pavillons érigés sur des plates-formes offrant une vue sur l'ensemble des lieux. Le jardin de Babur était un palais-jardin en terrasses : là, l'empereur tenait des audiences publiques, composait de la poésie et de la musique, mettait au point ses plans de campagnes militaires, rédigeait ses mémoires et divertissait ses amis. C'est depuis ce domaine fastueux qu'il régissait tant sa vie publique que sa vie privée.

☛ **Jahangir, Nazarite, Sangram Singh, Shah Jahan**

Empereur Babur (1ᵉʳ empereur moghol). Règne, 1508-1530. **Ram Bagh**, Agra (IND), 1750.

# Bac Ferdinand

## Les Colombières

De somptueuses couleurs rehaussent Les Colombières, le chef-d'œuvre de Ferdinand Bac, situé sur une colline boisée des environs de Menton. Peintre, paysagiste et auteur – *Villas et jardins méditerranéens* et *Les Colombières, ses jardins et ses décors* –, Bac conçut des parcs célèbres sur la Côte d'Azur, dont la villa Croisset à Grasse et la villa Fiorentina à Saint-Jean-Cap-Ferrat. Il y associa avec bonheur la flore méditerranéenne – romarin, lavande, pin et cèdre – et la pierre locale et sut faire un usage merveilleux de la céramique colorée. Il choisit une terre cuite aux tons chauds pour certains de ses temples, balustrades et points de vue, qui s'harmonisait parfaitement avec le vert profond des cyprès. Les nombreux sentiers qui serpentent à travers Les Colombières réservent des surprises au visiteur : des trompe-l'œil en tuiles de couleurs vives, des perspectives sur la Méditerranée, ou des espaces classiques comme l'escalier du Philosophe et le jardin d'Homère.

☞ Gildemeister, Hanbury, Johnston, B. Rothschild

Ferdinand Bac. **n.** Stuttgart (ALL), 1859. **m.** Compiègne (F), 1952. **Les Colombières**, Menton (F), vers 1925.

# Bacciocchi Elisa

## Villa Reale

Avec sa rampe, ses sièges de verdure et ses acteurs en terre cuite, le théâtre de verdure de la villa Reale, planté en 1652, donne le ton de ce jardin baroque fantaisiste. Du théâtre, on accède à une enfilade de pièces, chacune recélant une surprise : un théâtre d'eau dans une grotte semi-circulaire incrustée de coquillages, un bassin aux proportions idéales entouré d'une balustrade et orné de citronniers et de cygnes ou encore une grotte de Pan à deux étages. Cet ensemble précieux, qui remonte à la fin du XVII<sup>e</sup> siècle, n'est en fait que le cœur d'un immense parc romantique créé par

l'extravagante sœur de Napoléon, Elisa Bacciocchi. Cette dernière put concrétiser ses ambitions quand son frère se proclamma roi d'Italie et la fit princesse de Lucca et de Piombino. Elle ne tarda pas à contraindre la famille Orsetti à lui vendre la villa de Marlia, puis elle annexa les domaines avoisinants pour y aménager ce parc aux amples perspectives. Elle envisageait de faire disparaître tout ce qui subsistait du jardin originel, mais la chute de Napoléon, en 1814, contraria ses projets.

☛ **Borghèse, Capponi, Fontana, Walska**

**Elisa Bacciocchi, née Bonaparte. n.** Ajaccio (F), 1777. **m.** près de Trieste (IT), 1820.
**Villa Reale**, Lucca (IT), créée en 1651 et agrandie à la fin du XVIII<sup>e</sup> siècle.

# Baden-Durlach Carl Wilhelm von

Karlsruhe

Rien n'illustre mieux la mégalomanie des princes allemands au XVIIIᵉ siècle que cette vue cavalière de la nouvelle ville de Karlsruhe, construite par le margrave protestant Carl Wilhelm von Baden-Durlach en 1715. Le jardin formel, au bas de l'image, dont les neuf avenues symbolisent les neuf muses, occupe un tiers du site. La partie boisée, qui s'étend derrière le palais et la ville, est bâtie hors des limites circulaires des jardins : tout concourt à la gloire et à l'honneur du prince fondateur. Au centre des vingt-sept allées rayonnantes se trouve le palais de Carl Wilhelm.

Comme la ville, le château fut construit selon un strict schéma en étoile. Carl Wilhelm entendait que son Schlossgarten rivalisât avec le palais et le jardin de son cousin catholique de Mannheim. Mais le margrave utilisa surtout Karlsruhe pour ses divertissements, en compagnie de ses nombreuses maîtresses : Karlsruhe signifie « Repos de Carl ».

☞ Bingley, Bowes-Lyon, Le Nôtre, Switzer

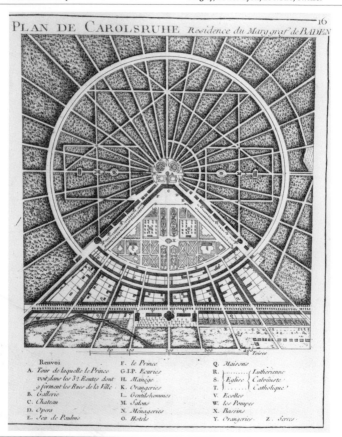

PLAN DE CAROLSRUHE Residence du Marg<sup>graf</sup> de BADEN

**Renvoi**

A. Tour de laquelle le Prince voit dans les 32 Routes dont 9 forment les Rues de la Ville
B. Gallerie
C. Chateau
D. Opera
E. Jeu de Paulme
F. le Prince
G.I.P. Ecuries
H. Manége
K. Orangeries
L. Gentilshommes
M. Salons
N. Ménageries
O. Hotels
Q. Maisons
R. ........ { Lutherienne
S. Eglise { Calviniste
T. ........ { Catholique
V. Ecolles
W. les Pompes
X. Bassins
Y. Orangeries   Z. Serres

Carl Wilhelm von Baden-Durlach. **n.** Durlach (ALL), 1679. **m.** Karlsruhe (ALL), 1738. **Karlsruhe**, Karlsruhe (ALL), 1715.

# Bai Jodh

## Dilaram Bagh

Le palais d'Amber, bâti au sommet d'une colline surplombant le lac Maota, fut la demeure de Jodh Bai, princesse rajput qui épousa Akbar, troisième empereur moghol, qui régna entre 1556 et 1605. En contrebas, au bord du lac, s'étendent des jardins conçus par l'architecte rajput Dilaram – d'où leur nom de Dilaram Bagh – selon un plan directement inspiré du modèle persan apporté en Inde par les Moghols. Douze roues permettaient d'acheminer l'eau depuis le lac jusqu'à la terrasse la plus élevée. Elle redescendait ensuite en cascades dans les niches décoratives et les canaux qui parcourent les trois niveaux. La plus haute terrasse est occupée par un jardin divisé en quatre parties (*chahar-bagh*), traversé par un large canal, avec un plan d'eau central octogonal décoré de rinceaux, typiquement moghol. Les motifs géométriques complexes en étoiles et en hexagones (classiques de l'iconographie hindoue) constituent la principale innovation de ces jardins lacustres, où se mêlent traditions hindoue et moghole. On imagine que les bordures de pierre délimitaient jadis des parterres fleuris.

☛ **Akbar, Babur, Borromeo, Sangram Singh, Suraj Mal**

**Jodh Bai**. Épouse d'Akbar (IND), active au XVIIᵉ siècle.
**Dilaram Bagh (jardins lacustres d'Amber)**, Jaipur (IND), XVIIᵉ siècle.

# Baillie Scott M. Hugh

## 48 Storey's Way

Les ifs bien taillés, le sentier rectiligne et la clôture toute simple rappellent les vieux cottages anglais, tandis que le toit de tuiles extrêmement pentu et les murs blancs de la maison sont tout à fait caractéristiques de l'architecture du mouvement Arts and Crafts dont Baillie Scott s'inspira durant les premières décennies du XXᵉ siècle. À l'époque, il travaillait comme architecte indépendant au projet d'urbanisation du Hampstead Garden Suburb. Il estimait que maison et jardin devaient être conçus comme un tout, un principe qu'il a expliqué dans son ouvrage *Houses and Gardens*, paru en 1906 : « Il n'est pas question de dessiner une maison et de se préoccuper ensuite de son environnement immédiat, comme un jardin qui lui serait lié d'une façon ou d'une autre. Au contraire, la maison et le jardin sont ici le produit d'une seule idée initiale qui englobe le tout. » Baillie Scott reconnaissait la grande influence de Gertrude Jekyll, dont le jardin de Munstead Wood avait été dessiné plusieurs années avant la construction de sa maison par Lutyens.

☛ **Barnsley, Greene et Greene, Jekyll, Lutyens, Parsons**

**M. Hugh Baillie Scott. n.** Ramsgate, Kent (RU), 1865. **m.** Broughton, Sussex (RU), 1945.
**48 Storey's Way**, Cambridge (RU), 1912-1913.

# Balat Auguste

## Serres royales de Laeken

Ce jardin d'hiver circulaire, dessiné par Auguste Balat en 1876, est la plus belle des serres de Laeken qui occupent 2 hectares du palais royal, à l'extérieur de Bruxelles. Le dôme à trois étages, de 57 m de diamètre est, comme ceux des autres bâtiments, fait de verre et de fer décorés de motifs en volutes dont les courbes et les cercles sont peints d'une couleur vert tendre. Les serres individuelles, avec leurs collections de palmiers, de fougères, de camélias, d'orchidées et de medinillas en pots, communiquent sur plus d'un kilomètre par des couloirs vitrés bordés de géraniums grimpants et de fuchsias domestiques. Avant l'accession de Léopold II au trône de Belgique, en 1865, il n'existait à Laeken qu'une orangerie et une serre ronde chauffée qui abritait, entre autres plantes exotiques, un précieux nénuphar *Victoria amazonica*. C'est à l'enthousiasme du roi Léopold pour les plantes tropicales et à l'immense fortune qu'il retira de ses investissements au Congo que l'on doit l'extraordinaire développement des serres royales de Laeken, que l'on peut encore admirer aujourd'hui.

☞ Burton et Turner, Dupont, Fowler, Paxton

Auguste Balat. n. Gochenée (B), 1818. m. Axeller, Bruxelles (B), 1895. **Serres royales de Laeken**, Bruxelles (B), 1876.

# Bannochie Iris

## Jardins d'Andromède

Les jardins d'Andromède, à la Barbade, abritent la plus grande variété de plantes tropicales endémiques et exotiques des Antilles. On y trouve une profusion de palmiers, de fougères, d'*heliconias*, d'hibiscus, de bougainvillées, de bégonias, de cactus et d'orchidées. Andromède, la déesse mythologique grecque, était enchaînée à un rocher tout comme ces jardins s'accrochent aux falaises de la côte orientale de la Barbade. Iris Bannochie, l'horticultrice locale dont la famille possédait ce domaine depuis 200 ans, commença ses plantations sur ce terrain rocheux et hostile en 1954. Elle sut tirer parti de la configuration naturelle des lieux, et notamment du cours d'eau, qui permit la création de bassins limpides et de cascades. Quand Iris Bannochie s'installa dans la maison d'Andromède, en 1964, elle se fixa pour mission de compléter l'immense variété de ses collections végétales en visitant les îles avoisinantes et en se faisant aider par des botanistes du monde entier. Elle ouvrit par la suite son jardin au public et légua son Andromède bien-aimé au Barbados National Trust après sa mort, en 1988.

☞ Raffles, Sanchez et Maddux, Thwaites

Iris Bannochie. Active (BAR), milieu du XXᵉ siècle. m. (BAR), 1988. **Jardins d'Andromède**, Saint-Joseph (BAR), 1954-1988.

# Barillet-Deschamps Jean-Pierre Les Buttes-Chaumont

Cette butte rocheuse domine le parc des Buttes-Chaumont, l'un des plus beaux jardins publics parisiens. Il fut créé dans une zone de carrières abandonnée et insalubre, longtemps utilisée comme décharge et même, de 1864 à 1869, pour des pendaisons publiques. On théâtralisa cette butte de 89 m de haut en l'entourant d'un lac et en édifiant à son sommet une réplique du temple de la Sibylle. Un autre tertre devint une île accessible par une passerelle tandis qu'une cascade de 30 m de haut jaillit à l'intérieur d'une caverne. Des sentiers permettent aux visiteurs de faire le tour du lac et de profiter des perspectives changeantes de ce parc ainsi que de la vue sur l'Ouest parisien depuis ses pentes raides et herbeuses. Cet aménagement romantique est typique du travail de Jean-Pierre Barillet-Deschamps, le jardinier en chef qui participa, aux côtés du baron Haussmann et de Jean-Charles Alphand, au remodelage de certains quartiers du centre de Paris et à la création d'espaces verts à partir de 1860. Tous trois participèrent à la conception des Buttes-Chaumont.

☞ André, Brongniart, Clément et Provost, Paxton

**Jean-Pierre Barillet-Deschamps**. n. Indre-et-Loire (F), 1824. **m**. (F), 1875.
**Les Buttes-Chaumont**, Paris (F), vers les années 1870.

39

# Barlow Pamela

## Jardins de Rustenberg Farm

Situés dans une petite vallée au pied de la chaîne montagneuse de Simonsberg, le domaine et les jardins de Rustenberg sont d'une beauté saisissante. Ils comprennent une ferme laitière, des vergers et un vignoble productif. Le jardin est très pittoresque, avec ses pelouses qui se déroulent paisiblement, bordées de larges massifs de plantes vivaces apparemment sauvages et de bouquets de grands arbres et de cyprès sculpturaux qui ponctuent l'horizon çà et là. Architecte paysager et dessinatrice de jardins, Pamela Barlow a su intégrer avec brio la vue du cadre naturel environnant, sompтueux et sauvage, aux plantations de massifs plus raffinés, typiques des jardins paysagers anglais traditionnels, créant ainsi un nouveau style de jardin. Cette symbiose entre la végétation locale et les plantes vivaces traditionnelles de Grande-Bretagne est typique de ce qui se fait de mieux en matière de jardins en Afrique du Sud.

☛ Bannochie, Lady Phillips, Rhodes, Tyrwhitt, Walling

Pamela Barlow. Active (AS), xxᵉ siècle. **Jardins de Rustenberg Farm**, Stellenbosch (AS), xxᵉ siècle.

# Barnsley Ernest

## Rodmarton Manor

Au printemps, les jonquilles relient les différentes « pièces » qui composent le jardin de Rodmarton Manor et le domaine agricole voisin. L'architecte Ernest Barnsley dessina les plans de la maison et du jardin à partir de 1909, mais mourut avant leur achèvement. Pour la maison et le jardin, Barnsley employa des matériaux naturels mis en œuvre par des artisans locaux, une attitude caractéristique du mouvement Arts and Crafts. Barnsley, qui avait découvert ce style architectural lors d'un stage à l'agence de John Dando Sedding (1838-1891), devint par la suite membre d'une communauté d'artisans, de jardiniers, d'écrivains et d'artistes qui adhéraient à ces valeurs traditionnelles et travaillaient tous dans la région des Cotswolds. Parmi les autres personnalités de ce groupe on compte Johnston à Hidcote et Morris à Kelmscott. Mais ce jardin est aussi un hommage au paysagisme de Sedding, qui était essentiellement « Old English », un style composé de grandes haies d'ifs, de topiaires, d'ornements tels que les cadrans solaires et de parterres foisonnant de plantes vivaces.

☛ Baillie Scott, Blomfield, Johnston, Mawson, Morris

# Baron Ash Graham

## Packwood House

Selon la tradition populaire, cet ensemble composé d'ifs élégamment taillés illustrerait le Sermon sur la Montagne, le Christ se trouvant au sommet de la surélévation en spirale, les Apôtres sur les terrasses avoisinantes et le peuple, figuré par des arbres de formes et de dimensions différentes, tout en bas. La taille ornementale (topiaire) était très répandue aux XVIe et XVIIe siècles, et Packwood est peut-être l'un des rares jardins survivants de la Renaissance anglaise comprenant, comme il se doit, un tertre, un belvédère, des terrasses, un verger et une cour. Mais ces ifs si bien modelés ont sans doute été plantés au cours des « améliorations » du XIXe siècle, qui incluent de nouveaux parterres fleuris et la plantation d'arbres à feuilles persistantes. Quand Baron Ash hérita de cette propriété dans les années 1930, il agrandit la maison et rénova le jardin. Il conserva les ifs – peut-être même encouragea-t-il le mythe des topiaires –, ajouta un « parterre Charles II » (déplacé au début de la Seconde Guerre mondiale) et un jardin encaissé, qui fut légué au National Trust en 1941.

☛ **Barnsley, Boy, Franco, Pinsent**

**Graham Baron Ash**. Actif au début du XXe siècle. **Packwood House**, Warwickshire (RU), vers 1930.

# Barragán Luis

## San Cristobal

Sous le brûlant soleil mexicain, les vastes plans rouge vif, roses et ocres font écho aux bleus profonds de l'eau et du ciel. Cet espace taillé de manière radicale et rigoureuse fait du ranch de San Cristobal un univers mental serein et stimulant. Architecte parmi les plus marquants du XXᵉ siècle, Luis Barragán se targuait d'être avant tout un architecte paysager. Cet homme profondément spirituel resta toujours très proche de son pays d'origine, le Mexique, où il travailla et vécut la plus grande partie de sa vie. Il puisa les fondements de son art dans l'architecture populaire mexicaine, à laquelle

il intégra l'influence des architectes français Ferdinand Bac et Le Corbusier. Mais il doit la plupart de ses enseignements les plus durables à des rencontres fortuites, comme cette promenade à Grenade : « Après avoir marché dans la pénombre de l'Alhambra, je me retrouvai soudain dans le patio des Myrtes, silencieux et vide. J'eus alors le sentiment qu'il renfermait tout ce qu'un jardin parfait – peu importe sa taille – doit contenir : rien moins que l'univers entier. »

☞ Bac, Burle Marx, Le Corbusier, Muhammad V, Yturbe

**Luis Barragán. n.** Guadalajara (MEX), 1902. **m.** Mexico (MEX), 1988.
**San Cristobal**, Résidence et écuries d'Egerstrom, Los Clubes, Mexico (MEX), 1968.

# **Barron** William

## Château d'Elvaston

Cette peinture d'E. Adveno Brooke, datée de 1856, représente « Mon Plaisir », un jardin dessiné au XVIIᵉ siècle par le paysagiste français Daniel Marot et reconstitué par William Barron au début du XIXᵉ siècle. Des allées serpentent à l'intérieur d'une enceinte composée d'une épaisse haie d'ifs, percée de quatre « fenêtres » qui permettent l'accès, tandis qu'au milieu trône un monumental « désespoir des singes », un arbre rapporté du Chili par William Lobb. Des niches d'ifs taillés étaient disposées symétriquement autour du centre, et des sentiers bordés de haies rejoignaient les

entrées. Ce jardin fut réalisé en 1830 pour le comte d'Harrington qui, ayant choqué la bonne société en vivant ouvertement avec sa maîtresse, se retira à Elvaston pour y vivre en reclus avec sa nouvelle épouse. Barron passa cinq années à préparer les lieux et à étudier la meilleure façon de transplanter des arbres importés de pays lointains. Il donna la priorité aux conifères et créa des jardins à la française et des jardins compartimentés, dont un « Alhambra » directement inspiré du modèle mauresque.

☛ **Blandy, Johnston, Lennox-Boyd, Sackville-West, Verey**

**William Barron. n.** (RU), 1800. **m.** (RU), 1891. **Château d'Elvaston**, Derbyshire (RU), 1830-1835, illustration de *The Gardens of England*, E. Adveno Brooke, 1857.

# Barry Sir Charles

## Harewood House

Cette vue est l'un des meilleurs exemples d'un jardin du début de l'époque victorienne : des marches de Harewood House, on domine les jardins à la française de Charles Barry, avec, en arrière-plan, le lac créé par Capability Brown (1716-1783) et la campagne environnante. Au milieu du XIXᵉ siècle, il devint très à la mode d'inscrire un jardin à la française entre la maison et le paysage « naturel » tant apprécié au siècle précédent. Le jardin formel en terrasses était agencé d'après le modèle italien – plutôt italianisant qu'italien – et orné d'une profusion de plates-bandes de fleurs aux couleurs vives. Barry fut l'un des grands défenseurs de cette nouvelle mode, bien qu'il soit plus connu pour sa construction des Houses of Parliament de Londres dans le style gothique. De nombreux jardins formels furent laissés à l'abandon au milieu du XXᵉ siècle, mais Harewood fut restauré dans les années 1990 : les contours des plates-bandes sont tels que Barry les avaient dessinés, seule la statue au centre du bassin est moderne.

☞ **Barron, Lainé, Nesfield, Sitwell**

**Sir Charles Barry. n.** Londres (RU), 1795. **m.** Londres (RU), 1860.
**Harewood House**, environs de Leeds, Yorkshire (RU), 1844.

45

# Bartram John

## Jardin de Bartram

Les parterres à l'arrière de la maison de John Bartram constituent le « traditionnel jardin de fleurs », avec ses plates-bandes d'aromates, de légumes et de plantes médicinales. Pourtant, il ne s'agit là que d'une petite partie de la vaste collection de plantes réunie par John Bartram, qui se déploie sur plus de 10 hectares. Bartram, un fermier quaker qui commença son jardin en 1728, fut le premier à réunir une collection complète de toutes les plantes endémiques d'Amérique du Nord. Au fil du temps, sa collection s'enrichit des nombreuses espèces qui lui furent expédiées des colonies, des Antilles ou par des botanistes du monde entier. En 1729, il créa ses propres pépinières et approvisionnait George Washington à Mount Vernon et Thomas Jefferson à Monticello. En 1736, Bartram devint « chasseur de plantes » et passa les trente années qui suivirent à organiser des expéditions pour recueillir de nouvelles espèces de la flore nord-américaine. On estime à environ 200 le nombre d'espèces qu'il découvrit ainsi. Il en envoya une grande partie en Angleterre, ce qui lui valut d'être nommé Botaniste du Roi en 1765.

☛ **Jefferson, Shurcliff, van Riebeeck, Washington**

**John Bartram. n.** Philadelphie, Pennsylvanie (EU), 1699. **m.** Philadelphie, Pennsylvanie (EU), 1777.
**Jardin de Bartram**, Philadelphie, Pennsylvanie (EU), 1728.

# Bateman James et Cooke Edward

Un somptueux déploiement de feuillages est encadré par l'un des nombreux bâtiments qui ornent ce jardin tandis que, plus loin, un porche invite à continuer la visite. En 1849, Cooke, un artiste devenu dessinateur paysager, rend visite à Bateman dans sa demeure de Biddulph. Durant les dix années qui suivirent, ils composèrent ensemble un jardin s'ordonnant en une série de petits jardins, chacun dédié à des plantes différentes. Ces « salles » s'inspiraient des différentes périodes de l'histoire de l'art du jardin, comme en témoignent leurs noms, China », The Cheshire Cottage ou encore The Egyptian Court, et étaient agrémentées par la présence de constructions de jardin stylisées. La qualité exceptionnelle de cet agencement réside dans la manière ingénieuse dont les « salles » sont reliées entre elles par des effets aussi surprenants qu'amusants. La présence d'une pinède et d'un arboretum témoigne de l'influence des domaines de Chatsworth et d'Elvaston. Comme à Elvaston, les plans de Biddulph sont un exemple d'aménagement excluant tout recours aux perspectives.

☞ Barron, Cockerell, Paxton, Vanbrugh

**James Bateman. n.** Redivals, environs de Bury, Lancashire (RU), 1811. **m.** Worthing, Sussex (RU), 1897.
**Edward Cooke. n.** Londres (RU), 1811. **m.** (RU), 1880. **Biddulph Grange**, Staffordshire (RU), 1842-1871.

# Bawa Geoffrey

## Lunuganga

Ce paysage serein fait partie du jardin conçu par l'architecte sri lankais Geoffrey Bawa depuis 1950 pour sa maison de campagne. Grâce à une palette de plantes exotiques, il a su créer différentes aires verdoyantes. L'originalité de sa maison réside dans l'aisance du jeu entre les espaces intérieurs et extérieurs, de petites cours et des passages ouverts alternant avec des lieux clos. Bawa, qui a dessiné de nombreux édifices en Indonésie et Sri Lanka (dont le parlement de 1977 à 1980), définit ainsi sa philosophie : « La seule manière de comprendre un bâtiment, c'est de le parcourir en tous sens et de faire l'expérience de la modulation de ses espaces, de pénétrer depuis l'extérieur dans les vérandas, puis dans les pièces, les couloirs et les cours intérieures, d'apprécier la vue que l'on a sur chaque pièce depuis une autre et sur le paysage extérieur, puis de se placer à une certaine distance de cette construction, avant de refaire tout le parcours à l'envers. Le jeu de la lumière entre l'extérieur et l'intérieur est également primordial et indispensable pour atteindre une harmonie parfaite. »

☛ **Barlow, Rhodes, Tyrwhitt**

**Geoffrey Bawa. n.** Colombo (SL), 1919. **Lunuganga**, environs de Bentota (SL), 1950.

# Beaumont Guillaume

## Levens Hall

Levens Hall est célèbre pour son magnifique ensemble d'ifs taillés qui offrent une incroyable variété de formes. Le parc et le jardin, influencés par la tradition du jardin à la française, furent créés par Beaumont entre 1689 et 1712 pour le colonel Graham, trésorier de la Maison du roi sous James II, avant que celui-ci ne quitte son pays en 1688. Beaumont planta de grandes haies de hêtres et d'ifs pour diviser ce jardin en cinq « quartiers ». Un verger, un terrain de boules, un « jardin de baies », un « jardin de melons » avec des serres chauffées, des parterres aux plates-bandes rigoureusement dessinées et bordées de buis et d'arbres taillés en topiaire qui sont aujourd'hui beaucoup plus grands que prévu dans le dessin originel. On ignore si les plans de ce jardin s'inspirent de dessins déjà existants ou s'ils sont entièrement le fruit de l'imagination d'Alexander Forbes, jardinier en chef de 1810 à 1862, qui restaura la plus grande partie de ce site et y ajouta des ifs dorés. Le jardin de Beaumont est aussi remarquable pour son très ancien « ha-ha » (large fossé sec servant à reculer les limites) et son superbe bastion.

☛ Barron, Le Nôtre, Monastère de San Lorenzo, Wirtz

# Beck Marion et Walter et Collins Lester

Quelque part dans l'extraordinaire paysage d'Innisfree, un cours d'eau serpente paresseusement entre des collines soigneusement plantées. De simples rochers ont été choisis pour reposer comme des chefs-d'œuvre naturels dans des étangs paisibles. Pour Innisfree – qui occupe 80 hectares – , Walter Beck a dessiné, à l'origine, une série de paysages inspirés de sa propre peinture dans le style chinois et de sa connaissance du peintre, dessinateur et poète du XVIIIe siècle Wang Wei. Remarquant que, sur ces tableaux en rouleaux, les paysages se résumaient à la forme d'une coupe, il choisit des éléments naturels dans le paysage pour encadrer chaque « coupe ». Avec son épouse, Marion, il travailla pendant trente ans à perfectionner les jardins de la propriété familiale. Quand ils rencontrèrent le dessinateur paysagiste Lester Collins, ils s'entendirent si bien qu'ils lui demandèrent de lier toutes ces « coupes » en un ensemble parfait. S'inspirant d'un ancien manuel japonais, Collins créa un univers où le visiteur passe tout naturellement d'une composition idéale à l'autre.

☛ Hosogawa, Jencks, Sørensen, Wilkie

**Marion Beck. n.** Saginaw, Michigan (EU), 1876. **m.** Millbrook, New York (EU), 1960. **Walter Beck. n.** Dayton, Ohio (EU), 1864. **m.** Millbrook, New Jersey (EU), 1954. **Lester Collins. n.** Moorestow, New York (EU), 1914. **m.** Millbrook, New York (EU), 1993. **Innisfree**, Millbrook, New York (EU), 1930.

# Beckford William

## Beckford's Ride

Quand William Beckford vendit son magnifique palais gothique de Fonthill, il s'installa près de Bath et chargea Henry Goodridge d'aménager Lansdown Tower dans le style roman italien. Après le décès de Beckford, cet édifice devint la chapelle d'un cimetière – on aurait d'ailleurs pu dire que c'était presque sa destination première – mais, à l'origine, il s'agissait du point culminant d'une pente assez raide qui conduisait de la maison de Beckford au très en vogue Lansdown Crescent. Beckford transforma ce site de jardins et de bois en un paysage homogène composé de grottes et de perspectives « sauvages » que l'on nomma Beckford's Ride. Beckford joua un rôle majeur dans le développement du style gothique en architecture et dans les arts décoratifs. Jeune homme, il avait été contraint de s'exiler à Lisbonne, où il fut très influencé par l'architecture des monastères. Sa première maison et son premier jardin néogothiques de Montserrat lui servirent de modèle pour son abbaye fantastique de Fonthill.

☞ Bigelow, Brongniart, Eaton, Gilpin, Walpole

**William Beckford. n.** Fonthill (RU), 1760. **m.** Bath (RU), 1844. **Beckford's Ride**, Bath (RU), 1822-1844, lithographie en couleur, *Lansdown Cemetery and Beckford's Tower*, artiste inconnu, XIX<sup>e</sup> siècle.

# Bélanger François-Joseph et Blaikie Thomas Parc de Bagatelle

Le parc de Bagatelle est un paysage pittoresque à grande échelle et très complet, avec des lacs, des cascades, des ponts palladiens ou chinois et de nombreuses fabriques. C'est l'un des parcs de Paris les plus prisés, bien qu'il soit surtout célèbre pour ses roseraies, créées en 1905 par J.-C. Forestier. Bagatelle vit le jour en 1777 à la suite d'un pari entre Marie-Antoinette et son beau-frère, le comte d'Artois, qu'elle mit au défi de créer un jardin dans les deux mois suivants. L'architecte François-Joseph Bélanger releva le défi, mais une fois le pari gagné, on demanda au jeune Écossais Thomas Blaikie d'y aménager un grand jardin paysager dans le style anglais. Excellent architecte paysagiste, Blaikie travailla en France pendant la plus grande partie de sa vie et participa à des projets de grande envergure comme celui du parc Monceau. Épris avant tout de botanique, Blaikie était venu à l'origine sur le continent pour collecter des plantes dans les Alpes. Quand l'aristocratie française découvrit ses talents de paysager, il ne tarda pas à devenir un prolifique créateur de jardins anglais.

☞ **Carmontelle, Chambers, Forestier, Laborde, Robert**

François-Joseph Bélanger. n. (F), 1744. m. (F), 1818. **Thomas Blaikie**. n. (RU), 1758. m. Paris (F), 1838. **Parc de Bagatelle**, Paris (F), 1777.

# De Belder Famille　Kalmthout

Charles van Geert installa d'abord sa pépinière à Kalmthout en 1856. Antoine Kort l'agrandit quand il l'acheta après le décès de Geert, mais il fut contraint de la fermer à la fin de la Première Guerre mondiale. Il fallut attendre 1952 pour que ce site abandonné soit acheté par Georges et Robert de Belder. En 1954, l'épouse de Robert, Jelena Kovacic, une agricultrice, les rejoignit et le trio transforma la pépinière en arboretum. Van Geert avait planté de nombreux conifères, dont une avenue qui reste toujours l'artère principale de ce jardin. L'arboretum lui-même ne fut jamais vraiment dessiné et évolua au fil des ans. Des plates-bandes se succèdent, isolées par de larges sentiers d'herbe fauchée. Chaque parterre est un subtil agencement d'arbres, d'arbustes et de plantes vivaces dont les formes, les textures et les couleurs contrastent élégamment. Ce parc regroupe une collection d'ormes blancs, de cerisiers fleurs, de magnolias, de rhododendrons et d'érables du Japon, qui prennent de somptueuses tonalités à la fin de l'été.

☛ **Cabot, Holford, Mackenzie, Thwaites, Vilmorin**

**Georges de Belder. Robert de Belder. Jelena Kovacic de Belder**. Actifs à Kalmthout (B), milieu xxᵉ siècle. **Kalmthout**, environs d'Anvers (B), 1952.

# Bigelow Jacob

## Cimetière de Mount Auburn

La réputation du cimetière de Mount Auburn était telle qu'on y emmenait jadis les jeunes gens pour qu'ils prennent exemple sur la vie exemplaire des illustres personnages qui y sont enterrés. D'après l'encyclopédie américaine, *Cyclopaedia of Useful Knowledge* (1835), ce cimetière construit en 1831 sur près de 30 hectares, à 5 km à l'ouest de Boston, était « célébré comme l'endroit le plus intéressant de sa catégorie en Amérique ». On s'accorde à penser qu'il est le plus ancien espace paysager de grandes dimensions ouvert au public en Amérique, et qu'il fut une source d'inspiration pour l'aménagement des banlieues résidentielles et des parcs publics au XIXe siècle. Le Bostonien Jacob Bigelow, talentueux physicien et botaniste, inventa le concept de « cimetière rural », un lieu installé à la frontière des villes où les « sépultures familiales, séparées par des arbres, des arbustes ou des massifs de fleurs, seraient édifiées dans des bois ou au cœur de jardins paysagers ». Mount Auburn célèbre la vision de Bigelow aussi efficacement de nos jours qu'à l'époque de son apogée.

☛ **Asplund, Beckford, Brongniart, Downing et Vaux, Eaton**

**Jacob Bigelow. n.** Sudbury, Massachusetts (EU), 1786. **m.** Boston, Massachusetts (EU), 1879.
**Cimetière de Mount Auburn**, Boston, Massachusetts (EU), 1831.

# Bijhouwer Jan

## Parc de sculptures du musée Kröller-Müller

Dansant avec son propre reflet, une sculpture blanche de l'artiste hongroise Marta Pan flotte sur un petit étang. Cette commande spéciale, datant de 1960, fut conçue comme « un point de rencontre entre le ciel et l'eau » prenant en compte les pelouses, les arbres et les sentiers alentour. Des douzaines d'autres sculptures sont disposées avec une égale précision à travers tout le parc du musée Kröller-Müller d'Otterlo. Dans les années 1930, l'idée d'installer des sculptures modernes en extérieur était déjà présente à l'esprit des Kröller-Müller, un couple fortuné et entreprenant qui avait décidé de créer son propre musée. Quand il ouvrit ses portes au public, en 1961, c'était l'un des premiers parcs de sculptures. Le directeur de l'époque, F. D. Hammacher, demanda au célèbre architecte paysager Jan Bijhouwer de dessiner un aménagement comprenant des lieux ouverts et des lieux clos, des pelouses et des bassins, qui seraient autant de lieux d'exposition. Au cours des années 1970, on y ajouta un terrain boisé sauvage où les artistes furent invités à installer leurs œuvres.

☞ Brancusi, Hepworth, Jellicoe, Miró, Moore, Saint-Phalle

Jan Bijhouwer. n. (PB), 1898. m. (PB), 1974.
**Parc de sculptures du musée Kröller-Müller**, Otterlo, environs d'Amsterdam (PB), 1961.

55

# Bingley Lord

## Parc de Bramham

Le temple gothique du parc de Bramham est une délicieuse construction de jardin, à l'échelle parfaite, qui se dresse dans un cadre idéal. Le parc fut créé par Robert Benson dans le style des jardins à la française de Le Nôtre, avec des allées bordées de grands hêtres, une série de bassins sophistiqués communiquant par une cascade et un canal en forme de T. Il fut plus tard embelli par les descendants de Benson. Le temple gothique fut construit en 1750 par Harriet Benson, la fille de lord Bingley, qui s'inspira d'un modèle présenté dans l'ouvrage de Batty Langley, publié en 1742, *Gothic Architecture*. Le parc est un lieu stimulant, avec ses amples espaces ouverts et ses belles perspectives étroites qu'ornent des obélisques, des étangs et une grande variété de temples qui offrent de vastes points de vue. Bramham Park est une heureuse synthèse entre le jardin à la française et le jardin anglais, avec une petite touche de Renaissance italienne. C'est un exemple du panache et de la confiance qu'inspirait l'art des jardins anglais au début du XVIIIᵉ siècle.

☛ Allen, Bowes Lyon, Le Nôtre, Vanbrugh

Robert Benson (1ᵉʳ lord Bingley). n. Wrenthorpe, Yorkshire (RU), 1676. m. 1731. **Parc de Bramham**, Yorkshire (RU), 1699-1731.

# Blanc Patrick

## Mur végétal

Ce bel ensemble de plantes qui prolifèrent sur un mur presque à la verticale semble en danger perpétuel. De prime abord, le Mur végétal est un mystère. Il est aussi beau qu'une falaise naturelle couverte de fleurs et de végétation. Le petit bassin à son pied, qui héberge quelques poissons rouges, recueille en permanence un filet d'eau. Le mur est un enchevêtrement de fil de fer très fin, lui-même placé sur une structure métallique recouverte d'un feutre très épais. Il n'y a pas de terre et la végétation, « plantée » dans des poches de feutre, ne germe et ne pousse que grâce à la présence de l'eau. Au-delà de l'aspect esthétique, il s'agit ici d'une expérience scientifique intéressante entreprise par l'agronome français Patrick Blanc à l'occasion du Festival international des jardins de Chaumont-sur-Loire en 1994. Le Mur végétal est resté sur place et peut être admiré en permanence ; quant à la technique de Patrick Blanc, elle fait l'objet de perfectionnements et a trouvé diverses applications pratiques dans plusieurs villes de France.

☛ Carvallo, La Quintinie, Latz, Vogue

Patrick Blanc. n. Paris (F), 1956. **Mur végétal**, Chaumont-sur-Loire (F), 1994.

# Blandy Famille

## Quinta do Palheiro Ferreiro

Depuis 1885, de petits jardins inattendus ont été créés à l'intérieur du grandiose jardin de la Quinta do Palheiro Ferreiro, à Madère, par des générations successives de la famille Blandy. Mais ce parc est avant tout un parfait exemple du style sauvage introduit par William Robinson. Il s'agissait d'une tentative pour recréer le Jardin d'Éden en réunissant une sélection de plantes qui donnent l'impression d'avoir poussé ensemble naturellement. L'apparente absence de volonté manifeste ne traduit pas le soin tout particulier qui présida à sa réalisation. Le caractère spécifique de l'Éden de Palheiro Ferreiro réside dans la présence d'un grand nombre de variété d'espèces spécifiques de l'hémisphère Sud qui poussent ici dans l'hémisphère Nord. Pendant des siècles, l'île de Madère, située sur les anciennes routes commerciales entre l'Europe, l'Asie, l'Afrique et les Amériques, a été un lieu de transit des plantes exotiques rapportées par les marins, les missionnaires et les botanistes de passage.

☛ Barron, Jekyll, Robinson, Rochford, Thijsse, Verey

Famille Blandy. Présente à Madère (POR) depuis 1885. **Quinta do Palheiro Ferreiro**, Madère (POR), 1885.

# Blomfield Sir Reginald

## Mellerstain

Cette vue aérienne indique parfaitement comment Blomfield, architecte distingué et auteur de *The Formal Garden*, a été influencé par la rigueur de la Renaissance anglaise et, dans sa conception de Mellerstain, par le travail de Le Nôtre à Versailles. Cet ensemble ne fut pas entièrement exécuté, mais la forme architecturale du jardin, sa structure et ses matériaux sont typiques du style de Blomfield qui n'utilisait les plantes qu'à titre d'accessoires décoratifs. Il considérait le jardin comme un cadre formel pour la maison dont la réalisation relevait des attributions de l'architecte. Cette attitude donna lieu à de nombreux conflits avec des horticulteurs tels que William Robinson, pour qui le dessin des jardins concernait avant tout le jardinier. Ces perspectives fuyantes, présentées par deux hommes vociférants, ravivèrent la « bataille des styles » qui faisait rage entre les formalistes et les naturalistes à la fin du XIXe siècle. Cette lutte trouva son épilogue avec la création du nouveau jardin anglais Arts and Crafts de Gertrude Jekyll et sir Edwin Lutyens.

☛ **Barnsley, Jekyll, Le Nôtre, Lutyens, Robinson**

Sir Reginald Blomfield. **n.** Bow, Devon (RU), 1856. **m.** Londres (RU), 1944.
**Mellerstain**, environs de Gordon, Berwickshire (RU), 1910.

# Bomarzo Duc de

## Sacro Bosco

Cette gigantesque tête de pierre à la bouche béante qui émerge d'un sous-bois est étrangement hideuse et attirante à la fois. Ce n'est que l'un des nombreux éléments du cortège surréaliste d'animaux mythiques, de monstres, de divinités et de figures mystérieuses sculptés à même la roche qui constituent le Sacro Bosco, le « bois sacré », de Bomarzo. Ce jardin fantastique, le plus énigmatique d'Italie, reflète la personnalité complexe de son créateur, le prince « Vicino » Orsini, qui se retira de la cour romaine pour s'établir à Bomarzo en 1557. Il ne fit aucune tentative pour dompter l'exubérante végétation de la vallée contiguë à la propriété familiale, mais, au contraire, l'exploita en créant un itinéraire symbolique et métaphysique très personnel. Cette attitude allait à l'encontre du raffinement de la villa Lante ou de l'arrogance de la villa d'Este. Après le décès d'Orsini, Bomarzo sombra dans l'oubli et fut négligé pendant trois siècles. Il fut redécouvert en 1949 par le peintre Salvador Dalí, personnalité excentrique dont l'intérêt pour le parc permit de l'ouvrir de nouveau au public.

☞ **Borromeo, Goldsworthy, Monteiro et Manini**

**Prince Pier Francesco « Vicino » Orsini (duc de Bomarzo). n.** (IT), 1513. **m.** Bomarzo (IT), 1585.
**Sacro Bosco**, Bomarzo (IT), 1557-1585.

# Borghèse Cardinal Scipione   Villa Borghèse

Scipione Borghèse était le neveu du pape Paul V, qui fit achever la basilique Saint-Pierre de Rome. Homme très puissant et fort riche, il commença en 1605 à acheter des terrains sur la colline du Pincio pour y faire un jardin. Girolamo Rainaldi dessina les jardins à la française et le Bernin réalisa de nombreuses sculptures. John Evelyn remarquait en 1644 « que ce lieu offrait toutes sortes de fruits parmi les plus délicieux, de simples exotiques, des fontaines d'inspirations diverses, des bosquets et des ruisselets remplis d'eau ». Mais presque tout fut balayé après qu'un peintre paysagiste écossais très à la mode, Jacob Moore, fut engagé en 1787 pour « l'agrandir et doubler sa superficie et... pour planter des arbres en groupes dans le style pittoresque, arbres dont ils étaient peu familiers à l'époque, comme par exemple le saule pleureur, etc. » C'est aujourd'hui un immense parc ouvert au public, qui propose toutes les attractions imaginables, dont le zoo de Rome, et accueille tous les ans un concours hippique international.

☞ **Fontana, Mansi, Mozzoni, Palladio, Raphaël**

# Borromeo Comte Carlo III   Isola Bella

Peu de vues sur des jardins peuvent rivaliser avec le spectacle saisissant qu'offre au voyageur arrivant en bateau l'extraordinaire panorama baroque d'Isola Bella, sur le lac Majeur, au nord de l'Italie. Le comte Carlo Borromeo III s'engagea dans cette entreprise en 1632 et chargea Angelo Crivelli de créer un palais d'été et des jardins sur ce qui était alors une île déserte. Son fils, Vitaliano IV, continua son œuvre et engagea Carlo Fontana comme architecte. Le jardin fut achevé vers 1690, mais l'ensemble du palais est constamment en travaux. La pièce centrale de ce parc est constituée de cinq terrasses ornées d'obélisques et de statues en pierre, qui donnent à l'île, aperçue de loin, l'allure d'un vaisseau fantôme. Chaque terrasse est garnie de fleurs et d'arbres fruitiers ; la plus basse est un parterre classique de fleurs bordé de buis. Derrière les terrasses, sur le côté du palais, se trouve une cour centrale avec un théâtre d'eau décoré de niches que domine une statue de licorne bondissante. La végétation est, pour l'essentiel, composée d'arbres à feuilles persistantes, notamment des buis.

☞ Bai, Fontana, Garzoni, Rochford

**Comte Carlo Borromeo III. n.** (IT), début du XVIIᵉ siècle. **m.** (IT), vers 1680. **Isola Bella**, lac Majeur (IT), vers 1630-1670.

# Bosworth William Welles   Kykuit

Des colonnades néoclassiques, des fontaines et des parterres à la française donnent le ton des jardins de la somptueuse propriété américaine de Kykuit, dans la vallée de l'Hudson. Inspiré des jardins européens de la Renaissance, leur style a été baptisé depuis « Renaissance américaine » ; la fontaine des Océans et les gigantesques allégories du Nil, de l'Euphrate et du Gange – modifiées pour inclure celle de l'Hudson tout proche –, en sont très révélateurs. La renaissance célébrée ici est celle que les États-Unis doivent aux grands industriels et aux grands philanthropes comme John D. Rockefeller, propriétaire de Kykuit. L'architecte paysagiste W. W. Bosworth, un protégé de Frederick Law Olmsted, fut appelé en 1913 pour dessiner ces immenses jardins ; c'était le début d'une brillante carrière qui allait se poursuivre avec l'aménagement des espaces verts de l'université de Stanford, du MIT et d'Arlington. Après la Seconde Guerre mondiale, Bosworth s'installa près de Paris pour superviser plusieurs restaurations historiques financées par la fondation Rockefeller.

☞ Hearst, Hosack, Johnson, Ligorio, Olmsted, Vanderbilt

William Welles Bosworth. n. Marietta, Ohio (EU), 1868. m. Vaucresson (F), 1966.
Kykuit, Pocantico Hills, New York (EU), 1913.

# Bouché Karl

## Pillnitz

Le jardin anglais aux couleurs éclatantes du château de Pillnitz est l'œuvre de Karl Bouché dans les années 1870. En plein été, les parterres regorgent de roses et de toutes sortes de plantes. Au fil du temps, de nombreux paysagistes – dont Karl Bouché – ont contribué à l'évolution de ce splendide jardin de la résidence d'été des rois de Saxe. Le plus célèbre d'entre eux fut Matthäus Daniel Pöppelmann (1662-1736), qui dessina le premier jardin formel anglais dans les années 1720 ; il s'étend entre la partie la plus ancienne encore existante, le Wasserpalais ou Palais du bord de l'eau,

de style baroque chinois, et l'Elbe, sur laquelle le roi arrivait en bateau d'apparat depuis Dresde. Le palais figurant sur cette image est le Neuespalais ou Nouveau Palais, construit en 1826 pour faire communiquer le Wasserpalais avec le Bergpalais, ou Palais à flanc de colline. Dans le jardin, on trouve une pinède du XIX$^e$ siècle, une allée de châtaigniers, le célèbre Heckengärten, jardin clos dit « des Plaisirs », un pavillon anglais dans le jardin anglais, une immense serre tropicale et, à l'endroit le plus élevé, un pavillon chinois.
☛ **Baden-Durlach, Carl-Theodor, Wilhelm, Wilhelmina**

**Karl Bouché. n.** 1850. Actif (ALL), fin XIX$^e$ siècle. **m.** 1933. **Pillnitz**, près de Dresde (ALL), vers 1870.

# Bowes-Lyon **Sir David**     Saint Paul's Waldenbury

Cette statue classique est placée exactement au centre et à l'extrémité d'une allée bordée de hêtres, l'une des trois allées qui convergent vers la façade nord de la maison en formant une patte d'oie. Le jardin, dont la restauration a débuté en 1932 par les soins de sir David Bowes-Lyon, fut commencé sous la direction d'Edward Gilbert en 1725, à une époque où il était de bon ton d'abandonner la rigueur formaliste. Défiant la nouvelle mode des jardins paysagers, Gilbert traça des sentiers dans les espaces boisés situés entre les allées et créa une série d'« incidents » comme des fontaines ou des statues. Ce faisant, il réalisa au début du XVIII^e siècle ce qui est incontestablement le plus beau parc anglais encore existant, dans le style de Le Nôtre à Versailles. Saint Paul's Waldenbury est le lieu de naissance d'Elizabeth Bowes-Lyon, l'actuelle reine mère du Royaume-Uni.

☛  Bingley, Jellicoe, Le Nôtre, Manning

**Sir David Bowes-Lyon.** n. (RU), 1902. **m.** Birkhall (RU), 1961.
**Saint Paul's Waldenbury.** Hertfordshire (RU), 1725 (restauré en 1932).

65

# Bowles Edward Augustus    Myddelton House

Au pied de la pergola, élément on ne peut plus édouardien, on aperçoit une partie de l'immense collection de plantes réunie par Edward Augustus Bowles à partir de 1895 dans son jardin de 2 hectares. Botaniste passionné du début du XXᵉ siècle, Bowles appartient à cette race d'amateurs enthousiastes et talentueux qui contribuèrent à faire avancer la science horticole, notamment en publiant leurs expériences. Son jardin, qui ne ressemblait à nul autre, était constitué de nombreux compartiments reliés de façon plutôt incohérente mais il pouvait s'enorgueillir de posséder une très grande variété d'espèces. L'Alpine Meadow, qui regorgeait de plantes à bulbes saisonnières, était surmontée par le célèbre Rock Garden (rocaille). De magnifiques parterres d'iris longeaient l'une des rives du cours d'eau, tandis que le Stone Garden recélait un arbre fossilisé et que le Lunatic Asylum consistait en un ensemble de curiosités botaniques. Mais Bowles est probablement plus connu aujourd'hui pour les trois charmants ouvrages qu'il publia en 1914 : *Mon jardin en été*, *Mon jardin en automne* et *Mon jardin en hiver*.

☞ **Crisp, Fish, Johnston, Verey**

**Edward Augustus Bowles.** n. (RU), 1865. m. (RU), 1954. **Myddelton House**, Enfield, Middlesex (RU), 1895.

# Boy Adolf

# Wilanów

La terrasse supérieure de Wilanów est un espace rigoureusement ordonné, composé d'ifs taillés en cônes et de plates-bandes de tulipes bordées de buis. Le premier jardin fut dessiné à la fin du XVIIe siècle par Adolf Boy, autour du palais construit par Augustyn Locci pour le roi Jean III Sobieski. Cette terrasse, d'inspiration italienne de l'époque, comptait des parterres de buis, des statues mythologiques dorées, des urnes de pierre, des fontaines et des serres, ainsi qu'un verger symétriquement planté. À la fin du XVIIIe siècle, Szymon Bogumil Zug agrandit les jardins à la française et c'est probablement lui qui y planta le parc paysager, avec ses sentiers tortueux et une cascade. Parmi les ajouts romantiques du début du XIXe siècle, on compte une pagode chinoise, un pont romain, un sarcophage et un arc de triomphe aujourd'hui en ruine. Dévastés pendant la Seconde Guerre mondiale, le jardin et le parc ont été restaurés par Gerard Ciolek de façon à restituer le jardin d'origine et les changements apportés ultérieurement.

☞ Barron, Pinsent, I. Thomas, Zug

Adolf Boy. Actif (POL), XVIIe siècle. **Wilanów**, Varsovie (POL), vers 1680-1700.

# Boyceau Jacques

## Jardin du Luxembourg

Cette célèbre vue de Pérelle nous dévoile le jardin du Luxembourg tel qu'il était vers 1640. C'est à cette époque qu'il impressionna vivement l'essayiste anglais John Evelyn, qui écrivit : « Les parterres sont de buis, d'un dessin fort rare et si soigneusement taillés en permanence que cette broderie est du meilleur effet pour les demeures qui lui font face. » Ce jardin fut conçu pour la reine Marie de Médicis, veuve d'Henti IV et mère-régente de Louis XIII, par son conseiller pour les jardins, Boyceau. Son *Traité du jardinage*, publié après sa mort, en 1638, est l'un des premiers ouvrages théoriques français sur le jardin à la française. Encaissé, le jardin du Luxembourg s'ordonnait autour d'un parterre central de plan carré occupé par des broderies de buis et un bassin, et couronné de terrasses. L'abside semi-circulaire attirait le regard sur la vaste perspective qui s'offrait au sud, encadrée par deux mille ormes alignés en carré. Les broderies de buis, tant admirées par Evelyn, comptent parmi les premières en France.

☛ S. Caus, Du Cerceau, Gallard, Le Bas, Le Blond, Ligne

*Veuë et Perspectiue du Parterre du Palais d'Orleans.*

Perelle Sculp.

Jacques Boyceau (Jacques de la Barauderie Boyceau). **n**. Saintonge (F), vers 1562. **m**. Paris (F), vers 1633.
**Jardin du Luxembourg**, Paris (F), 1612. Gravure de Gabriel Perelle.

# Bradley-Hole Christopher  Chelsea Flower Show Garden

Ce « jardin virgilien » comprenait des murs lisses, de l'acier inoxydable, des panneaux de verre, du mobilier contemporain et un axe dégagé sur toute sa longueur. Des citations des *Géorgiques* étaient inscrites sur des plaques de pierre, procédé emprunté au *Little Sparta* de Ian Hamilton Finlay. Le London's annual Chelsea Flower Show n'est pas connu pour son innovation en matière de design, mais le jardin exposé par Christopher Bradley-Hole en 1997 et primé par le jury marqua un tournant stylistique ; il se démarquait enfin des pastiches Arts and Crafts qui dominaient la scène depuis des décennies. Les plantations jouaient sur une palette épurée mais efficace en associant des spécimens originaux : de grands iris et des alliums offraient des nuances violettes au-dessus d'un parterre d'herbes. Le succès de Bradley-Hole lança une mode classico-contemporaine pour les expositions de jardins fleuris de Chelsea, bien que le penchant du jury pour la sophistication en horticulture ne favorise pas toujours les approches modernistes.

☞ Latz, Le Corbusier, Mies van der Rohe, Ruys

# Bramante Donato d'Angelo, dit

## Jardin du Belvédère

Le plan révolutionnaire que dessina Bramante à la demande du pape Jules II pour relier le palais du Vatican à l'ancienne villa du Belvédère divisait l'immense cour du Belvédère en trois espaces de jardins qui se rejoignaient par une série de rampes et d'escaliers monumentaux et un axe central. Commencé vers 1505 et terminé après la mort de Bramante, le jardin du Belvédère s'accommode des irrégularités du terrain et joue parfaitement son rôle de liaison ; il offre un cadre idéal à la collection de sculptures antiques du pape et un vaste espace pour le théâtre et l'apparat. La grande innovation de Bramante fut de rompre avec la tradition des jardins clos médiévaux et d'introduire l'effet de perspective. Son plan, dans lequel l'espace extérieur était traité comme un espace architectural à part entière, offrait une conception entièrement nouvelle de l'art du jardin et exerça une influence dominante en Europe durant plus de deux siècles. Malheureusement, ce jardin n'existe plus. Une nouvelle aile de la bibliothèque vaticane fut construite sur son emplacement en 1585, et plus tard une extension du musée.

☛ Palladio, Raphaël, Sulla

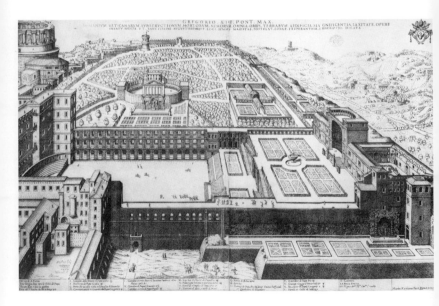

Donato d'Angelo, dit Bramante. n. Monte Andruvaldo, environs d'Urbino (IT), 1444. m. Rome (IT), 1514.
Jardin du Belvédère, Le Vatican, Rome (IT), vers 1505.

# Brancusi Constantin

## Parc de Tirgu Jiu

Dans un vaste parc boisé conçu pour la méditation et le souvenir, la *Table du Silence*, épais disque de calcaire entouré de douze tabourets, semble suspendue dans le temps. Plus loin dans l'allée centrale, la *Porte du Baiser* et la *Colonne sans fin* complètent ce remarquable ensemble de sculptures. Constantin Brancusi a dessiné à la fois le parc et les sculptures, dans un environnement spirituel qui évoque les anciens alignements de pierres. Pionnier de l'abstraction, Brancusi fut l'un des premiers sculpteurs modernes à s'intéresser à la relation entre l'art et l'environnement et à

suggérer l'idée d'une œuvre d'art en perpétuel changement par rapport à la situation du visiteur. Commandé par l'État roumain, Tirgu Jiu a été construit en 1938. Son site est proche du lieu de naissance de l'artiste en Roumanie, bien qu'il n'y ait plus vécu à partir de 1903, date à laquelle il traversa toute l'Europe à pied pour se rendre à Paris.

☛ Hamilton Finlay, Hepworth, Heron, Miró, Moore

**Constantin Brancusi. n.** Pesistani, Gorj (ROU), 1876. **m.** Paris (F), 1957.
**Parc de Tirgu Jiu**, environs de Hobitza (ROU), 1938.

# Brandt G. N.

## Jardins de Tivoli

Les jardins de Tivoli, au centre de Copenhague, sont synonymes de l'idée de loisirs urbains ; la plus grande partie de leur végétation a toujours été sans prétention afin de rester en harmonie avec le romantisme du site, et avec l'effet de surprise créé par la principale allée en zigzag. Le foisonnement de simples plantes herbacées au cœur de ce vaste paysage est caractéristique du travail de Brandt, l'auteur du jardin en parterres de Tivoli, avec ses plates-bandes en forme d'ellipses et ses fontaines à cuves de bois (mesure d'austérité en temps de guerre). Brandt a repris les idées de Lutyens et de Jekyll – l'adoucissement d'une architecture rigoureuse par la subtilité des plantations – et introduit des fleurs sauvages et des zones d'herbe non fauchée au milieu de compositions plus sophistiquées. Grand défenseur d'une approche écologique de l'horticulture, Brandt affirmait être plus un jardinier qu'un paysagiste. Son style constituait un heureux mélange de formel et d'informel, comme on peut le voir au June Garden de Swastika, où liberté et rigueur se répondent.

☛ **Jekyll, Loudon, Lutyens, Sangram Singh, Tyers**

G. N. Brandt. n. 1878. Actif (DK), début xx<sup>e</sup> siècle. m. 1945. **Jardins de Tivoli**, Copenhague (DK), 1943.

# Bridgeman Charles

## Jardin de Claremont

Un cèdre du Liban porte son ombre au-dessus du vaste amphithéâtre de gazon de Bridgeman, qui incline ses huit terrasses circulaires (quatre concaves, quatre convexes) comme une gigantesque cuvette, selon le modèle classique. Taillé dans les rives pentues qui entourent le lac (un bassin rond à l'origine), cet amphithéâtre fut créé vers 1725, plus pour la configuration du sol que pour des raisons culturelles. Il offre aussi de belles perspectives sur la vallée. Ancienne propriété de l'architecte sir John Vanbrugh, Claremont a évolué et son histoire retrace à elle seule celle du jardin paysager anglais. William Kent accorda des libertés au jardin sophistiqué conçu par Bridgeman en y ajoutant une cascade (devenue une grotte) et en transformant l'ancien bassin en lac plus « naturel ». Capability Brown édifia une autre maison et dissimula par des arbres l'amphithéâtre. Ces jardins, plantés d'espèces exotiques et de rhododendrons, devinrent un des lieux de retraite préférés de la reine Victoria. Les créations de Bridgeman, nommé jardinier de George II, dont peu ont survécu, annonçaient le style paysager.

☛ Goethe, Grenville-Temple, Hoare, Kent, Piper

Charles Bridgeman. m. Londres (RU), 1738. **Jardin de Claremont**, Esher, Surrey (RU), 1715.

# Brongniart Alexandre Théodore

Le Père-Lachaise

Dans un cadre profondément émouvant et romantique, le cimetière du Père-Lachaise n'est pas, comme on pourrait le croire, un lieu de sépultures isolé et paisible. Il reçoit un flot constant de visiteurs, chacun se rendant sur les tombes de ses élus, de Chopin à Jim Morrison, de Proust à Oscar Wilde, ou bien de badauds cherchant à savoir « qui se trouve enterré là ». En 1804, Alexandre Brongniart, concepteur de la Bourse de Paris, fut sollicité pour créer un nouveau cimetière sur une colline dominant la capitale. Il imagina une allée centrale, qu'il fit border de cyprès, d'où partait une infinité de sentiers. Le style de ce cimetière était totalement novateur pour l'époque, pourtant le site ne tarda pas à faire référence auprès des paysagistes de l'Europe entière. Afin d'assurer la « promotion » de ce nouveau cimetière, la municipalité de Paris y fit transférer les cendres de célébrités comme Molar ou Beaumarchais. Le Père-Lachaise devint très vite un lieu de repos éternel à la mode, malgré l'escalade des prix qui s'ensuivit.

☛ Asplund, Bigelow, Eaton, Scarpa

Alexandre Théodore Brongniart. n. Paris (F), 1739. m. Paris (F), 1813. **Le Père-Lachaise**, Paris (F), 1804.

# Brookes John

## Denmans

Denmans est aujourd'hui le domaine du paysagiste John Brookes, dont l'ouvrage *Room Outside* (1969) fit connaître au grand public la notion, aujourd'hui familière, de vie en plein-air et de « jardinage en patio ». Ce jardin, qui s'étend sur 14 hectares de terrain pierreux et alcalin non loin de la côte sud de l'Angleterre, fut commencé par la regrettée Joyce Robinson peu après son arrivée, en 1946. Cette dernière créa une « rivière sèche » de gravier qui suivait des courbes sinueuses sur une pente douce plantée de bouleaux blancs et d'espèces méditerranéennes. Le jardin de gravier de Robinson, très novateur, lui avait été inspiré par un voyage dans l'île grecque de Délos, à la fin des années 1960. Quand John Brookes s'installa à Denmans en 1980, il conserva ce parti pris d'une végétation originale dans un paysage rocailleux, et planta des herbes folles et parfumées à l'intérieur du jardin d'herbes aromatiques, anciennement clos de murs. Ce lieu, qui a aujourd'hui atteint sa maturité, respire la liberté car les plantes s'y ressèment naturellement où bon leur semble.

☞ **Aldington, Chatto, Gildemeister, Pearson, Toll**

**John Brookes. n.** (RU), 1933. **Denmans,** Sussex (RU), 1980.

# Brown Capability

## Palais de Blenheim

Les particularités apparemment naturelles de Blenheim – le lac, la pelouse ondulante, les bosquets – sont toutes de la main de l'homme et sont l'œuvre de Capability Brown, architecte paysagiste qui eut le monopole de l'agencement des jardins anglais durant toute la seconde moitié du XVIIIᵉ siècle. Le génie de Brown consistait à trouver la formule juste, toujours inspirée par l'idée romantique d'une Angleterre pastorale, et à la modeler en fonction des lieux et des clients. Sa capacité à s'adapter aux propriétés du terrain lui valut son surnom de « Capability ». S'il est vrai que Brown détruisit de nombreux jardins à la française (dont ceux de Londres et de Wise) au profit de pelouses montant jusqu'aux habitations, il lui arrivait parfois de préserver certains éléments sophistiqués quand il le jugeait approprié. Moins intellectuel que ses prédécesseurs, Brown ne partageait pas leur intérêt pour des préoccupations symboliques et littéraires : son travail n'avait pas de sens caché. C'est probablement cette simplicité associée à un grand sens de la composition qui donnent à son œuvre sa force et son attrait.

☛ **Emes, Grenville-Temple, Kent, Repton, Vanbrugh**

**Capability Brown (Lancelot « Capability » Brown). n.** Northumberland (RU), 1716. **m.** Londres (RU), 1783.
**Palais de Blenheim,** Woodstock (RU), 1764-1774.

# Bullant Jean

## Château de Chantilly

On accorde souvent à Jean Bullant la paternité des célèbres jardins de Chantilly, que l'on voit ici représentés sur une gouache datant du XVIIᵉ siècle. En fait, il ne reste aujourd'hui aucune trace de son travail, excepté le château qu'il construisit dans les années 1550 pour le duc Anne de Montmorency, connétable de France. Édifié sur une île entourée de douves médiévales, ce château possédait une loggia qui s'ouvrait sur un petit jardin en parterres. Les jardins que nous pouvons admirer aujourd'hui sont essentiellement l'œuvre du jardinier royal André Le Nôtre, qui superposa ses plans ingénieux à ceux de Bullant. Ils furent aménagés pour le prince de Condé au cours des années 1660, avec l'aide d'un ingénieur hydraulicien, Jacques de Manse, et d'une équipe d'architectes, de sculpteurs, de botanistes et d'horticulteurs. Mais ce sont les jeux d'eau qui impressionnèrent le plus les contemporains du prince : le cours de la rivière Nonette fut en effet détourné pour créer deux spectaculaires terrasses réfléchissantes, dont la plus grande mesure 1 800 m de long sur 80 m de large.

☞ J. Aislabie, Dashwood, Le Nôtre, Philippe II

**Jean Bullant. n.** Amiens (F), vers 1515. **m.** Écouen (F), 1578. **Château de Chantilly**, Chantilly, Picardie (F), années 1550,
*Le Château de Chantilly*, gouache, artiste anonyme, XVIIᵉ siècle.

# Buontalenti Bernardo

## Villa Pratolino

Ce géant herculéen scrutant les eaux d'un bassin de lotus, œuvre du sculpteur maniériste Giambologna, se dresse dans le parc de la villa Pratolino, autrefois saluée comme la plus remarquable des Médicis. Vers 1569, le décorateur de théâtre et architecte Buontalenti créa des sentiers labyrinthiques sur les flancs d'une colline richement boisée du parc. Cet itinéraire mystérieux était ponctué par des cascades, des automates, des fontaines, des grottes et autres monuments étranges, conçus par les plus célèbres artistes et architectes de l'époque pour le grand-duc François Iᵉʳ de Médicis. Mais l'histoire de Pratolino est le triste récit d'une destruction et il paraît bien difficile, malgré la campagne de restauration en cours, de réparer les innombrables dégâts infligés à travers les siècles : devenu terrain de chasse à courre au XVIIIᵉ siècle, le parc subit l'occupation napoléonienne avant d'être transformé en parc « à l'anglaise » au XIXᵉ siècle. Malgré le peu d'éléments subsistants, le parc a conservé toute sa puissance évocatrice d'antan.

☞ Bomarzo, I. Caus, Garzoni, Mardel, Orsini, Vignole

**Bernardo Buontalenti. n.** Florence (IT), 1536. **m.** Florence (IT), 1608.
**Villa Pratolino**, actuel Parco Demidoff, environs de Florence (IT), vers 1569-1581.

# Burle Marx Roberto

## Résidence Fernandez

Des pelouses plantées d'hémérocalles et de coleus entremêlés descendent en pente douce vers la rive d'un lac, tandis que des rhododendrons roses attirent le regard en direction d'un paysage montagneux. Grâce à son remarquable sens de l'équilibre, à son utilisation hardie des courbes et des plantes aux couleurs éclatantes, Roberto Burle Marx a transformé ce très beau site vallonnée des monts Orgaos, au Brésil, en un paysage tranquille et reposant. Longtemps considéré comme « le véritable inventeur des jardins modernes », Burle Marx s'est révélé un grand innovateur quand, à son retour au Brésil après des études en Allemagne, il commença à associer des amoncellements de plantes agencées en plates-bandes courbes et sinueuses avec des formes architecturales géométriques modernistes. Remarquable artiste dans son utilisation de la flore brésilienne, il fut aussi un maître en matière de design, comme en témoignent ses célèbres passages couverts ondulants de Copacabana. Ses plus importantes réalisations (certaines avec Le Corbusier et Niemeyer) sont au Brésil.

☛ Barragán, Bye, Le Corbusier, Pepper, Silva

**Roberto Burle Marx. n.** São Paulo (BR), 1909. **m.** environs de Rio de Janeiro (BR), 1994.
**Résidence Fernandez**, Correias (BR), 1948, restaurée en 1988.

79

# Burley Griffin Walter

## Jardins botaniques australiens

En 1912, l'architecte et paysagiste américain Walter Burley Griffin remporte le concours pour le dessin de la nouvelle capitale fédérale, Canberra. Ses plans mettaient à l'honneur la flore australienne. Même s'il fallut attendre 1970 pour assister à l'ouverture officielle des jardins botaniques, l'aménagement ambitieux de Burley Griffin prévoyait qu'entre temps, aucun des hommes politiques successifs ne puisse remettre en question leur création. L'idée originelle (à la mode à l'époque) de planter un arboretum continental comprenant des spécimens provenant de régions climatiques comparables du monde entier fut abandonnée au profit d'une concentration exclusive sur la flore indigène australienne et sur l'emploi de techniques d'irrigation comme le « petit ravin forestier », permettant de transformer une zone aride en un environnement humide grâce à un système d'arrosage automatique. Ces jardins, qui couvrent 90 hectares et abritent quelque 90 000 plantes de 5 000 espèces différentes, contribuent toujours aussi activement à la protection des spécimens menacés ou rares.

☛ **Dow, Raven, Thays, Wilton et Cockayne, F.L. Wright**

**Walter Burley Griffin. n.** Maywood, Illinois (EU), 1876. **m.** Lucknow (IND), 1937.
**Jardins botaniques australiens**, Canberra (AUS), conçus en 1912, ouverts en 1970.

# Burlington Lord

## Chiswick House

La carte de John Rocque datant de 1736 fait nettement apparaître les grands axes structurés, les allées sinueuses et les espaces « naturels » intersticiels, trois caractéristiques du jardin classique qui avait la faveur de lord Burlington depuis son Grand Tour. En opposition au formalisme baroque des premiers parcs, Chiswick House, inspirée de la Villa Rotonda de Palladio et conçue par Charles Bridgeman et William Kent, répondait parfaitement au goût du jour. Son décor comprenait une rivière, une cascade dans une grotte, une exèdre bordée de statues (venant officiellement de la villa d'Hadrien), une salle de banquets et un bassin orné d'un obélisque, que l'on peut apercevoir dans les vignettes attenantes à la carte. La patte d'oie, prototype scénique du nouveau jardin paysager, domine l'ensemble avec ses haies taillées et ses trois perspectives aboutissant chacune sur une construction de jardin classique. Les idées de Burlington sur le « jardin naturel » furent immortalisées par Alexander Pope dans son poème de 1734 intitulé *Épître à Burlington*, dans lequel il louait son œuvre de pionnier.

☛ Hadrien, Kent, Palladio, Pope, Switzer, Vanbrugh

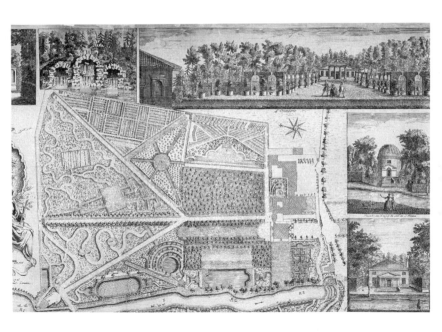

**Richard Boyle (3ᵉ comte de Burlington). n.** Londres (RU), 1695. **m.** Londres (RU), 1753.
**Chiswick House**, Londres (RU), 1725, gravure de John Rocque, 1736.

# Burnett Frances Hodgson

## Le Jardin secret

Qui n'a pas été enchanté par le récit pour enfants écrit par Frances Hodgson Burnett en 1911, *Le Jardin secret* ? Peu de gens réalisent que Misselthwaite Manor est la réplique de Great Maytham Hall, la superbe propriété du Kent où Burnett avait séjourné un siècle plus tôt. Le beau jardin clos de murs du XVIIIe siècle était alors devenu un fouillis inextricable. Mais il n'en inspira pas moins à Burnett son conte mémorable après son retour en Amérique. Les visiteurs se demandent si « le jardin sera comme Mary et Dickon l'ont secrètement transformé, sans que l'oncle solitaire de Mary, Archibald Craven, ne s'en aperçoive ». Mais tout ceci est de l'ordre de la conjecture mystérieuse. La propriété fut reconstruite en 1910 par l'architecte sir Edward Lutyens. Aujourd'hui, les visiteurs peuvent de nouveau arpenter le jardin, admirablement restauré, et même, qui sait, y découvrir un descendant du célèbre rouge-gorge en train de chanter dans l'arbre à la lisière du jardin secret ! Frances Hodgson Burnett, qui est aussi l'auteur de *Little Lord Fauntleroy* (1886), émigra aux États-Unis à la fin de la guerre civile.

☛ Lutyens, Potter

**Frances Eliza Hodgson Burnett. n.** Manchester (RU), 1849. **m.** Washington, DC (EU), 1924.
**Le Jardin secret**, Great Maytham Hall, Kent (RU), XVIIIe siècle.

# **Burton** Decimus et **Turner** Richard

Cette spectaculaire serre de 120 m de long par 30 m de large et 20 m de haut fut commandée par le premier directeur de Kew, sir William Hooker, et construite entre 1844 et 1848 pour abriter les espèces tropicales les plus fragiles que l'on rapportait de tous les coins de l'empire britannique. À l'origine, ces plantes se trouvaient dans des pots disposés sur des étagères en gradins et il fallut attendre les années 1860 pour qu'on les installe en pleine terre. Les dessins originel de la serre, proposés par le très novateur ingénieur et fondeur Richard Turner, furent modifiés par Decimus

Burton, qui avait récemment travaillé avec Paxton et « allégea » les ornements gothiques de Turner. L'habileté technique de Turner associée aux dessins épurés de Burton donnèrent naissance à un bâtiment aux formes curvilignes. Avec ses dômes, ses absides semi-circulaires et ses galeries aux voûtes en berceau, cette structure métallique n'était pas seulement fonctionnelle mais aussi esthétique et elle connut un grand succès. Ayant subi les assauts de la rouille, la serre fut l'objet d'une restauration très couteuse en 1985.

☛ **Balat, Dupont, Fowler, Grimshaw, Paxton**

**Decimus Burton.** n. Londres (RU), 1800. m. Londres (RU), 1881. **Richard Turner.** n. Dublin (IRL), vers 1798. m. 1881.  83
**Kew Palm House**, Kew, Londres (RU), 1844-1848.

# Bushell Thomas

## Enstone

Accessible à travers un voile d'eau, cette caverne où pendent des stalactites dévoile les merveilleux effets hydrauliques mis au point par Thomas Bushell ; ils étaient généralement accompagnés d'effets de lumière simulant les éclairs ou l'arc-en-ciel et de toutes sortes de bruitages imitant le tonnerre, la pluie, la grêle, les roulements du tambour, les chants d'oiseaux ou encore le bruit de la résurrection des morts. Ancien page et secrétaire de l'homme d'État et philosophe sir Francis Bacon, Bushell s'installa à Enstone dans les années 1620. Il drapa de noir son cabinet de travail,

le transformant ainsi en ermitage mélancolique. Son jardin comprenait des allées, des bosquets et des parterres fleuris, ainsi que des jeux d'eau qui furent ajoutés après sa mort. Les deux visites de Charles Iᵉʳ lui apportèrent une éphémère célébrité, mais il quitta Enstone au début de la guerre civile pour n'y jamais revenir. Les *Merveilles d'Enstone* se réfèrent au Héros d'Alexandrie (Iᵉʳ siècle av. J.-C.) et les jouets et jeux d'eau rappellent les jardins européens, tels la villa d'Este en Italie ou le château d'Hellbrunn en Autriche.

☛ **I. Caus, S. Caus, Ligorio, Robins**

**Thomas Bushell**. **n.** Worcestershire (RU), 1594. **m.** Londres (RU), 1674. **Enstone**, Oxfordshire (RU), années 1620.

# Bye Arthur Edwin

## Leitzsch Residence

Dans un site boisé proche de Ridgefield, dans le Connecticut, Arthur Edwin Bye a su exercer sa magie subtile en entremêlant l'art et la nature. Les balcons de la maison ont été construits de manière à se prolonger dans le paysage environnant. Des trouées ont été pratiquées dans les bois pour approfondir les perspectives et replacer le jardin dans un site plus vaste. Bye aime avant tout juxtaposer la nature et l'homme, en amenant la forêt jusqu'aux portes de la maison. Il ne croit pas à l'introduction d'espèces exotiques qui perturberaient l'équilibre écologique d'un lieu et poseraient des problèmes de culture et d'entretien. L'idée que le caractère naturel d'un environnement local puisse disparaître du fait de la substitution de plantes provenant d'autres parties du monde aux espèces endémiques l'inquiète. Bye est aussi célèbre pour ses campagnes paysagères : des gazons ondulants qui rappellent les accidents naturels du relief.

☛ Gildemeister, Hall, Manrique, Pearson, Rothschild

Arthur Edwin Bye. n. Pennsylvanie (EU), 1919. **Leitzsch Residence**, Connecticut (EU), fin des années 1970.

# Cabot Frank

## Les Quatre Vents

Le pont chinois de la Lune est une réplique d'un pont du Seven Star Park de Kweilin, en Chine. Quand l'eau est calme, le pont et son reflet forment un cercle parfait. Le jardin des Quatre Vents, au Québec, dessiné au début du XIXᵉ siècle pour la famille Cabot, domine l'estuaire du Saint-Laurent. Il fut conçu à l'origine autour d'un axe central partant des terrasses de la maison et orienté vers l'ouest, en direction des Laurentides. Le site a été considérablement agrandi par son actuel propriétaire, Frank Cabot, qui a su en faire un jardin sophistiqué, plein de charme, où transparaît la passion des plantes. Les Quatre Vents se composent d'une trentaine de sections différentes dont les spécificités ne nuisent jamais à l'harmonie de l'ensemble. Des cèdres taillés au feuillage velouté servent bien souvent de transition. Des espèces spécifiques d'Amérique du Nord comme le *Cornus canadensis*, le *Maianthemum canadense* et de beaux *Clintonia borealis* jaunes, côtoient les fougères dans les paisibles zones boisées, tandis que les gunneras à larges feuilles, les petasites et les rheums s'épanouissent au bord de l'eau.

☛ **Holford, Thwaites, Van Geert, Veitch, Vilmorin**

Frank Cabot. n. New York, New York (EU), 1925. **Les Quatre Vent**s, Québec (CAN), début du XIXᵉ siècle.

# Caetani Famille
## Ninfa

Les bâtiments en ruines et les ponts de pierre de Ninfa, petite cité médiévale proche de Rome désertée durant 600 ans, offrent un décor de rêve à un jardin. Au xxᵉ siècle, trois générations successives de la famille Caetani entreprirent de créer un jardin magique au milieu de ces ruines. En 1922, la duchesse de Sermoneta, d'origine anglaise, planta les roses qui tombent encore en cascades sur les arbres et les ruines. Son fils, le prince Gelasio, introduisit les ilex, les cyprès, les noyers noirs et les magnolias *grandiflora* qui sont arrivés aujourd'hui à maturité et participent à l'intemporalité du lieu. Après la mort du prince, son frère Roffredo et son épouse américaine Marguerite s'installèrent à Ninfa où ils plantèrent des fleurs et créèrent de nombreux ruisseaux. Lelia Caetani, qui était artiste, et son époux Hubert Howard leur succédèrent. Ils complétèrent l'ensemble par des magnolias, des paulownias *fargesii* et commencèrent un arboretum hors les murs. Le jardin de Ninfa est aujourd'hui entretenu par une fondation caritative.

☛ **W. Aislabie, Gilpin, Knight, Messel**

**Famille Caetani**. Active (IT), xxᵉ siècle. **Ninfa**, environs de Latina (IT), 1922-1977.

# Cameron Charles

## Pavlovsk

Le temple de l'Amitié, une rotonde surmontée d'un dôme et agrémentée d'une colonnade dorique, sans autre ouverture qu'une porte de chêne, fut le premier bâtiment construit à Pavlovsk par l'architecte écossais Charles Cameron pour le grand-duc Paul I<sup>er</sup> et son épouse Maris Fedorovna. Cameron dessina également le palais et les jardins à la française qui l'entourent, ainsi que certains édifices du parc, classiques pour la plupart, dont la laiterie à toit de chaume et la hutte de charbonnier, deux édifices de structure apparemment simple mais d'un grand raffinement intérieur. Le paysagisme mis en œuvre par Cameron sur les rives de la Slavyanks est typiquement anglais, tandis que sur la vaste étendue connue comme « Les Bouleaux blancs », le décorateur de théâtre Pietro Gonzago a créé un paysage idéalisé évoquant le nord de la Russie, composé de prairies et de forêts. L'impératrice Maris Fedorovna, jardinière experte et botaniste éclairée, contribua à l'aménagement du parc. Le temple inspira beaucoup de constructions semblables en Russie.

☛ Catherine II, Guerniero, Palladio, Pierre I<sup>er</sup>

**Charles Cameron. n.** Londres (RU), vers 1743. **m.** Saint-Pétersbourg (RUS), 1811.
**Pavlovsk**, Saint-Pétersbourg (RUS), milieu du XVIII<sup>e</sup> siècle.

# Cane Percy

## Dartington Hall

Dans le Tiltyard de Dartington Hall, des terrasses herbeuses étagées, un large escalier en pierre d'York et des haies d'ifs taillés participent d'un jeu de formes géométriques étroitement définies par l'ombre et la lumière du soleil, et produisent un contraste saisissant avec les frondaisons des grands arbres environnants. C'est l'un des paysagismes les plus raffinés au monde, situé dans un site magique du Devon, en Grande-Bretagne. La grandeur – telle qu'elle apparaît dans le Tiltyard – va de pair avec l'intimité des paisibles allées ombragées, l'isolement d'une prairie ou la

rusticité d'une cabane de jardinier. Dartington Hall fut construit au XIVᵉ siècle pour le demi-frère de Richard II, John Holand. Le jardin actuel est en grande partie l'œuvre de Percy Cane, un paysagiste prolifique qui compte parmi ses clients l'empereur Hailé Sélassié. Engagé par Dorothy et William Elmhirst, propriétaires de Dartington Hall depuis 1925 et fondateurs de l'expérimental College of Arts, Percy Cane prenait la suite de deux autres paysagistes américains, Beatrix Farrand et Harry Avray Tipping.

☛ Farrand, Hall, Jencks, Sørensen, Wilkie

**Percy Cane. n.** Bocking Mill, Essex (RU), 1881. **m.** 1976.
**Dartington Hall**, environs de Totnes, Devon (RU), à partir de 1945.

# Cao Andy

## Jardin de verre

Des bandes de couleurs impressionnistes se fondent avec subtilité dans le Jardin de verre d'Andy Cao à Echo Park (Los Angeles). Les monticules blancs à moitié immergés dans l'eau d'un bassin bleu sont une évocation des tas de sel qui bordent les routes du Vietman, où Cao a passé son enfance, évocations que l'on retrouve çà et là dans le jardin, comme les touffes de *Stipa tenuissima*, une herbe aromatique qui sent la citronnelle. Cao a commencé à utiliser le verre en 1994 après avoir récupéré une grande quantité d'éclats dans un centre de recyclage. Il s'intéressa aux propriétés de ce matériau et découvrit qu'il pouvait avoir de multiples usages dans un jardin. Ainsi le verre peut servir de paillis puisqu'il empêche la pousse des mauvaises herbes et ralentit l'évaporation de l'eau. Cao, qui a réalisé des installations pour des hôtels de la région de Los Angeles et de Las Vegas, reçoit aujourd'hui de nombreuses commandes de jardins de verre. Depuis 1999, certains paysagistes britanniques ont tenté la même démarche, sans jamais égaler l'habileté de Cao.

☞ I. Greene, Schwartz, Shigemori, Sitta, Smyth

Andy Cao. n. Tay-Ninh (VIET), 1965. **Jardin de verre**, Los Angeles, Californie (EU), 1998.

# Capponi Famille

## Villa Gamberaia

Les escaliers et les murs de ce petit jardin secret sont décorés de pierres rustiques et incrustés de mosaïques. Bustes, obélisques et urnes en terre cuite ornent la balustrade qui conduit à la terrasse supérieure. Là, se trouvent un jardin de citronniers et un *bosco* d'où l'on découvre une vue somptueuse. Ce sont les seules parties de la villa Gamberaia n'ayant pas subi de changements depuis que les Capponi l'embellirent et la redessinèrent, au XVIIᵉ siècle. Au niveau inférieur se trouve un jardin célèbre pour son parterre immaculé bordé d'ifs et d'allées étroites qui mènent à un mur de cyprès théâtralement curviligne. Des bassins peu profonds et des fontaines ont remplacé les plantes herbacées et les roses, typiques de la Renaissance. Ces remaniements modernes – dans un style qui respecte cependant les principes d'Alberti – furent entrepris au début du XXᵉ siècle sous l'égide de la princesse bulgare Ghycka, alors propriétaire de la villa Gamberaia.

☛ **Borromeo, Buontalenti, Michelozzi, Mozzoni**

**Famille Capponi.** Active (IT), XVIIIᵉ siècle. **Villa Gamberaia**, Florence (IT), à partir de 1717.

# Cardasis Dean

## Jardin de Plastique

Des panneaux de Plexiglas forment une séparation rigoureuse dans ce jardin aujourd'hui disparu, mais dont l'agencement est resté célèbre. L'idée d'un jardin en plastique était indissociable de la conception que Cardasis avait de l'habitat. Il considérait qu'une maison de banlieue avec ses murs en vinyle ressemblait à un jouet jeté au beau milieu du paysage. Ici, des parois de plastique rouges et jaunes constituent les cloisons d'une pièce extérieure dont le sol est en gravier, tandis que des panneaux bleus couvrent partiellement une terrasse de la maison. Un sentiment d'intimité naît de la présence d'essences d'arbres locales à la périphérie du jardin, plantés dans l'espoir qu'ils s'entremêleront avec ceux de la forêt d'origine sans cesse menacée par l'extension des villes. Ce jardin, relativement bon marché à mettre en œuvre, était prévu pour nécessiter peu d'entretien et tenait compte de la sécurité et de l'inventivité des jeux d'enfants. Professeur d'architecture et de paysagisme à l'université du Massachusetts, Dean Cardasis est également designer.

☛ Cao, Cooper, Delaney, Guevrékian, Mallet-Stevens

**Dean Cardasis. n. 1949. Jardin de Plastique**, Northampton, Massachusets (EU), 1995.

# Carl-Theodor Électeur palatin

## Château de Schwetzingen

Il n'est pas de meilleur endroit pour observer la transition entre le baroque et le jardin paysager que Schwetzingen, résidence d'été de l'électeur palatin Carl-Theodor, qui passa plus de quarante ans à peaufiner son jardin. Le jardin d'origine, conçu par l'architecte français Nicolas de Pigage, était un pur joyau baroque, avec un parterre circulaire entouré de pergolas curvilignes à treillis, un temple d'Apollon, des thermes, une étonnante fontaine des Oiseaux et un pont chinois. Friedrich Ludwig von Sckell remodela les abords du jardin dans le style anglais en 1776, et le bassin rectangulaire devint un lac aux contours irréguliers. En 1785, Nicolas de Pigage revint pour dessiner le temple de Mercure et la mosquée turque. Le parc de Schwetzingen reste un lieu d'une beauté exceptionnelle. L'empereur Joseph II voyagea incognito depuis l'Autriche pour admirer ces jardins et Voltaire déclara que son dernier vœu était de revisiter ce « paradis terrestre ».

☞ Baden-Durlach, Frédérique Ier, Frédérique II, Wilhelm

**Électeur palatin Carl-Theodor. n.** 1724. Actif (ALL) milieu XVIIIᵉ siècle. **m.** 1799.
**Château de Schwetzingen**, Rheinland-Pfalz (ALL), 1776-1785.

# Carmontelle Louis Carrogis de

## Parc Monceau

Cette pyramide est l'un des seul édifices subsistants de la collection de fabriques qui parsemaient le parc Monceau, à Paris, au moment de sa création. Conçu comme un cabinet de curiosités en plein-air, le parc devait à l'origine réunir « tous les temps et tous les lieux » dans un paysage naturel : tombes, colonnes brisées, obélisque, naumachie, arches anciennes, grottes… tout fut mis en place par Louis Carrogis de Carmontelle pour réaliser la « folie » du duc de Chartres, futur Philippe Égalité, en 1773. Dramaturge, illustrateur et paysagiste d'avant-garde, Carmontelle, qui recommandait dans ses *Vues du Jardin de Monceau* « d'introduire dans nos jardins les scènes changeantes de l'opéra », voulait transformer un jardin pittoresque en paysage illusoire. Le résultat, dédaigné par de nombreux commentateurs de l'époque, nous semble aujourd'hui plutôt attrayant, bien que les éléments du style pittoresque soient peu évidents. En 1860, à l'occasion de la « rénovation » haussmannienne de la capitale, une cascade et une grotte à stalactites furent ajoutées par Alphand, Barillet-Deschamps et Davioud.

☛ **Barillet-Deschamps, Chambers, Pückler-Muskau**

**Louis Carrogis de Carmontelle. n.** Paris (F), 1717. **m.** Paris (F), 1806. **Parc Monceau**, Paris (F), 1773.

# **Carter** George

## Silverstone Farm

Une barrière sculptée à partir d'outils de jardinage contribue à mettre en valeur un obélisque en silex surmonté d'un fleuron doré. Les parties latérales de ce cadre sont formées par une allée de charmes. Cette scène, composée à la perfection, riche de sens et un tant soit peu surréaliste, est l'un des nombreux « tableaux » que l'on peut admirer dans le jardin de George Carter, dans le Norfolk. Sur ce terrain de o,8 hectare, acquis en 1990, Carter a su tisser avec habileté diverses influences historiques pour créer un jardin résolument sophistiqué et en même temps fondamentalement moderne par son

atmosphère, ses dimensions et ses matériaux. On y trouve un mur de charmes curviligne inspiré d'une exèdre du XVIIIᵉ siècle, une cabane de style maniériste hollandais ou encore des obélisques et des sculptures peintes de couleurs sombres qui se fondent dans la végétation. Ce n'est pas un jardin fleuri. Familier des « mises en scène à partir de rien » – les boules et les obélisques sont en béton moulé et les statues en contre-plaqué –, Carter aime changer souvent les éléments de ses décors, comme au théâtre.

☛ Johnston, Lennox-Boyd, Shenstone, Strong et Oman

George Carter. n. Rotherham, Yorkshire (RU), 1948. **Silverstone Farm**, North Elmham, Norfolk (RU), à partir de 1990.    95

# Caruncho Fernando

## Jardin de blé

Ce sont les quadrillages formés par les rangs d'orangers et les sillons longilignes tracés à la charrue tout autour qui impriment le rythme de ce jardin de l'île espagnole de Majorque. Très formel et très contemporain à la fois, ce jardin ne cherche pas à reproduire un modèle ancien et semble pourtant se trouver là de toute éternité et appartenir à quelque civilisation inconnue. Héritier de la tradition espagnole des jardins qui s'enracine dans le style mauresque de l'Alhambra de Grenade, Fernando Caruncho est aussi un grand admirateur des jardins Boboli de Florence ou de ceux de Vaux-le-Vicomte, près de Paris. Caruncho pousse le formalisme très loin, non pas par pure nécessité esthétique mais en vertu d'un principe fondamental, inspiré en grande partie par la philosophie de la Grèce antique : le sens de l'ordre et de l'équilibre, de la permanence de l'Histoire. Il tente ainsi de faire la synthèse de son propre héritage esthétique et de l'Histoire du paysage dans lequel il inscrit son travail et se passionne pour la science de l'irrigation et les anciennes méthodes agricoles.

☞ **Hall, Le Nôtre, Muhammad V, Tribolo, Wirtz**

**Fernando Caruncho Torga. n.** (ESP), vers 1962. **Jardin de blé**, Palma de Majorque (ESP), vers 1990.

# Carvallo Dr Joachim

## Villandry

L'apogée du jardin potager à la française est représenté par les jardins de Villandry, créés au début du XXᵉ siècle par le Dr Joachim Carvallo. Quand il acquiert ce château du XVIᵉ siècle dans la région de la Loire, le Dr Carvallo entreprend d'aménager des parterres à la française pour compléter le « jardin paysager à l'anglaise » du XVIIIᵉ siècle déjà existant. Le Dr Carvallo choisit d'installer, au niveau le plus bas de ce terrain descendant en pente douce vers le nord, un potager à la française, qui est toujours entretenu avec le même soin aujourd'hui. Neuf carrés bordés de buis, tous de motifs différents, sont plantés d'une grande variété de légumes, cultivés pour leur apparence aussi bien que pour leur goût. Villandry lança la mode des légumes d'ornement, surtout les choux violets et verts, les cardons rouges et les laitues de couleurs, dont on raffola dans les années 1980 et 1990. Le chou violet décoratif, couvert d'une fine pellicule de givre, est ainsi devenu une image emblématique, aux accents romantiques, de cette fin de siècle.

☛ **Blanc, Duchêne, B. Rothschild, Shurcliff, Vogue**

**Dr Joachim Carvallo. n.** Don Benito (ESP), 1869. **m.** Paris (F), 1936. **Villandry**, Indre-et-Loire (F), 1906-1924.

# Catherine II de Russie

## Parc Ekaterininsky

Le pont palladien est l'un des points forts du parc de Tsarskoye Selo, le « village des tsars », réaménagé sur le modèle du parc de Stowe, en Angleterre, à la demande de la tsarine Catherine II qui se passionnait pour les jardins paysagers à l'anglaise. Certains des jardins conçus pour l'impératrice Élisabeth autour du palais par le maître du baroque russe, B. F. Rastrelli, furent conservés, et on persuada John Bush de quitter sa pépinière de Hackney pour venir remodeler le reste du parc dans le goût anglais. Parmi les architectes à qui l'on doit les nombreux édifices de styles très variés qui ornent le parc, on compte l'Écossais Charles Cameron, qui dessina le village chinois et le mausolée en forme de pyramide pour les lévriers italiens de la tsarine. Le pavillon turc, la cascade et le bain turc célébraient tous des victoires sur la Turquie. La colline Glissante, l'une des premières « montagnes russes » du monde, tomba en défaveur et fut démontée après que Catherine eut échappé de justesse à un grave accident.

☞ Allen, Brown, Cameron, Grenville-Temple, Pierre II

**Catherine II, tsarine de Russie (la Grande Catherine). n.** Stettin (POL), 1729. **m.** Saint-Pétersbourg (RUS), 1796.
**Parc Ekaterininsky**, Tsarskoye Selo, sud de Saint-Pétersbourg (RUS), vers 1765-1796.

# Caus Isaac de

## Abbaye de Woburn

Cette grotte richement ornementée est un exemple unique encore existant du travail extrêmement particulier d'Isaac de Caus. Elle fut exécutée dans les sous-sols de l'abbaye de Woburn pour Lucy Harrington, épouse du 3ᵉ comte de Bedford. Isaac de Caus, comme son parent Salomon, était un ingénieur hydraulicien français, architecte, dessinateur de jardins et créateur d'automates. Il fut très influencé par les jardins de la Renaissance, surtout ceux de Pratolino. Avec ses murs recouverts de formations coralliennes et de rochers artificiels, son plafond voûté décoré d'arabesques en coquillages, et l'imagerie classique de la frise décrivant des dieux marins dans des chariots en forme de conches et des putti chevauchant des dauphins, la grotte de Woburn est un testament du monde magique du style Renaissance maniériste tardif. À sa façon, elle témoigne de l'incroyable impact culturel et géographique de la Renaissance. La survivance de ce monument permet également de se faire une idée de l'importance qu'aurait eu l'ornementation de la grotte de Wilton, pour laquelle Isaac de Caus avait été consulté.

☛ **Buontalenti, S. Caus, Francini, Isham, Lane, Pulham**

**Isaac de Caus**. n. Dieppe (F), 1590. m. (RU), 1655. **Abbaye de Woburn**, Bedfordshire (RU), années 1630.

99

# Caus Salomon de

## Hortus Palatinus

Cette peinture de J. Fouquières montre la complexité des détails du plus beau jardin réalisé par Salomon de Caus. Elizabeth Stuart, fille de Jacques I<sup>er</sup> d'Angleterre et épouse de l'Électeur palatin Frédéric V, convoque de Caus (son ancien professeur de dessin) à Heidelberg en 1613. Cinq ans plus tard, en 1618, le jardin est achevé. De Caus, ingénieur français et dessinateur de jardins qui avait passé trois ans en Italie, créa un lieu profondément influencé par les jardins de style Renaissance observés lors de son séjour. Le site se composait de cinq étroites terrasses superposées, chacune d'elles divisée par des haies et des pergolas. Le jardin abondait en éléments typiques de la Renaissance : un labyrinthe, des statues, un belvédère, des arbres à la taille ornementale, des parterres et, très important à l'époque, des grottes, des jets d'eau et des automates musicaux pour lesquels de Caus avait composé lui-même la musique. Il ne reste aujourd'hui du jardin de Salomon de Caus que des terrasses fort mal plantées et une triste statue du Père Rhin, qui n'est qu'une pâle copie en résine.

☛ **Buontalenti, Bushell, I. Caus, Francini, Ligorio, Robins**

Salomon de Caus. n. (F), 1576. m. Paris (F), 1626.
**Hortus Palatinus**, Heidelberg (ALL), 1613-1618, peinture par J. Fouquières, 1620.

# Chambers William

## Kew Gardens

De l'autre côté du lac, entre l'Arethusa et le temple de la Victoire, les dix étages de la pagode chinoise de William Chambers se détachent, avec ses 49 m de haut, sur fond de ciel nuageux. C'est la preuve de son engouement pour les chinoiseries, à une époque où le style chinois était très en vogue en Europe. En 1757, la princesse Augusta demanda à Chambers de dessiner son jardin de Kew, sur l'emplacement d'un site déjà paysagé par Capability Brown. Chambers détestait l'insipidité des pelouses bien lisses et des lacs de Brown, auxquels il préférait les jardins offrant de la variété,

du « terrible, [de] l'agréable, [du] surprenant ». Chambers agrémenta donc le parc de Kew d'une vingtaine de temples, d'une volière, d'une ménagerie, d'une mosquée, d'un pont palladien et de la plus grande serre de l'époque, le Great Stove, reproduite dans *Plans of the Gardens and Buildings at Kew* (1763). Un petit jardin botanique vit également le jour à cette période. Agrandi par la suite, il est devenu l'actuel jardin botanique royal de Kew, où la pagode est restée à titre de témoin d'un autre âge.

☞ Frédéric II, Hardmuth, Hoare, Qian Long

# Chand Saini Nek

## Rock Garden de Chandigarh

Figés dans la rigidité de leurs armatures d'acier, vêtus de chiffons étroitement ajustés, des quantités de statues et des troupeaux d'animaux peuplent les clairières, les cascades et les temples du Rock Garden de Chandigarh, l'un des environnements les plus poignants, les plus spectaculaires et les plus visionnaires du monde. Comme c'est bien souvent le cas pour les lieux extraordinaires, sa genèse est tout aussi remarquable. Nek Chand Saini était fonctionnaire dans la ville nouvelle de Chandigarh, l'incroyable projet urbain réalisé par Le Corbusier à la fin des années 1950.

Chand avait un rêve. Il récupérait des pierres et tout un tas d'autres matériaux parmi les tonnes de décombres des vingt villages rasés pour édifier la ville nouvelle et commença secrètement à bâtir le royaume de ses rêves dans une clairière située derrière son logement de fonction. Chand reçut bientôt un tel soutien que les autorités se virent contraintes de lui offrir de la main-d'œuvre et des fonds pour lui permettre d'achever sa tâche. Ce parc de 20 hectares reçoit aujourd'hui 5 000 visiteurs par jour.

☛ Arakawa et Gins, Cheval, Le Corbusier, Saint-Phalle

Nek Chand Saini. n. (IND), 1924. **Rock Garden de Chandigarh**, Chandigarh (IND), à partir de 1950 environ.

# Chatto Beth

## Jardin de gravier

Il est possible de créer des plates-bandes spectaculaires même quand les plantes n'ont que 60 cm de gravier et de sable posés sur un sol argileux pour puiser les substances nécessaires à leur croissance. Le Gravel Garden, qui était autrefois le parking du jardin de Beth Chatto, fut aménagé en 1991. Il lui fut inspiré par le lit asséché d'une rivière de Nouvelle-Zélande, sur les bords inhospitaliers duquel avait prospéré une grande variété de plantes. Ce jardin est un pur produit du concept de travail en harmonie avec la nature. En décidant de ne jamais donner ni eau ni engrais à ce jardin et

de laisser la végétation vivre ou mourir en fonction de ses capacités d'adaptation aux conditions environnantes, Beth Chatto fit la triste expérience de la disparition des plantes inappropriées et celle, plus heureuse, de la prospérité d'autres espèces. Mais la survie des plus aptes ne constituait qu'une partie de cette aventure, l'autre consistant en une parfaite maîtrise des associations végétales qui offrent un magnifique déploiement de fleurs, de formes et de feuillages tout au long de l'année, et demandent peu d'entretien.

☞ Brookes, Jarman, Kingsbury, Lloyd, Oudolf

**Beth Chatto.** n. (RU), 1923. **Jardin de gravier**, environs de Chelmsford, Essex (RU), 1991.

# Cheval Joseph Ferdinand

## Le Palais idéal

Défiant toute notion d'architecture intégrée, le Palais idéal d'Hauterives est composé de colonnades et de balustrades, d'escaliers et de grottes, de fontaines et de sculptures. Cet environnement intense et fantastique, qui inclut des bestiaires mythiques, des mythologies lointaines et de multiples références religieuses, fut construit entre 1879 et 1912 par Joseph Ferdinand Cheval, un facteur de campagne sans autres qualifications qu'une imagination et une énergie débordantes. Se désintéressant de son métier et de son potager, Cheval se mit à ramasser des cailloux et des pierres aux formes étranges au cours de ses tournées dans la région. La beauté de ces minéraux façonnés par la nature l'amena à la conclusion que « si la nature pouvait être un tel sculpteur, [lui] pouvait être un bâtisseur et un architecte ». Il intégra tous ces objets dans les « embellissements » de sa maison, qu'il construisit en ciment, matériau nouveau à l'époque : ici une fontaine, là une grotte. Sa grande composition déborda parfois sur les jardins voisins.

☛ Arakawa et Gins, Chand Saini, James, Saint-Phalle

**Joseph Ferdinand Cheval** (dit **le Facteur Cheval**). **n**. Charmes (F) 1836. **m**. Hauterives (F), 1924.
**Le Palais idéal**, Hauterives (F), 1879-1912.

# Child Susan

## Grande Isle Pathway

Zigzaguant entre les ormes et les bouleaux en direction d'une prairie, une passerelle en bois surélevée se termine de manière aussi abrupte qu'elle a commencé. Dans ce site de 32,3 hectares qui domine le lac Champlain, dans le Vermont, on rencontre aussi des escaliers, des plates-formes panoramiques, une cabane rustique et des sentiers surélevés qui ont tous pour but d'attirer l'attention du promeneur sur les particularités du paysage. Grâce à cette intervention minimaliste de Susan Child, les rives du lac, les bois, les basses terres et les prairies restent intactes. C'est un site de 32,3 hectares qui domine le lac Champlain, dans le la perception du visiteur qui est modifiée et amplifiée. Il est invité à explorer ses propres sentiments en même temps que le paysage alentour, que ce soit en restant en contemplation sur une plate-forme, en marchant entre les passerelles de bois ou en s'asseyant dans le pavillon pour méditer. Installée à Boston, Susan Child a réalisé ses plus belles créations en Nouvelle-Angleterre, probablement inspirée par la beauté du paysage. Son intervention la plus célèbre est l'aménagement de South Cove, dans Battery Park à Manhattan (années 1990).
☞ Dow, Goldsworthy, Hall, Ruys, Schaal, Suzuki

**Susan Child. n. (EU), 1928. Grande Isle Pathway**, Grande Isle, Vermont (EU), 1995.

# Church Thomas

## El Novillero

Cette piscine de forme libre, dessinée par Thomas Church, fut inspirée par les élégantes courbes des rivages de la baie de Sonoma et par le travail du designer finlandais Alvar Aalto ; elle est devenue un dessin emblématique du design du XX<sup>e</sup> siècle. À sa construction, son biomorphisme était révolutionnaire, et l'image de cette pièce d'eau transforma la conception du design des piscines, tout d'abord en Californie, puis dans touts les États-Unis. Dans les années 1950, Mr et Mrs Donnel firent bâtir une maison sur ce site à l'extrémité nord de la baie de San Francisco et chargèrent

Thomas Church de l'aménagement d'une piscine et de terrasses ombragées par des chênes verts californiens. Cette propriété appartient toujours à la famille Donnel. Par son travail et son ouvrage intitulé *Gardens are for People*, Church a encouragé un public plus vaste à envisager l'utilisation de l'espace en fonction de l'esthétique du design contemporain. Il a aussi maîtrisé avec talent l'ornementation de nombreux petits jardins.

☛ **Aalto, Eckbo, Halprin, Kiley, Moore, Rose**

**Thomas Church. n.** Boston, Massachusetts (EU), 1902. **m.** San Francisco, Californie (EU), 1978.
**El Novillero**, Sonoma, Californie (EU), vers 1950.

# Clément Gilles et Provost Alain

## Parc André Citroën

Une série de rectangles de pelouses en pente de largeurs différentes confère une symétrie légèrement de guingois à cette perspective du parc André Citroën, à Paris. Les bacs de style Versailles contenant des arbustes sans prétention ajoutent une note humoristique à une tradition classique de l'art des jardins. Sur le site des anciennes usines Citroën, quai de Javel, les paysagistes français Gilles Clément et Alain Provost ont créé un espace public d'une remarquable ingéniosité. Les différentes aires à thèmes comprennent les Jardins noir, blanc et bleu, les jardins des Six Sens et une plaza où les enfants courent à travers des jets d'eau irréguliers. Bien qu'il soit un écho délibéré à d'autres grands parcs parisiens sophistiqués, le parc André Citroën s'en distingue par l'attrait qu'il exerce sur le corps, l'âme et l'esprit, en même temps qu'il offre un complément à l'architecture moderne environnante. Provost a créé la Grande Pelouse, à droite sur la photographie, tandis que Clément – connu pour son aversion pour les pelouses – est le créateur du jardin du Mouvement, une prairie où les herbes ondulent sous la brise.

☛ **Gustafson, Lassus, Pepper, Tschumi, Walker**

# Clerk Sir John

## Penicuik

Le paysage de Penicuik est exemplaire d'un amateur qui s'empare des modes dominantes en y ajoutant une touche très personnelle. sir John était une personnalité politique et artistique d'Édimbourg à l'aube du XVIII^e siècle, mais c'est à Penicuik que se jouèrent les deux facettes de sa vie. À partir de 1700, il dépensa ses émoluments de ministre des Finances à créer un paysage poétique. William Adair fut chargé des premières plantations, qui furent clôturées dans les années 1690. Des haies protectrices ceinturaient des champs et des parcelles boisées régulières. De larges allées furent bordées d'arbres ainsi que les rives des cours d'eau déjà existants, ménageant ainsi des promenades fort agréables. Pendant plus de trois décennies sir John expérimenta différents types de paysagisme. S'inspirant peut-être des écrits de Stephen Switzer, il créa une sorte de « ferme ornée », avec des allées décorées, des terrasses, un pavillon d'été et une grotte représentant la caverne de la Sibylle, laquelle renfermait toute l'imagerie « horrible » qui lui est associée.

☞ J. Aislabie, Hamilton, Shenstone, Southcote, Switzer

Sir John Clerk. n. Édimbourg (RU), 1679. m. Penicuik, Midlothian (RU), 1755. **Penicuik**, Midlothian (RU), années 1720.

# Clusius Carolus

## Jardin botanique de Leiden

Ce petit belvédère attire l'attention vers le centre du jardin botanique de Leiden, désormais restauré. À la fin de sa vie, Charles de l'Écluse, connu sous le nom de Clusius, le premier botaniste scientifique en Europe, avait la charge de l'Hortus Academicus de l'université de Leiden. Le jardin botanique du XVIᵉ siècle ne constitue aujourd'hui qu'une petite partie de l'Hortus Botanicus. Des parterres rectangulaires et étroits, bordés de briques et séparés par des allées de coquilles blanches concassées, sont disposés autour du belvédère. On y trouve notamment des rangées des anciennes tulipes et autres petits bulbes que Clusius introduisit aux Pays-Bas. Alors qu'il était préfet des jardins impériaux de Vienne, il avait fait l'acquisition de bulbes et de graines auprès de l'ambassadeur impérial à la cour de Turquie à Constantinople. Ses descriptions des nombreuses variétés de tulipes donna naissance à la « tulipomanie » et à l'industrie de la tulipe en Hollande.

☞ **Balat, Chambers, Moroni, Sloane, van Riebeeck**

**Carolus Clusius (Charles de l'Écluse). n.** (PB), 1526. **m.** (PB), 1609.
**Jardin botanique de Leiden,** Leiden (PB), 1594.

# Cockerell Samuel Pepys

## Sezincote

En 1805, Samuel Pepys Cockerell conçut une maison et des pavillons de jardins qui s'inspiraient largement de l'architecture indienne, pour la résidence de son frère sir Charles Cockerell – qui avait séjourné en Inde – à Sezincote. Samuel puisa dans les esquisses de l'ouvrage publiées en 1788 par Thomas et William Daniell, *Select Views of India*. Humphry Repton fut chargé du jardin paysager et donna certainement quelques conseils avisés quant au choix des croquis des frères Daniell à adapter. Sezincote montre parfaitement comment on peut angliciser l'architecture indienne pour créer un style hybride à la fois indien et palladien. Le jardin est un amalgame tout aussi étrange, où se mêlent des ornementations indiennes – taureaux, un temple hindou et serpents enroulés autour d'une colonne –, un paysagisme à la Repton et un jardin islamique (*chaharbagh*). De nos jours, Sezincote est également fort apprécié pour la qualité et la variété de sa végétation.

☛ Bateman et Cooke, Nash, Repton, G. S. Thomas

**Samuel Pepys Cockerell. n.** Somerset (RU), 1753. **m.** Londres (RU), 1827. **Sezincote**, Gloucestershire (RU), 1805.

# Colchester Manyard

## Westbury Court

Dans les eaux étales d'un long canal bordé d'une haie parfaitement taillée se reflète un élégant pavillon d'été, étroit et haut, principal édifice de ce jardin compact, créé entre 1694 et 1705. L'architecture et le paysagisme attestent une forte influence hollandaise. Ainsi les haies sont agrémentées de « topiaire à la hollandaise », un style dans lequel des arbustes à feuilles persistantes taillés haut sur tige de façon géométrique, ici des cônes et des boules, émergent des haies d'ifs. Colchester couvrit les murs du jardin de diverses espèces d'arbres fruitiers grimpants, et remplit les parterres de milliers de bulbes importés de Hollande. Ce style de plantations, intime et compliqué à la fois, était très apprécié quand William et Mary montèrent sur le trône Anglais, en 1689, la guerre contre la France ayant par ailleurs entraîné un déclin du style français. Le neveu de Manyard, qui portait le même prénom, continua l'aménagement de ce jardin de 1715 à 1756, sans en changer l'esprit, bien qu'à cette époque il ne fut plus au goût du jour – le jardin anglais paysager suscitait alors beaucoup d'engouement.

☞ **Huygens, London, Marot et Roman, van Campen, Wise**

**Manyard Colchester.** Actif (RU), fin XVII<sup>e</sup> siècle et début XVIII<sup>e</sup> siècle. **m.** 1715.
**Westbury Court**, Gloucestershire (RU), 1694-1705.

# Colvin Brenda

## Little Peacocks

Little Peacocks était le jardin privé de Brenda Colvin. Sa végétation est aussi naturelle que variée et sa gamme de fleurs et feuillages forme un écrin idéal pour cette charmante maison des Cotswolds. Les espèces et les agencements changeaient en fonction des saisons, preuve que Brenda Colvin avait une grande connaissance de la botanique. Elle eut aussi l'occasion d'exercer ses talents dans des projets plus vastes comme celui du Riverside Garden à Buscot Park ou de Sutton Courtenay, lors de sa restructuration, tous deux situés dans la région d'Oxford.

Brenda Colvin fut l'un des membres fondateurs du Landscape Institute, créé en 1929, et l'auteur de l'un des textes fondateurs de cette nouvelle profession, *Land and Lanscape* (1947). Architecte paysagiste, elle fut responsable de plusieurs projets d'aménagements urbains, parmi lesquels on compte l'aménagement de la ville de garnisons d'Aldershot, dans le Hampshire, et ceux de centrales électriques, de réservoirs, et des remises en valeur de sites.

☞ **Crowe, Fish, Gibberd, Jellicoe**

**Brenda Colvin. n.** Simla (IND), 1897. **m.** Filkins, Gloucestershire (RU), 1981.
**Little Peacocks.** Filkins, Gloucestershire (RU), 1955-1981.

# Cook William Douglas

## Jardin de rhododendrons de Pukeiti

Au clubhouse de Pukeiti, les pelouses s'insinuent entre les vastes massifs qui abritent quelque mille variétés de rhododendrons et trois cents hybrides. Cook était un visionnaire de la conservation et du jardinage. Le double but de son « projet pour la postérité », commencé vers 1937, était de protéger ou de régénérer plusieurs centaines d'hectares de forêt vierge ou naturelle, sur sa propre ferme de North Island, et de créer un jardin doté du plus grand nombre possible d'espèces de l'hémisphère Nord pour constituer une sorte de réserve génétique en vue de la réintroduction de familles de plantes en danger, ou disparues à l'état sauvage. En achetant Pukeiti, en 1951, il put faire coïncider ses deux souhaits. Développant la régénérescence contrôlée du « bush » originel, il entreprit de créer parallèlement un jardin pour abriter une collection de rhododendrons, la plus importante de l'hémisphère Sud à l'heure actuelle. Pukeiti est aujourd'hui entretenu grâce à l'aide d'une association dont la cotisation des membres permet d'assurer la maintenance du jardin.

☛ Armstrong, Middleton, Savill, Walska

William Douglas Cook. n. New Plymouth (NZ), 1884. m. Gisborne (NZ), 1967.
Jardin de rhododendrons de Pukeiti, New Plymouth, Taranoki (NZ), 1951.

# Cooper Paul

## Jardin de Golders Green

Une projection de l'œuvre emblématique de l'artiste Pop Art Roy Lichtenstein, *Wham!*, anime l'atmosphère nocturne d'un petit jardin du nord de Londres. Les propriétaires ayant l'intention de n'utiliser le jardin que la nuit, Paul Cooper incorpora dans son aménagement des panneaux blancs et lisses permettant de varier indéfiniment le champ visuel de cet espace clos. Les projections de vues d'architecture ou de textiles s'y prêtent tout particulièrement. Des balustrades de métal isolent de petites sections de la terrasse, et des arbustes sélectionnés pour leurs effets de feuillage (bambous, euphorbes) sont confinés dans des jardinières surélevées. Une cascade d'acier inoxydable judicieusement éclairée ajoute une note chaleureuse à cette ambiance nocturne. Cooper est une personnalité iconoclaste dans le monde actuel du design des jardins, qui n'hésite pas à exposer ses idées les plus farfelues dans les salons comme le Chelsea Flower Show. Il fut même censuré une fois pour avoir incorporé des dessins érotiques dans un décor.

☛ Cardasis, Delaney, Jellicoe, Le Corbusier, Schwartz

**Paul Cooper. n.** Manchester (RU), 1949. **Jardin de Golders Green**, Londres (RU), 1998.

# Copeland Pamela et Lighty Richard Résidence de Mount Cuba

Une lumière mouchetée illumine les primevères candélabres et les phlox américains. Le jardin de Mount Cuba pose l'une des grandes questions soulevées par le jardinage contemporain, à savoir la relation entre la conservation des espèces et l'horticulture. Pamela Copeland prit conscience de la nécessité de protéger le sol pour conserver la flore sauvage en constatant la diminution des zones forestières dans le Delaware. Au cours des années 1960, elle fit l'acquisition d'une prairie et d'un bois adjacents à son jardin et demanda à Richard Lighty de réaménager l'ensemble. La végétation se compose principalement des plantes indigènes de la région du Delaware et ce n'est qu'occasionnellement qu'un ajout exotique sert à rehausser l'éclat du jardin. Les 300 plantes locales ne sont pas uniquement destinées à assurer la préservation des espèces mais sont agencées de façon à procurer un véritable plaisir visuel à celui qui s'aventure dans ce lieu surprenant. Un plaisir qui varie chaque année puisque les semis naturels des fleurs sauvages y sont encouragés.

☛ Jensen, Oehme et Van Sweden, Robinson, Toll, Walling

Pamela Copeland. n. 1906. Active (EU), XXᵉ siècle. **Dr Richard Lighty**. n. 1933. Actif (EU), XXᵉ siècle.
**Résidence de Mount Cuba**, Delaware (EU), années 1960.

# Cox Madison

## Show Case House

Sur le toit d'un immeuble de Manhattan, des pots en terre cuite contenant des digitales sont disposés de façon fantaisiste sur un échiquier en gravier qui semble faire écho au quadrillage de la métropole qui s'étend en dessous. C'est un jardin de ville par excellence, un lieu qui n'est pas destiné à être utilisé et dont le graphisme n'existe que pour le plaisir des yeux. Madison Cow conçoit des jardins très structurés, car, selon lui, seul un espace strictement défini et organisé permet d'obtenir un environnement paisible. Malgré son amour des plantes, Cox préfère mettre en œuvre un répertoire restreint d'arbustes à feuillage persistant, de vignes et d'arbres pour habiller et adoucir ses espaces très structurés. New-Yorkais d'origine, Cox a fait ses études en France et s'est établi à Paris où il a longtemps travaillé, dessinant d'élégants jardins de ville pour des hôtels particuliers ou des lieux publics, comme le Musée franco-américain. Il lui arrive de retourner dans sa ville natale pour créer des « oasis » sur les toits.

☞ Delaney, Hancock, Herman, Hosack

**Madison Cox. n.** Washington, DC (EU), 1958. **Show Case House**, New York, New York (EU), années 1990.

# Crisp Sir Frank

## Friar Park

Ce jardin de rochers avec son célèbre mont Cervin miniature est considéré comme le plus complexe et le plus important du XIXᵉ siècle. Au cours des années 1890, la compagnie Blackhouse fabriqua les rochers pour l'ensemble de ce jardin alpin, et James Pulham (dit « Pulhamite », l'inventeur des très populaires rochers victoriens en trompe l'œil) créa la cascade et les rives escarpées autour du lac. La fabrication du Matterhorn est due à Knowles, jardinier personnel de sir Frank Crisp et expert en botanique alpine, qui fit pousser environ 2 500 espèces entre les rochers. William Robinson déclara que Friar Park était le jardin de rochers le plus « naturel » qu'il eût jamais vu, et il aimait tout particulièrement les couleurs vives des petits bouquets et des tapis de plantes alpines disséminés dans les anfractuosités. À l'intérieur du « Mini Matterhorn » se trouvait la « grotte de glace », copie de celle du glacier du Géant à Chamonix, mais qui avait ici des stalactites de véritable glace bleue quand la saison le permettait.

🔖 I. Caus, S. Caus, Gildemeister, Isham, Lane, Pulham

**Sir Frank Crisp**. Actif (RU), fin XIXᵉ siècle. **Friar Park**, Henley on Thames, Oxfordshire (RU), années 1890.

# Crowe Dame Sylvia

## Wexham Springs

Les blocs de béton de ce mur très texturé contrastent avec le béton lissé utilisé pour le sol, les marches et le bassin sculptural, le tout s'intégrant parfaitement aux éléments plus naturels : les galets arrosés d'eau et la végétation. Sylvia Crowe, contemporaine de sir Geoffrey Jellicoe et de Brenda Colvin, se consacrait surtout à d'importants projets comme l'aménagement du réseau routier, de villes nouvelles, d'usines nucléaires ou la plantation de forêts. Son paysagisme reflétait sa loyauté aux idées de Capability Brown et Humphry Repton, mais elle ne perdit jamais de vue la relation entre le jardin et son rôle, comme elle l'a observé dans *Garden Design*, son œuvre majeure, publiée en 1958 : « De tous temps les hommes ont ressenti le besoin de se réconcilier avec leur environnement et ont créé des jardins pour satisfaire leurs idéaux et leurs inspirations. » Un principe qui est mis en œuvre dans chacune de ses créations. Conçu pour une ville nouvelle, ce jardin est résolument moderne, tandis qu'à Sutton Courtenay, l'atmosphère est beaucoup plus champêtre.

☞ **Colvin, Gibberd, Halprin, Jellicoe, Le Corbusier, Tunnard**

**Dame Sylvia Crowe. n.** Banbury, Oxfordshire (RU), 1901. **m.** 1998. **Wexham Springs**, Wexham Springs (RU), 1969.

# Cyrus II le Grand

## Palais de Pasargades

Dans la plaine de Mashhad-e-Morghab, en Iran, il ne reste plus de l'ancien palais-jardin de Pasargades que des ruines desséchées et sans vie. Adossé à une chaîne de montagnes et dominant la vaste étendue d'un plateau autrefois fertile, traversé par la Pulvar, ce site était idéal pour établir un complexe palatin. On voit sur cette image la porte monumentale qui conduisait au palais principal par une allée bordée de cyprès, de grenadiers, de merisiers et d'herbes aromatiques. Un pont permettait l'accès au palais des réceptions, qui était entouré de loggias donnant sur les jardins. Une autre allée menait au palais principal et au jardin royal flanqué de pavillons. Pasargades fut à la fois le premier palais et le premier jardin monumental construits en pierre, alors qu'auparavant on utilisait en Perse du torchis et du bois. Mais le plus intéressant est que les jeux d'eau qui caractérisent le jardin parsan ont vu le jour sur ce site, probablement grâce à la mise au point du système hydraulique révolutionnaire, le qanat, inventé sous Cyrus II le Grand.

☛ **Assurbanipal, Darius le Grand, Ineni, Thoutmosis**

Cyrus II le Grand. Règne, vers 557-530 av. J.-C., Perse (IR). **m.** 529 av. J.-C.
Palais de Pasargades, Perse (IR), vers 557-530 av. J.-C.

# Czartoryska Izabelle — Lancut

Cette gloriette formée par un demi-cercle de colonnes classiques corinthiennes surmonté d'un entablement orné de bucranes se trouve sur une élévation dans le jardin créé au début du XIXᵉ siècle à Lancut, l'un des quatre parcs paysagers de Pologne conçus à la demande de la duchesse Izabelle Czartoryska, grande mécène devant l'Éternel. À l'origine, le château était entouré par des douves fortifiées en étoile. Au XVIIIᵉ siècle, la duchesse fit supprimer les enceintes mais conserva les fossés en guise de « ha-ha » pour ouvrir une perspective sur le parc paysager dans le style de l'époque : bosquets d'arbres et édifices classiques. S'inspirant d'un séjour à Rome, elle fit peindre sur les murs de la véranda, par le décorateur du tsar Paul Iᵉʳ, un trompe-l'œil représentant une loggia à l'italienne et des ruines au soleil couchant vues à travers le feuillage d'une vigne, une façon pour la duchesse de se consoler de la rigueur des hivers polonais. Elle fut aussi l'auteur d'un ouvrage de référence, en polonais, sur les jardins anglais, *Various Thoughts on the Creation of Gardens*, publié en 1805.

☞ **Brown, Palladio, Radziwill, Vanbrugh, Zug**

**Izabelle Czartoryska. n.** Varsovie (POL), 1746. **m.** Wysoch, environs de Jaroslaw (POL), 1835.
**Lancut**, Rzeszow (POL), début du XIXᵉ siècle.

# Darius I<sup>er</sup>

## Palais Apadana

Suivant l'exemple de Cyrus II le Grand, Darius I<sup>er</sup> dessina son palais-jardin de Persépolis, Apadana, véritable concrétisation de la vision persane de l'Éden, en transformant un paysage désolé en un paradis irrigué (*pairidaeza*). Il y intégra des styles issus de toutes les nations conquises par l'empire perse : l'Inde, l'Égypte, la Libye, l'Ionie et, plus au sud, l'Éthiopie. Sur les piliers et les murs des jardins des hautes salles royales, on trouve des bas-reliefs et des sculptures représentant des fleurs de lotus, des pins sacrés et autres ornements évoquant Babylone, la Grèce et l'Égypte. Il semble aujourd'hui établi que Darius planta des alignements de pins sur la grande esplanade au pied de la terrasse inférieure, probablement pour faire écho à ces élégantes décorations murales. Comme Pasargades, le palais Apadana avait des pièces entourées de vastes colonnades, et les salles du trône donnaient sur des bassins réfléchissants, des arbres et des espaces verts clos de murs. L'escalier que l'on voit ici menait à la première des trois immenses terrasses.

☛ **Assurbanipal, Cyrus II le Grand, Ineni, Thoutmosis**

**Darius I<sup>er</sup>**. Règne, 521-486 av. J.-C., Perse (IR). **Palais Apadana**, Persépolis, Perse (IR), fondé vers 515 av. J.-C.

# Darwin Charles

## Downe House

Cette allée boisée, que Darwin avait baptisée « l'allée de sable » ou « le sentier pensant », mène de la maison au verger où se trouvaient le laboratoire et les serres dans lesquels Darwin fit ses études sur les plantes, surtout les orchidées et les plantes carnivores. Les 7 hectares de terrains paysagers qui entourent Downe House, où il vécut de 1842 à 1882, constituaient un lieu où il pouvait se reposer, rester en famille et se remettre de sa maladie psychosomatique. C'est là également qu'il se concentrait sur la recherche fondamentale qui nourrissait ses écrits. Adjacent à la maison, se trouvait aussi un petit jardin de fleurs s'agençant autour d'un cadran solaire, créé par Emma Wedgewood, épouse (et cousine) de Darwin, et un massif d'arbustes. L'une des excentricités de ce botaniste et naturaliste consistait à planter des quantités d'arbres sur des tertres séparés. Le confident de Darwin pendant toute la préparation de *L'Origine des espèces* fut sir Joseph Hooker, second directeur de Kew et chasseur de plantes, qui introduisit vingt-huit nouvelles espèces de rhododendrons en provenance de l'Himalaya.

☞ **Clusius, Manning, Moroni, Ruskin, Wordsworth**

Charles Darwin. **n.** Shrewsbury (RU), 1809. **m.** Downe, Kent (RU), 1882. **Downe House**, Kent (RU), 1842-1882.

# Dashwood Sir Francis     West Wycombe Park

Les intemporelles colonnes doriques du portique est de West Wycombe se dressent comme une sorte de démenti à l'histoire haute en couleurs de son principal créateur, l'inconstant 2ᵉ baronnet Dashwood, farceur invétéré, érudit occasionnel et ministre des Finances déchu. Vers 1735, après une série de voyages en Europe et en Asie Mineure, sir Francis se lança dans le remodelage du parc selon un mode rococo informel, à la fois naturel et sophistiqué, reliant une série de temples par des allées parfaitement rectilignes et des sentiers tortueux. On prétend qu'il donna au lac la forme d'un corps de femme et qu'il possédait une flotte miniature pour simuler des batailles navales. Un temple de Vénus a été reconstruit selon les plans de l'architecte Quinlan Terry. Vers 1770, un élève de Capability Brown adoucit ce paysage en le remodelant dans le style paysager « anglais » et, une génération plus tard, Repton élimina « quelques constructions inutiles ». Mais le parc et la superbe demeure italianisante sont toujours là pour témoigner de l'œuvre de Dashwood.

☞ **Burlington, Grenville-Temple, Hoare, Medinacelli**

**Sir Francis Dashwood. n.** (UK), 1708. **m.** West Wycombe, Bucks (RU), 1781.
**West Wycombe Park**, West Wycombe, Buckinghamshire (RU), vers 1735.

# Delaney Topher

## Bank of America

Sur le toit d'un immeuble de San Francsico, des manches à air colorées ressemblent à de gigantesques plantes se balançant dans le vent. Des surfaces en béton peint dans des tons vifs et des blocs de pierre grossière délimitent ce jardin paradoxal et fantaisiste. En s'inspirant à la fois de l'art conceptuel et du travail d'architectes paysagistes de la nouvelle école formaliste, comme Luis Barragán, l'Américaine Topher Delaney est l'une des designers les plus inventives de sa génération. Elle aime se référer à ce qu'elle appelle « l'histoire personnelle » de chaque individu. Pour l'un de ses clients, qui

venait de rompre une liaison, elle imagina un « jardin du Divorce » dans lequel elle utilisa comme matériau de base les éclats d'une table de pierre brisée, offerte par l'ancien partenaire. Au milieu des années 1990, elle a orienté son activité vers la réalisation de jardins pour les hôpitaux et les centres médicaux après avoir fait des recherches sur les pouvoirs de guérison des jardins et leurs applications. Une démarche motivée cette fois par sa propre « histoire personnelle » : sa lutte contre le cancer.

☛ **Barragán, Chand Saini, Cox, Hancock, Schwartz**

Topher Delaney. n. (EU), 1948. **Bank of America**, San Francisco, Californie (EU), 1997.

# Dow Herbert

## Jardins de Dow

Les découpes d'un pont ornemental d'inspiration chinoise, avec leur effet laqué, se détachent de manière impressionnante sur la neige dans les jardins de Dow qui occupent aujourd'hui 3,5 hectares à l'intérieur des terres sur Saginaw Bay, dans le Michigan. Ce parc, situé sur un plateau sablonneux, est la création de Herbert Dow, fondateur de la Dow Chemical Company. Quand il commença les plans des jardins en 1899, Dow, qui se passionnait pour l'agriculture et l'architecture, s'en tint à un principe fondamental : « Ne jamais révéler toute la beauté d'un jardin dès le premier regard. » Le visiteur se trouve donc engagé dans la découverte progressive de nombreux secrets, au cours d'expériences rendues très vivantes par une végétation extrêmement variée. Le pont chinois installé dans cette parcelle boisée s'inspire de certains détails de l'architecture contemporaine américaine introduits par Frank Lloyd Wright et l'École de Chicago. Les jardins couvrent aujourd'hui 45 hectares et présentent 1 700 espèces d'arbres, d'arbustes et de fleurs, dont une ample collection de roses All American.

☛ Beck et Collins, Forestier, Hornel, Shipman, F. L. Wright

Herbert Dow. n. Belville, Ontario (CAN), 1866. m. Michigan (EU), 1930. **Jardins de Dow**, Midland, Michigan (EU), 1899.

# Downing Andrew Jackson et Vaux Calvert     Le Capitole

Cette vue du Capitole, à Washington, est l'un des symboles les plus puissants du gouvernement des États-Unis. Andrew Jackson Downing et Calvert Vaux ont créé un paysage sophistiqué entre le Capitole et Capitol Hill en s'inspirant du plan de Versailles. Ils dessinèrent aussi la Smithsonian Institution et la Maison Blanche et, si Downing ne s'était pas noyé très jeune dans un accident de bateau à vapeur, lui et Vaux, au lieu d'Olmsted et Vaux, auraient peut-être dessiné Central Park. En effet, l'architecte anglais Vaux, venu aux États-Unis à la demande de Downing, devint un partenaire de Frederick Law Olmsted après le décès de Downing. Pendant les huit dernières années de sa vie, ce dernier publia *The Horticulturist*, un magazine qu'il utilisa pour promouvoir l'aménagement de parcs publics et de cimetières ruraux en Amérique, et encourager les « embellissements harmonieux et de bon goût de ces sites par l'art ». Il était aussi un ardent défenseur des paysages simples, naturels et permanents.

☞ **Bigelow, Eaton, Le Nôtre, Loudon, Olmsted**

**Andrew Jackson Downing. n.** Newburgh, New York (EU), 1815. **m.** environs de Youleers, New York (EU), 1852.
**Calvert Vaux. n.** Londres (RU), 1824. **m.** Brooklyn, New York (EU), 1895. **Le Capitole**, Washington, DC (EU), 1851.

# Dubsky Emanuel

## Lysice

Cette monumentale colonnade dorique fut construite par Emanuel Dubsky vers 1853 pour servir de promenade couverte autour du jardin de Lysice. Les péristyles ou jardins entourés de colonnades de la Rome antique servirent de modèle pour ce site. Plus tard, Dubsky se passionna pour la Renaissance nationale tchèque, ce qui l'amena à abandonner le style néoclassique et à construire au sommet de la colonnade une galerie s'inspirant des structures tchèques traditionnelles en bois. Ainsi, Lysice est à la fois l'un des principaux jardins néoclassiques d'Europe et un lieu parfaitement représentatif du mouvement Arts and Crafts tchèque. C'est un exemple d'hybridité exceptionnel, voire unique. Ce lieu s'enorgueillit de ses parterres fleuris, où des feuillages nains et des plantes grasses poussent en formant des motifs géométriques. Elles sont taillées aux ciseaux pendant la période de croissance afin de préserver un effet de tapis.

☞ Bosworth, Lutyens, Sitwell, Tibernitus

Emanuel Dubsky. n. (TCH), 1806. m. (TCH), 1881. **Lysice**, nord de Brno (TCH), 1833.

# Du Cerceau Jacques Ier Androuet

## Verneuil-sur-Oise

En harmonie avec l'architecture du château, ce jardin s'organise en une succession de carrés et de rectangles. La partie inférieure est circonscrite par un canal rappelant les douves de l'ancien château médiéval, mais qui n'a aujourd'hui qu'un rôle purement décoratif. Des vergers symétriques, des potagers tracés au cordeau et des vignobles ornementaux faisaient partie intégrante du jardin. Les parterres furent conçus comme des buissons de lavande, de thym et de marjolaine taillés à ras. À la demande de la famille Boullainvillier, du Cerceau

commença à travailler sur les plans du château et des jardins en 1570. Son fils et son petit-fils, tous deux architectes de renom, continuèrent son œuvre. Cette gravure, exécutée par du Cerceau lui-même, est tout ce qui reste du château de Verneuil. C'est l'une des cinquante estampes qui illustrent *Les Plus Excellents Bastiments de France*, précieux recueil de gravures réalisé par Androuet du Cerceau de 1576 à 1579, dans lequel il a recensé les principales créations de la Renaissance française ayant été détruites.

☞ de l'Orme, Mercogliano, Poitiers

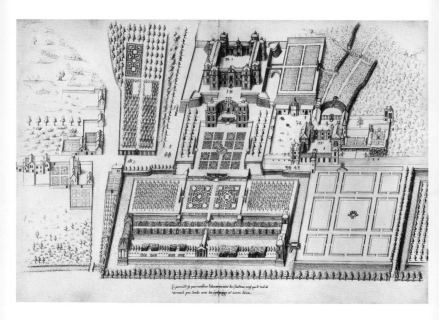

Jacques Ier (ou François Ier) Androuet du Cerceau. n. Paris (F), 1510. m. Annecy (F), 1585. **Verneuil-sur-Oise** (F), 1570.

# Duchêne Achille

## Parterre du palais de Blenheim

Une enfilade de bassins bordés de pierre sculpte des motifs compliqués dans un parterre de buis taillés en arabesques. Ponctué par de nobles boules de pierre et des jets d'eau verticaux, ce « parterre d'eau » se situe devant la façade ouest du palais de Blenheim et descend vers le lac. Comme le jardin à l'italienne adjacent, et malgré son apparence baroque, il a été commandité par le 9ᵉ duc de Marlborough et créé à la fin des années 1920 par Achille Duchêne. Le duc souhaitait retrouver une certaine rigueur disparue lors du réaménagement radical des jardins par Capability Brown en 1764. Il demanda donc à Duchêne de restaurer l'avant-cour et de replanter la longue avenue d'ormes qui y accède. Duchêne s'inspira – en y ajoutant des touches très personnelles – d'un jardin à la française dessiné par Henry Wise au XVIᵉ siècle. Paysagiste de talent, à sa manière, il est surtout célèbre pour ses importantes restaurations de Courances et de Vaux-le-Vicomte, mais également pour son imprévisible enthousiasme pour le modernisme.

☛ Brown, Gallard, Hardouin-Mansart, Legrain, Wise

# Duncombe Thomas

## Terrasse de Rievaulx

La vue depuis Rievaulx Terrace n'est jamais la même, c'est « une variation mouvante », comme l'a écrit Arthur Young en 1770. Dans les années 1750, Thomas Duncombe installa cette longue et spacieuse terrasse qui s'incurve sur plus d'un kilomètre entre une coupole à dôme ionique et un temple toscan à fronton, à proximité du sommet d'une colline abrupte surplombant les ruines de l'abbaye cistercienne de Rievaulx. Au fur et à mesure que l'on s'avance sur la terrasse, les perspectives s'ouvrent et se ferment, si bien que les très romantiques ruines gothiques apparaissent parfois encadrées de forêt ou bien disparaissent complètement. Lorsqu'on atteint l'autre extrémité de la terrasse, les vues successives ont totalement modifié la perception du site. Ce contraste entre un paysage classique et la splendeur des ruines de cette ancienne abbaye était essentiel dans le projet de Duncombe. Cette terrasse a marqué une étape cruciale dans l'histoire du paysagisme anglais, annonçant le mouvement pittoresque et le regain d'intérêt pour l'architecture médiévale.

☛ **J. Aislabie, Gilpin, Kent, Knight**

**Thomas Duncombe**. Actif (RU), milieu du XVIII<sup>e</sup> siècle. m. (RU), 1799.
**Terrasse de Rievaulx**, Yorkshire (RU), 1758.

# **Dunmore** Lord

## Dunmore Park

Cet ananas de 15 m de haut fut construit pour lord Dunmore en 1761 afin de créer un pôle d'attraction dans ce jardin clos de murs. On cultivait déjà les ananas en Écosse depuis le début du XVIIIᵉ siècle et il est probable qu'on en cultivait à Dunmore Park, ce qui pourrait expliquer l'étrange commande de lord Dunmore. Au-dessous des pousses de l'ananas se trouve la salle de banquet et, sur le côté sud de cette folie, deux niveaux de terrasses abritent un vieux verger rempli de pommiers. À l'origine, des serres et un potager encadraient cette étrange construction, mais ils furent

détruits il y a bien longtemps. Le sommet de l'ananas repose sur un tambour circulaire percé de sept fenêtres en dos d'âne, qui font écho à la porte donnant sur la terrasse, côté nord. L'ananas et les terres alentour appartiennent au National Trust of Scotland depuis 1947.

☛ Chambers, Lenné, Monville, Smit

# **Dupont** Pierre S.

## Longwood

Cette serre occupe la place d'honneur à Longwood. Elle s'étend sur 1,5 hectare et se divise en plusieurs sections correspondant à différentes conditions climatiques. L'une d'elles abrite des palmiers atteignant jusqu'à 18 m de haut et d'autres plantes subtropicales qui se reflètent dans plusieurs bassins. Un peu plus loin se trouve une section couverte de pelouse où sont présentés des arbres des pays tempérés et des parterres dont les fleurs sont changées tous les mois. En 1906, Pierre S. Dupont acheta les 400 hectares du très ancien domaine de Peirce Estate (1798)

qu'il remodela pendant une trentaine d'années pour créer les actuels jardins de Longwood. Un nouveau jardin étant inauguré tous les deux ans : une « Perspective à la Versailles », un jardin d'eau à l'italienne, un autre dont les fontaines sont presque aussi grandes que celles de Le Nôtre à Versailles et un théâtre de verdure pouvant accueillir 2 000 spectateurs. Très spectaculaire, le domaine souffre de l'absence d'un plan d'ensemble. Il n'en reste pas moins le jardin le plus visité aux États-Unis.

☞ **Balat, Burton et Turner, Fowler, Grimshaw, Paxton**

**Pierre S. Dupont. n.** Wilmington, Delaware (EU), 1870. **m.** Wilmington, Delaware (EU), 1954.
**Longwood**, Philadelphie, Pennsylvanie (EU), 1907-années 1930.

# Duquette Tony

## Dawnridge

Dans les années 1950, Tony Duquette, designer des stars, créa son *Xanadu* personnel, véritable reliquaire pour objets trouvés. Situé dans un ravin, Dawnridge était rempli de sculptures indonésiennes, de pagodes et de petits pavillons sur fond de feuillage tropical et d'eucalyptus géants. S'inspirant de ses voyages en Indochine, en Thaïlande et en Indonésie, Duquette a agencé des éléments divers dans une expérience kaléidoscopique, en reprenant le plan d'un village indonésien traditionnel. Après avoir dessiné des façades de boutiques et réalisé des décors de vitrines au début de sa carrière, Duquette est devenu un designer non conformiste légendaire et réalisait aussi bien des décors de films que des intérieurs privés ou des costumes de théâtre. Parmi ses clients, on compte Paul Getty, la duchesse de Windsor et David O. Selznick pour qui il a dessiné les décors de *Ziegfield Follies*. Ce jardin fut ravagé par un tragique incendie qui détruisit dans sa totalité cette opulente extravagance baroque.

☛ Bawa, Hearst, James, Jungles, Mizner, Washington Smith

Tony Duquette. n. 1914. m. Beverly Hills, Californie (EU), 1999.
Dawnridge, Beverly Hills, Californie (EU), à partir de 1950 environ.

# Eaton Dr Hubert

## Forest Lawn Memorial Park

Des pierres tombales sont disposées parmi les arbres, à la façon de pierres dressées, sur de vastes pelouses qu'arpentent allées et sentiers. Au début du XXᵉ siècle, le docteur Hubert Eaton fonde la Forest Lawn Cemeteries Company en Californie en s'inspirant des cimetières ruraux promus aux États-Unis dans les années 1840 par Andrew Jackson Downing. Selon lui, « le charme de ces cimetières ne vient pas du fait que ce sont des lieux de sépultures, lesquels pourraient être installés dans n'importe quel endroit avec leurs rangées de saules tracées au cordeau et leurs lugubres allées bordées de persistants [...], mais provient de la beauté des sites choisis, et de leur embellissement raffiné et harmonieux par l'art ». Il est probable qu'il se soit inspiré du travail du cimetière de Mount Auburn réalisé par Jacob Bigelow dans les années 1820. Eaton avouait lui-même qu'il voulait remplir ces parcs « d'arbres immenses, de pelouses ondulantes, de fontaines généreuses et du chant des oiseaux pour en faire des lieux plaisants et reposants pour tous ».

☛ **Asplund, Bigelow, Brongniart, Downing et Vaux, Scarpa**

**Dr Hubert Eaton. n.** 1881. Actif (EU), début XXᵉ siècle. **m.** 1966.
**Forest Lawn Memorial Park**, Glendale, Californie (EU), vers 1910.

# Eckbo Garrett

## Jardin d'Alcoa Forecast

Un agencement de panneaux verticaux et horizontaux en aluminium de couleur crée une intriguante transition entre la maison et son luxuriant jardin planté d'une végétation subtropicale. L'Aluminium Forecast House fut réalisée en 1959 à titre d'expérience par la firme Alcoa Aluminium pour explorer l'emploi de ses produits dans la conception des jardins. Garrett Eckbo proposa sa propre maison de Laurel Canyon, à Los Angeles. Architecte paysagiste, très marqué par l'œuvre de Walter Gropius au cours de ses années d'études à Harvard, Eckbo resta très influent durant sa carrière en matière de paysagisme mais également en matière d'innovations sociales et technologiques. Ayant participé à des expériences sociales et agricoles dans le cadre du New Deal au début de sa carrière, il n'hésitait pas à innover dans son propre travail, collaborant pour cela avec certains des architectes les plus importants de l'époque. Ses deux ouvrages, *Landscape for Living* et *The Landscape We See*, en plus de son enseignement à Berkeley, contribuèrent à révolutionner l'architecture paysagiste américaine.

☞ **Church, Kiley, Neutra, Rose, Steele**

**Garrett Eckbo. n.** Cooperstown, New York (EU), 1910. **m.** Oakland, Californie (EU), 2000.
**Jardin d'Alcoa Forecast**, Laurel Canyon, Los Angeles, Californie (EU), 1959.

135

# Egerton 3ᵉ baron

## Jardin japonais de Tatton Park

Dans le jardin japonais de Tatton Park créé à partir de 1910 par des jardiniers japonais, le feuillage automnal met particulièrement bien en valeur la maison de Thé. L'ajout de ce petit jardin où l'on trouve des lanternes, des ponts de pierre pour passer à gué, des lacs et un petit mont Fuji, n'avait rien de choquant dans le parc de Tatton, modelé, entre autres, par deux prestigieux jardiniers : Humphry Repton (en 1791) et sir Joseph Paxton (en 1856), à l'apogée de leur carrière. L'ouverture du Japon à l'Occident et l'arrivée de nouvelles plantes exotiques au cours des années 1860 ravivèrent l'engouement récurrent pour les jardins japonais et coïncidèrent avec la publication de plusieurs ouvrages et la tenue de diverses expositions internationales. Le style des jardins japonais, apparemment très naturel mais en réalité hautement sophistiqué, invitait à l'abandon des jardins à l'italienne et des parterres voyants, en faveur d'un style plus naturel et spontané. D'autres jardins japonais furent créés au tournant du siècle à Shipley Glen, Gunnersbury Park, Fanhams Hall et Cottered.

☛ **Bateman, Hornel, Paxton, Repton**

3ᵉ baron Egerton. n. (RU), 1845. m. (RU), 1920. **Jardin japonais de Tatton Park**, Knutsford, Cheshire (RU), 1910.

# Egerton-Warburton R. E.

Cette allée de gazon parfait, flanquée de larges bordures de plantes herbacées adossées à une haie de grands ifs, mène à un large banc qu'abrite une construction classique. Ces bordures généreuses, que l'on pourrait croire de création récente, datent en réalité des années 1840 et sont l'un des premiers exemples de « bordures mixtes » jamais plantées. Egerton-Warburton ne se contenta pas de planter des parterres dans un style antipittoresque qui laissait clairement apparaître l'intervention de l'homme, ce qui était alors très à la mode, mais s'inspira aussi de jardins historiques, ici des enclos d'herbes aromatiques conçus par Parkinson, Culpeper et Gerard au XVIIᵉ siècle. Ainsi les bordures d'Arley Hall, très anciennes, prouvent que, contrairement à une croyance très répandue, les plantes vivaces herbacées ne furent pas éliminées des jardins le jour où on se prit d'engouement pour les plantes annuelles et que Gertrude Jekyll n'a pas « inventé » les bordures mixtes. En fait, ces plantations « à l'ancienne » acquièrent une connotation poétique et romantique dès 1850.

☞ **Barron, Farrand, Johnston, Jekyll**

R. E. Egerton-Warburton. n. (RU), 1804. m. (RU), 1891. **Arley Hall**, Cheshire (RU), années 1840.

# Eldem Sedad

## Villa Kiraç

Eldem, probablement le plus grand architecte turc du XXe siècle, a su combiner dans ses jardins un modernisme rigoureux – comme on le voit dans cet espace orné d'une colonnade – avec des formes architecturales et sculpturales turques traditionnelles. Il a dessiné la plupart des jardins des bâtiments dont il a réalisé la construction – principalement des villas sur les rives du Bosphore. Son souhait était d'imprimer un style spécifiquement turc à l'architecture et à l'agencement des jardins. Son ouvrage publié en 1976, *Turk Bahceleri*, est une étude exhaustive, à travers la peinture, la photographie et les plans d'architectes, des jardins de l'Empire ottoman. Il contient des essais approfondis sur de nombreux jardins aujourd'hui disparus et reste une source d'informations inépuisable pour l'étude de l'un des plus grands héritages qui soit au monde en matière de paysagisme.

☛ Bosworth, Gibberd, Kiley, Pearson et Cheal

Sedad Hakki Eldem. n. Istanbul (TUR), 1908. m. Istanbul (TUR), 1988. **Villa Kiraç**, Tarabya (TUR), 1965-1966.

# Emes William

## Erddig

Ce jardin à la française clos de murs, créé par John Meller sur la façade est de la maison, est resté presque intact. Construit entre 1718 et 1733, il remplaça le jardin précédent, indiqué aujourd'hui par les doubles rangées de tilleuls de chaque côté des pelouses rectangulaires. Suivant la mode de l'époque, le jardin de Meller s'alignait sur l'axe principal de la maison, une large allée de gravier conduisant à un long canal central ouvrant des perspectives sur la campagne. Ce parc est fermé par des grilles en fer forgé aux motifs compliqués (originellement à l'entrée ouest, elles furent replacées ici en 1971). En 1767, le mode étant aux jardins moins sophistiqués, le paysagiste William Emes « remodela » Erddig dans le style de Capability Brown. Son travail, toujours perceptible dans l'agencement actuel du domaine, comprenait de généreuses plantations d'arbres, des allées ombragées et une cascade connue sous le nom de « La Tasse et la Soucoupe ». Dans l'Angleterre du milieu du XVIIIe siècle, Emes venait loin derrière Capability Brown.

☛ Brown, Goethe, Repton

# Emma Reine

## Lawai Kai (jardins d'Allerton)

Ce petit canal dont les rives ondulent de façon originale est l'un des éléments d'inspiration européenne de Lawai Kai, parc botanique de Kaua'i, plus connue comme l' « île Jardin » de la chaîne des îles hawaïennes. Rien d'étonnant à ce que la reine Emma ait souhaité bâtir sa résidence d'été dans ce lieu merveilleux. Elle baptisa cette retraite *Lawai Kai* (« jardin de la Mer » en langue hawaïenne) et y introduisit avec beaucoup de soin toutes sortes d'espèces ornementales, dont les plus marquantes sont les bougainvillées et les figuiers de la baie de Moreton. Entre 1938 et 1989, deux botanistes passionnés et chasseurs de plantes, Robert et John Gregg Allerton, rapportèrent à Lawai Kai des plantes du monde entier et dotèrent le jardin de canaux, de cascades, de bassins et de chutes d'eau, de pavillons agrémentés de treilles et de sculptures européennes modernes. L'ensemble est éclectique par son agencement et époustouflant par sa diversité botanique. C'est une succession de jardins imaginatifs qui sont autant d'hommages au paysage naturel de ce paradis du Pacifique.

☛ Hancock, Nazarite, Rhodes, Vignole

Reine Emma. n. Honolulu, Hawaï (EU), 1836. m. Honolulu, Hawaï (EU), 1885.
Lawai Kai (jardins d'Allerton), Kaua'i, Hawaï (EU), vers 1875.

# Enshu Kobori

## Nanzen-ji

La plus grande partie du jardin se compose d'une étendue de gravier blanc soigneusement ratissé, tandis que de gros rochers et des buissons savamment agencés sont confinés dans le coin, renforçant la notion d'espace. Choisis pour leur beauté naturelle plus que pour leur qualité abstraite ou symbolique, comme dans les anciens jardins secs, ces rochers et les monticules d'azalées taillées forment une superbe composition naturaliste. Conçu à la fin du XVIIe siècle par Kobori Enshu, cet important temple zen appartient à la tradition Ryoan-ji. Membre de la classe guerrière, Kobori était un ami du prince Toshihito et un célèbre maître de la cérémonie du thé, fondateur de l'École de cha-no-yu. Enshu dessina un grand nombre de jardins importants, et son influence fut si grande qu'on lui attribue la plupart des jardins de cette époque, dont le fameux Katsura – pour lequel il se contenta sans doute de donner des conseils amicaux – et le palais impérial de Kyoto, à l'ère Keicho.

☛ **Hideyoshi, Mandokora, Pan En, Toshihito**

# Esterházy Prince Miklós

## Esterháza

Des parterres en forme d'arabesques et des bassins agrémentés de fontaines ornent la cour d'entrée du château d'Esterháza, en Hongrie, construit au milieu du XVIIIᵉ siècle pour rivaliser avec Versailles. Les enfilades de bâtiments de chaque côté de la façade principale du palais sont incurvées pour permettre aux carrosses de s'arrêter progressivement. Le prince Miklós Esterházy embellit les jardins de 1756 jusqu'à sa mort, en 1790, en commandant une variété d'édifices ornementaux : des temples, des fontaines, une pagode chinoise et une arène réservée aux tirs de feux d'artifice.

Le prince donnait de somptueuses réceptions dans les jardins dont nombre de récits de l'époque évoquent les splendeurs. La plus grande partie du domaine était dotée d'allées que l'on faisait parcourir aux visiteurs dans des carrosses très larges spécialement conçus. Malheureusement, un quart de siècle après la mort du prince, le palais et les jardins furent laissés à l'abandon, la famille ne les utilisant plus. La Seconde Guerre mondiale y fit d'importants ravages, mais le jardin et ce qui reste du palais ont été restaurés.

☞ **Catherine II, Fischer von Erlach, Le Nôtre**

**Prince Miklós Esterházy. n.** Vienne (A), 1714. **m.** Vienne (A), 1790. **Esterháza,** Fertöd (HON), 1756-1790.

# Fairhaven Huttleston Broughton, 1er baron     Abbaye d'Anglesey

Le temple Lawn, un cercle de dix colonnes corinthiennes en pierre de Portland, entourant le *David* du Bernin et enfermées par une haie d'ifs, fut créé en 1953 pour commémorer le couronnement de la reine Elizabeth II. Ce thème classique prouve que, malgré l'abondance des nouveaux concepts depuis l'époque édouardienne, la Renaissance italienne continue d'exercer une profonde influence sur l'aménagement des jardins au xxe siècle. Le parc d'Anglesey fut commencé en 1930 ; c'est l'un des rares sites qui fut développé après la guerre, l'augmentation des impôts ayant laissé exsangues de nombreux propriétaires. Parmi les ornements antérieurs à la guerre, on compte une série de petits jardins plantés à proximité de la maison d'une végétation très dense. De l'autre côté, témoin du goût de la Renaissance pour les axes et de la grandeur des jardins à la française du xviie siècle, se trouve une avenue de 17 m de large, Great Avenue, plantée en 1937 pour commémorer le couronnement du roi George VI. Anglesey est toujours apprécié, notamment pour ses perce-neige et ses dahlias.

☛ Bingley, Gibberd, Hamilton Finlay, Jellicoe, Peto

**Huttleston Broughton** (1er baron Fairhaven). n. (RU), 1896. m. (RU), 1966.
**Abbaye d'Anglesey,** Cambridgeshire (RU), à partir de 1926.

# Farrand Beatrix

## Dumbarton Oaks

Des assemblages libres de plantes vivaces et annuelles sont plantés à l'intérieur d'un quadrillage de sentiers et de haies d'ifs. Un if isolé clôt paisiblement la principale perspective et un belvédère aux formes élégantes et à la toiture galbée surveille tout depuis le Cutting Garden voisin. Les plantations des bordures ont peut-être changé depuis la création de ces jardins (1921-1947), mais Dumbarton Oaks, dans l'État de Washington, reste l'un des plus beaux parcs américains du xxᵉ siècle. Beatrix Farrand raffolait des jardins de la Renaissance italienne et française et admirait aussi beaucoup le travail de Jekyll, Lutyens et Mawson. Sa grande réussite fut de combiner toutes ces influences en utilisant une petite palette de plantes indigènes américaines et de créer un jardin qui intègre ce qui se faisait de mieux en Europe tout en restant en parfaite osmose avec le paysage environnant. Les 20 hectares se partagent entre des terrasses et des enclos, avec des jardins sophistiqués et des loggias près de la maison et une végétation plus libre dans le lointain.

☞ Cane, Jekyll, Johnston, Mawson

Beatrix Jones Farrand. **n**. New York, New York (EU), 1872. **m**. 1959.
**Dumbarton Oaks**, Georgetown, Washington (EU), 1921-1947.

# Fath Ali Shah

## Palais de Golestan

Situé dans le Qasr-e Qajar, le quartier royal de Téhéran, le jardin de Golestan est exemplaire du style des jardins palatins durant la période Qajar tardive, à la fin du XIXᵉ siècle. Une grande avenue centrale et des cours d'eau en cascades descendent trois niveaux de terrasses depuis le palais jusqu'au jardin principal et au pavillon édifié plus bas. La majesté de ces terrasses et l'abondance d'eau étaient des éléments fondamentaux des jardins Qajar. Dans le palais de Golestan, le bassin réservé aux bains estivaux se trouvait à l'intérieur d'un pavillon octogonal. Des portails arrondis, ou *ivans*, enjambaient chacun de ses côtés. Les eaux d'une fontaine centrale dansaient dans le bassin de marbre blanc dessiné pour les femmes de l'immense harem du shah. Ce pavillon comportait deux étages, les appartements des femmes se trouvant en haut. Elles utilisaient un plan incliné en marbre pour descendre dans l'eau. On raconte qu'à la mi-journée le shah aimait venir se reposer à l'étage pour pouvoir contempler d'en haut ces belles naïades. L'équilibre et la symétrie règnent sur l'ensemble de ce jardin.

☛ **Atabek Qaracheh, Babur, Sangram Singh, Shah Jahan**

**Fath Ali Shah**. Règne (IR), 1797-1843. **Palais de Golestan**, Téhéran (IR), début du XIXᵉ siècle.

# Fischer von Erlach Johann Bernhardt — Schönbrunn

Cette peinture de Bernardo Bellotto nous dévoile comment on dessinait un jardin royal autrichien au XVIIIe siècle, avec de larges allées et de grands espaces pour recevoir la foule des courtisans. Créé en réaction à Versailles, Schönbrunn témoigne d'une exceptionnelle unité de conception car le palais, le parc et le jardin furent créés par un seul homme, J. B. Fischer von Erlach. Ce dernier conféra un exceptionnel sentiment d'intimité à ce lieu en plantant des bosquets à proximité du palais. Ces arbres étaient destinés à ménager des promenades ombragées, qu'on pouvait ainsi emprunter aux heures les plus chaudes de la journée. L'atmosphère de ces aires de quiétude contrastait avec la splendeur et le formalisme dégagés par les parterres du jardin. L'ouvrage publié par Fischer von Erlach en 1721, *Entwurf einer historischen Architektur*, riche en illustrations de nombreux styles exotiques, eut une influence considérable sur l'architecture des jardins dans toute l'Europe.

☞ Gallard, Hardouin-Mansart, Le Nôtre, Tessin le Jeune

Johann Bernhardt Fischer von Erlach. n. Graz (A), 1656. m. Vienne (A), 1723.
**Schönbrunn**, Vienne (A), huile sur toile de Bernardo Bellotto, vers 1758-1761.

# Fish Margery

## East Lambrook Manor

Bien que cet exubérant déploiement de fleurs champêtres – une végétation qui convient à merveille aux manoirs – semble démodé, c'est un style qui se développa au cours des années 1950. Margery Fish se passionnait vraiment pour les plantes herbacées vivaces et champêtres, qu'elle utilisa magnifiquement, en inventant un style de plantations naturel, simple et sensible, tandis que ses parterres regorgeaient d'une grande diversité d'espèces intéressantes, connues ou inhabituelles. Son attitude traduisait l'idéal du jardin champêtre d'après-guerre, un rêve accessible aux jardiniers du dimanche. Par ses écrits, elle relança la mode des plantes vivaces et encouragea un grand nombre de botanistes amateurs à reprendre du service pendant les week-ends. Elle contribua aussi à rendre populaire l'utilisation de certaines plantes comme paillis pour étouffer les mauvaises herbes, une manière de réduire la corvée de désherbage, elle qui n'hésitait jamais à laisser une mauvaise herbe in situ si elle ajoutait quelque chose à l'esthétique du jardin.

☛ Bowles, Colvin, Jekyll, Lorimer, Roper, Sackville-West

Margery Fish. n. (RU), 1892. Active (RU), début xxᵉ siècle. m. (RU), 1969. **East Lambrook Manor**, Somerset (RU), 1937.　147

# Fontana Carlo

## Villa Cetinale

Peu d'aménagements de jardins baroques s'emparent du paysage avec autant de puissance que l'axe principal de la villa Cetinale. Voici la perspective que l'on a en descendant le double escalier depuis l'étage noble de la maison : « une vue inhabituellement prolongée », commenta l'Américaine Rose Nicholls en 1929. Une fois passée l'entrée ornée de statues (et couronnée de bustes impériaux), suit un large sentier herbeux flanqué de sombres cyprès italiens, puis on traverse une autre entrée qui mène à un escalier grossièrement taillé à flanc de colline et bordé d'ilex noueux, jusqu'à ce qu'on

atteigne le Romitorio dominant la campagne siennoise. Il faut compter au moins une demi-heure pour arriver au sommet de la colline, et là, on découvre que l'axe pénètre tout droit dans la maison, en franchissant des jardins à la française ornés de citronniers en pots, pour redescendre dans un autre bois d'ilex qui rejoint la vallée – soit 5 km. Le jardin de la villa Cetinale, construit pour le cardinal Flavio Chigi, est le chef-d'œuvre de Carlo Fontana. Il est toujours parfaitement entretenu.

☛ **Bacciocchi, Beckford, Borghèse, Mardel, Nasoni**

**Carlo Fontana. n.** environs de Côme (IT), 1638. **m.** Rome (IT), 1714. **Villa Cetinale**, Sienne (IT), 1713.

# Forestier J. C. N.

## La roseraie de Bagatelle

Dans le bois de Boulogne, à l'ouest de Paris, se trouve ce que l'on appelle un « jardin anglais ». Dessiné par Blaikie et Bélanger pour le comte d'Artois en 1775, ce jardin se compose aujourd'hui de nombreuses sections qui offrent un remarquable condensé des différents types de jardins conçus depuis trois siècles. Entre les sous-bois, les pièces d'eau et les vastes pelouses où l'on expose parfois des sculptures contemporaines, se déploient des jardins thématiques : l'orangerie et ses parterres à la française, le jardin d'iris, le potager et surtout, le plus connu, la roseraie, créée en 1905 par le conservateur des parcs et jardins J. C. N. Forestier. Un escalier mène à ce jardin de roses, pour la plupart d'anciennes espèces françaises aisément disponibles à la fin du XIX^e siècle. Elles sont disposées dans des parterres aux formes géométriques bordés de haies de buis taillées. Des ifs en forme de cône rehaussent les plates-bandes dessinées à la française, tandis que certaines roses grimpantes se déploient sur des cordelettes ou sur des supports en colonnes.

☛ André, Bélanger et Blaikie, Joséphine, Mallet-Stevens

J. C. N. Forestier. n. (F), 1861. Actif (F), fin XIX^e siècle. m. (F), 1930.
La roseraie de Bagatelle, bois de Boulogne, Paris (F), 1905.

149

# Förster Karl

## Résidence Förster

L'utilisation dans les jardins de plantes vivaces, d'herbes et de fougères ornementales fut lancée par Karl Förster, le père du paysagisme allemand contemporain. Aux bordures anglaises disposées de façon rigoureuse, il préférait les arrangements libres et naturels. Au cours de sa longue vie, Förster introduisit plus de 650 variétés de plantes, dont la culture répondait à sa nouvelle approche de l'agencement des jardins. Il écrivit vingt-sept ouvrages et employa dans sa pépinière et son cabinet d'architecte paysagiste un grand nombre de paysagistes allemands actuels. Son jardin personnel, à Bornim, près de Potsdam, qu'il commença en 1910, comprend un remarquable jardin encaissé et une rocaille. Il reste un lieu de pèlerinage pour les architectes paysagistes. L'héritage de Förster est perceptible dans beaucoup de jardins allemands. Sa fille supervise actuellement la restauration de la résidence Förster.

☛ Brandt, Chatto, Jensen, Oudolf, Robinson

**Karl Förster. n.** Berlin (ALL), 1874. **m.** Bornim, environs de Potsdam (ALL), 1970.
**Résidence Förster,** Bornim, environs de Potsdam (ALL), 1910.

# Fowler Charles

## Syon House

Ce spectaculaire dôme de verre se dresse au centre de la Grande Serre construite dans les années 1820 par Charles Fowler pour abriter la collection de plantes du 3ᵉ duc de Northumberland, qui entendait poursuivre l'œuvre botanique des précédents propriétaires. La coupole de 20 m de haut est soutenue par douze colonnes de fonte et flanquée de deux ailes latérales et de pavillons d'angles, le tout enfermant une pelouse irréprochable en demi-cercle, selon un schéma caractéristique de la transition entre l'orangerie baroque et la serre du XIXᵉ siècle. Dans ce paysage en bordure de Tamise modelé par Capability Brown au XVIIIᵉ siècle, la Grande Serre se trouvait à l'avant-garde de la technologie et annonçait celle de Paxton à Chatsworth House, le Great Stove. Jeune architecte à l'époque de cette commande et cofondateur de l'Institute of British Architects, Charles Fowler était déjà connu pour la réalisation de projets tels que Covent Garden Market à Londres. On lui doit également le jardin de fleurs très formel installé sur le flanc sud de Syon House.

☞ **Balat, Burton et Turner, Dupont, Paxton**

**Charles Fowler. n.** Devon (RU), 1792. **m.** Great Marlow, Buckinghamshire (RU), 1867.
**Syon House**, Syon Park, Brentford (RU), années 1820.

# Francini Tomasso et Alessandro

## Saint-Germain-en-Laye

Sous le règne d'Henri IV, le palais royal de Saint-Germain-en-Laye pouvait s'enorgueillir de posséder le plus grandiose jardin à l'italienne du royaume. S'étendant sur six majestueuses terrasses qui descendaient vers la Seine, ses plans étaient symétriques et centrés par rapport au château. Saint-Germain fut construit au cours des années 1550 pour Henri II par Philibert de l'Orme. Vers 1600, les frères Francini, ingénieurs hydrauliciens au service des Médicis, y ajoutèrent des grottes et des automates, partiellement dissimulés dans les arbres des terrasses. sir Roy Strong les

décrivait ainsi : « Il y avait les grottes de Neptune, d'Orphée et du Dragon (toutes ces mythologies célébrant Henri IV) mais la plus impressionnante était la grotte des Flambeaux. Dans celle-ci, le visiteur était soumis à une série de scènes de transformations [...] Le soleil se levait, un orage suivait qui laissait la place à une vue du palais avec la famille royale se promenant tandis que le Dauphin descendait des nuages dans un chariot porté par des anges. »

☛ **Bramante, I. Caus, S. Caus, Du Cerceau, de l'Orme**

PORTRAIT DES CHASTEAUX ROYAUX DE SAINCT GERMAIN EN LAYE

**Tomasso Francini. n.** 1571. Actif (F), milieu XVIᵉ siècle. **m.** 1651. **Alessandro Francini**. Actif (F), milieu XVIᵉ siècle. **m.** 1648. **Saint-Germain-en-Laye** (F), vers les années 1550.

# Franco Guerrero José Maria Azuel      Jardins de Tulcan

Quelques tailles ornementales parmi les plus élaborées du monde ont été créées par un génie sans expérience, à Tulcan, petite ville des Andes équatoriennes. Au début des années 1940, Franco Guerrero commença à tailler des haies de cyprès d'Arizona (*Cupressus arizonica*) qui se trouvaient dans le cimetière communal, avec une variété de formes géométriques, anthropomorphiques et zoomorphiques. Une myriade de haies taillées se déploie le long de larges allées à l'intérieur du cimetière ou dans des sortes de « pièces » à l'extérieur : cônes tronqués, pyramides,

obélisques, arcades, bas-reliefs ou encore formes architecturales, humaines ou animales, oiseaux notamment. On trouve également des portraits de héros tirés des mythologies sud-américaine, orientale ou égyptienne. On peut faire remonter l'inspiration de cette œuvre sculpturale au travail de la pierre dans les cultures précolombiennes d'Équateur. Ainsi, il semble que l'art de la taille ornementale au $XX^e$ siècle ait atteint son apogée dans une petite ville perdue de l'Amérique du Sud.

☛ Baron Ash, Lennox-Boyd, Monasterio de San Lorenzo

# Fraser James

## Château de Coole

Cette vue depuis la rive opposée du lac de Coole montre à quel point le manoir néoclassique que James Wyatt construisit pour le Iᵉʳ comte de Belmore s'intègre bien dans le parc paysager dessiné par William King vers 1780, dans le style naturaliste en vogue de l'époque. Trois générations plus tard, le 3ᵉ comte de Belmore consulta le jardinier paysagiste irlandais James Fraser, un adepte tardif du mouvement pittoresque, décrit par John Claudius Loudon comme « un excellent botaniste et jardinier, ainsi qu'un homme de grande culture générale ». Fraser avait déjà

conseillé trois membres éminents de la noblesse irlandaise sur la façon d'accentuer les effets pittoresques de leurs domaines et de donner plus de caractère à leurs paysages : le comte d'Arran dans le comté de Wexford, le comte de Dunraven dans celui de Limerick et le comte de Shannon dans celui de Cork. Mais Fraser fut, semble-t-il, si impressionné par le parc du château de Coole qu'il limita ses recommandations à l'aménagement des terrains boisés.

☛ Allen, Brown, Emes, Hamilton, Loudon

James Fraser. n. (IRL), 1793. Actif (IRL), XIXᵉ siècle. m. (IRL), 1863. **Château de Coole**, Fermanagh (IRL), début du XIXᵉ siècle.

# Frédéric-Henri Prince  Honselaarsdijk

L'avenue permettant d'accéder au jardin monumental du prince Frédéric-Henri, à Honselaarsdijk, aboutissait à une place semi-circulaire bordée d'arbres et de canaux, comme on le voit au bas de cette gravure datant de 1693. Honselaarsdijk, l'un des premiers jardins classiques hollandais à s'inspirer de principes mathématiques, était richement décoré de statues, de fontaines, de parterres et de tonnelles. Il s'organisait en multiples divisions et subdivisions disposées très rigoureusement autour d'un axe central reliant la maison, entourée de douves, au jardin.

Aménagé par le prince Frédéric-Henri d'Orange, stathouder et grand-père de Guillaume III, dans les années 1630, le parc fut embelli par Guillaume d'Orange vers 1670. On rénova les plans d'eau et on ajouta une orangerie pour accueillir une collection de plantes exotiques. C'est à Honselaarsdijk, idéalement situé dans le polder d'Orange, point de traversée vers l'Angleterre, que Guillaume III invita l'ambassadeur anglais pour l'entretenir de son intention d'épouser Marie Stuart.

☞ Colchester, Marot et Roman, Van Campen, Guillaume III

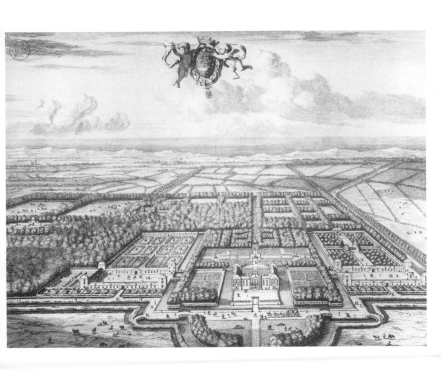

**Frédéric-Henri (prince d'Orange). n.** Delft (PB), 1584. **m.** 1647.
**Honselaarsdijk,** Hollande (PB), 1630-1670.

# Frédéric I<sup>er</sup> Grand-duc de Baden

Île de Mainau

Ce joli déploiement de plantes printanières bulbeuses est typique de la très grande qualité de l'horticulture à Mainau. Cette vue nous montre la partie supérieure de l'arboretum, tandis que les jardins à l'italienne que le grand-duc Frédéric I<sup>er</sup> de Baden fit aménager sur l'île de Mainau en 1871 résument à eux seuls le désir ardent qu'éprouvaient les Européens du Nord pour le soleil et la lumière de l'Italie. Des terrasses entourent le palais baroque qui fut construit en 1740 sur l'extrémité est de l'île, offrant de magnifiques perspectives sur le lac de Constance. Frédéric hérita de cette île de 45 hectares en 1853 et fit planter un somptueux ensemble de conifères. La roseraie est entourée sur trois côtés par une pergola de roses grimpantes, le quatrième côté constituant le jardin à balustrades du palais. Avec ses deux millions de visiteurs annuels, Mainau compte parmi les parcs d'Europe les plus populaires. Le travail et le talent de quatre-vingt-dix jardiniers garantissent la splendeur de ce paradis méditerranéen au nord des Alpes.

☛ Barry, Borromeo, Boy, Seinsheim

**Grand-duc Frédéric I<sup>er</sup> de Baden. n.** 1826. Actif (SUI), XIX<sup>e</sup> siècle. **m.** 1907. **Île de Mainau,** Baden (SUI), 1871.

# Frédéric II Roi de Prusse     Sans-Souci

La maison de Thé chinoise de Sans-Souci ne ressemble à nulle autre construction de jardin dans le monde . les lignes tourbillonnantes du toit et l'ombrelle dorée qui lui sert de fleuron n'ont rien à voir avec les habituelles chinoiseries en faveur au XVIII^e siècle. C'est un délicieux mélange d'Orient et d'Occident, une fantaisie européenne du Pékin impérial où des personnages grandeur nature, aux traits orientaux, jouent de la musique avec des instruments qui n'auraient pas été déplacés à la cour de Frédéric le Grand, à Sans-Souci. Frédéric fit justement construire ce palais pour échapper aux soucis de ce monde, d'où son nom. Les jardins qu'il commença ont été agrandis et forment à présent un vaste et magnifique ensemble offrant à la fois des espaces sophistiqués et d'autres plus naturels, auxquels le talent du paysagiste Joseph Lenné a donné une agréable cohésion. Ainsi, la maison de Thé ne s'inscrit pas dans la rigueur d'un jardin baroque du XVIII^e siècle, mais plutôt dans les ornementations d'un parc romantique du XIX^e siècle.

☛ Chambers, Girard, Goethe, Lenné

Frédéric II, roi de Prusse (Frédéric le Grand). n. Berlin (ALL), 1712. m. Sans-Souci (ALL), 1786.
Sans-Souci, Potsdam (ALL), 1744-1770.

# Frigimelica Girolamo

## Villa Pisani

Cette vue du parc boisé de la villa Pisani révèle l'état d'élégante décrépitude dans lequel il se trouve depuis longtemps. L'unique trace de l'étonnant paysagisme baroque mis en œuvre par Girolamo Frigimelica au XVIIIᵉ siècle est le léger miroitement de l'eau d'un canal que l'on distingue dans la clairière. C'est l'axe d'un plan d'eau installé à l'époque où les immenses parterres en broderies furent arrachés, en 1911. En fait, Frigimelica devint l'architecte d'une villa qui ne fut jamais vraiment construite, car son commanditaire, Alvise Pisani, fut élu doge de Venise en 1735, l'année où Frigimelica

dessina ces jardins à la française. Les parterres se mêlaient à un réseau complexe d'allées aux tracés géométriques qui devaient guider le regard le long des sous-bois jusqu'à ce qu'il perçoive le spectacle de la campagne environnante (une innovation dans l'aménagement des jardins italiens de l'époque). Les arbres et les sous-bois ont pâti de cet état d'abandon : les haies longeant les allées ont disparu depuis longtemps et de nombreux semis naturels entravent beaucoup de perspectives.

☛ **Fontana, Fronteira, Mansi, Oliviera**

Girolamo Frigimelica. n. (IT), 1653. m. (IT), 1732. **Villa Pisani**, environs de Padoue (IT), 1735-1756.

# Fronteira Marquis de

## Palais des marquis de Fronteira

Des carreaux d'un bleu céruléen habillent la partie supérieure de la galerie des Rois, tandis qu'un revêtement de même nature, d'un bleu plus profond mêlé de blanc, retrace l'histoire des fiers chevaliers de la lignée des Fronteira. Le palais actuel, qui était à l'origine un pavillon de chasse du I<sup>er</sup> marquis de Fronteira, et les jardins, dont on attribue l'agencement au 2<sup>e</sup> marquis de Fronteira, Dom Fernao Mascarenhas, furent achevés en 1712. La galerie des Rois constitue un mur impressionnant auquel est adossé un bassin abondamment décoré, caractéristique des jardins portugais.

Cette galerie, ornée de niches ponctuées de pommes de pin et de glands de chêne d'un ton cuivré en trois dimensions, abrite les bustes des rois du Portugal et offre un point de vue idéal d'où l'on peut contempler le bassin entouré d'une balustrade et les parterres irréprochables qui se déploient devant le palais. Sur le niveau supérieur du jardin se trouvent de petits jardins aux plates-bandes de pélargoniums, d'autres pièces d'eau et l'allée dite de la Chapelle, célèbre pour ses bordures en carreaux de faïence de style à la fois portugais et italien.

☞ **Mardel, Mozzoni, Nasoni, Oliveira et Robillon**

**Marquis de Fronteira. n. 1655. Actif (POR), fin XVII<sup>e</sup> siècle. m. 1729.**
**Palais des marquis de Fronteira**, Lisbonne (POR), 1712.

# Gallard Claude

## Château de Courances

Au-delà d'une terrasse aux parterres parfaitement équilibrés, une ceinture de vieux arbres splendides entoure un paisible miroir d'eau. Le parc du château de Courances est l'une des plus nobles expressions de l'âge d'or des jardins à la française. Ici, on respire un sentiment de pureté et de clarté immenses. Des allées superbement entretenues et des bassins à couronnement de pierre mènent à trois canaux bordés d'arbres, qui ouvrent sur de vastes perspectives, dont certaines sont amplifiées par des effets d'optique. Quand il achète Courances en 1622, Claude Gallard, conseiller et secrétaire du roi, convoque immédiatement Le Nôtre pour l'aider à préciser son projet. C'est ensemble qu'ils élaborèrent ce plan idéal, montrant ainsi que la rigueur française pouvait être encore plus séduisante à une échelle à la fois réduite et humaine. Longtemps négligé, le parc souffrit d'embellissements inopportuns jusqu'en 1912, date à laquelle Achille Duchêne, célèbre pour ses restaurations grandioses, fut chargé par la famille de Ganay, devenue propriétaire, de ramener Courances à sa gloire d'antan.

☛ Duchêne, Emes, Hardouin-Mansart, Le Nôtre, Ligne

**Claude Gallard.** Actif (F), XVIIᵉ siècle. **Château de Courances**, Essonne (F), 1622.

# Garzoni Romano

## Villa Garzoni

Trois volées d'escaliers monumentaux constituent le cœur de ce jardin baroque hautement théâtral. À leur pied s'étendent deux grands bassins ronds entourés de robustes arbres taillés en forme d'animaux et d'oiseaux, et de plates-bandes aux couleurs vives. L'escalier à balustrade qui grimpe le long de la colline abrupte est décoré de mosaïques, de rocailles, de briques de couleur et de grandes statues. Au second niveau, un sentier mène à un théâtre de verdure, un peu à l'écart, et à un labyrinthe complexe que l'on atteint en traversant l'étrange pont couvert qui relie la maison aux jardins. Dans une grotte située à mi-hauteur, des jeux d'eau piégeaient jadis le visiteur peu soupçonneux au moyen d'une série de jets d'eau automatisés. Romano Garzoni acheva ce jardin on ne peut plus baroque en 1756, avec l'aide d'un architecte local, Ottavio Diodati. Il était bien décidé à transformer l'austère château médiéval de ses ancêtres en un lieu de plaisirs destiné à surprendre et à divertir.

☛ **Borghèse, Borromeo, Frigimelica, Gaudí, Ligorio**

**Romano Garzoni**. Actif (IT), milieu XVIIIᵉ siècle. **m.** Collodi, Toscane (IT), 1787.
**Villa Garzoni**, Collodi, Toscane (IT), 1756.

# Gaudí Antonio

## Parc Güell

Cet interminable banc de mosaïque serpentant irrégulièrement dans le parc Güell, à Barcelone, double le mur qui délimite la terrasse principale, au cœur du jardin. Eusebio Güell, le commanditaire, avait demandé à Gaudí de créer une ville-jardin comprenant des maisons et des jardins ouvriers sur un terrain vague de 20 hectares, très en pente. Ce complexe résidentiel suscita peu d'intérêt, si bien que Gaudí se concentra sur la réalisation du deuxième grand parc de Barcelone. En entrant, le visiteur est saisi par la démesure de l'escalier qui conduit à la plus grande terrasse. Puis il traverse un vestibule décoré d'une véritable forêt de colonnes doriques creuses, qui soutiennent la terrasse et s'intègrent dans l'ingénieux système d'irrigation de Gaudí. Ici comme ailleurs, une décoration abstraite en mosaïque est omniprésente ; elle fut réalisée en carreaux de faïence cassés par des artisans locaux qui participèrent à sa composition et à son installation. Ce parc tropical, avec ses avenues bordées de pins et ses palmiers, est la seule œuvre paysagée à grande échelle réalisée par Gaudí.

☞ **Goldsworthy, James, Jungles, Loudon, Morris, Paxton**

**Antonio Gaudí. n.** Rens, environs de Tarragone (ESP), 1852. **m.** Barcelone (ESP), 1926. **Parc Güell**, Barcelone (ESP), 1900-1914.

# Gehry Frank

## Schnabel House

Une allée pavée en grès de Californie longe un groupe apparemment fortuit de formes métalliques qui abritent le bureau et aboutit à une série de boîtes constituant les espaces de vie. Dans ce travail de déconstructivisme suburbain, l'architecte Frank Gehry a dissocié les composantes d'une maison et les a réagencées de façon à créer un jardin de sculptures destiné à la vie quotidienne. Cette maison fut construite entre 1987 et 1989 dans le district aisé de Brentwood, en Californie. La paysagiste Nancy Goslee Power fut chargé des extérieurs. La dissociation des volumes intérieurs a permis d'aménager de nombreuses aires extérieures qui renforcent l'impression d'espace. Des plantes particulièrement résistantes à la sécheresse ont été très judicieusement choisies en fonction de l'architecture. Ainsi les palmiers, les phormiums et les cordylines offrent un étonnant contraste avec les bâtiments angulaires, tandis que le bosquet d'oliviers adoucit l'ensemble en lui apportant une touche rurale. Gehry aime repousser les limites de l'architecture, comme dans le musée Guggenheim de Bilbao.

☛ Greene, Libeskind, Martino, Smyth

# Geuze Adriaan

## VSB Bank

Une élégante passerelle enjambe dans sa largeur ce jardin linéaire, où de longs massifs de haies de buis taillées très court alternent avec des bandes composées d'éclats de pierre rouge. Un banc de bois qui épouse la courbe du pont de métal peint invite à une paisible contemplation de ce jardin réalisé en 1995 pour la VSB Bank par le paysagiste hollandais Adriaan Geuze, l'une des têtes de file du groupe West 8 Landscape. Il a travaillé à des projets aussi différents que des barrages sur la mer du Nord ou l'aéroport de Schiphol. Geuze, qui se décrit lui-même comme un « fonctionnaliste »

et un « hyperréaliste », ne croit pas en la possibilité de créer, à notre époque, des espaces verts idéalistes et porteurs d'apaisement. Il est persuadé qu'il faut prendre en compte les réalités contemporaines comme l'accélération de la vitesse ou le manque d'espace, et utiliser les matériaux qui font partie de notre environnement, tels que l'acier, l'asphalte ou le béton. Cette réponse positive à l'environnement est le fruit d'une confrontation permanente avec le paysage modifié par l'homme de sa Hollande natale.

☞ Allen, Child, Dow, Hornel, Monet

Adriaan Geuze. n. (PB), 1960. **VSB Bank**, Utrecht (PB), 1995.

# Gibberd Sir Frederick     Jardin de Gibberd

Dans ce jardin des surprises du XXᵉ siècle, des colonnes massives en pierre de Portland et des urnes parfaitement alignées émergent d'un parterre d'acanthes poussant en toute liberté. Étonnamment, la statuaire provient de la Coutts Bank, à Londres, et fut incorporée par le maître paysagiste de la ville nouvelle d'Harlow dans son éclectique jardin de sculptures. Gibberd s'installa ici en 1956, héritant d'une somptueuse avenue de tilleuls, d'un belvédère et d'un bassin. Au fur et à mesure, il aménagea à proximité de la maison – sans plan défini – une série d'espaces dont les murs s'emboîtaient, et des enclos de verdure plus intimes pour accueillir sa collection de sculptures, modernes pour la plupart, ainsi que des jeux pour ses petits-enfants. « J'ai consulté le génie du lieu », disait-il, et « ensuite j'ai fait jouer mon intuition, sans laquelle l'art n'existe pas ». Dans ce jardin anglais de 3 hectares, Gibberd a manipulé l'espace avec sa maîtrise d'architecte. Abandonné pendant plusieurs années, ce parc est en cours de restauration grâce au Gibberd Garden Trust.

☞ Acton, Anhalt-Dessau, Cameron, Hepworth

**Sir Frederick Gibberd. n.** Coventry (RU), 1908. **m.** Harlow (RU), 1984.
**Jardin de Gibberd**, Harlow, Essex (RU), à partir de 1956.

165

# Gildemeister Heidi

## Jardin à Majorque

Sur un étonnant terrain rocheux et aride de l'île de Majorque, Heidi Gildemeister a créé, au cours des vingt dernières années, l'un des plus beaux jardins méditerranéens. Il regorge de plantes de maquis, comme le ciste, le romarin, la santoline, la sauge, l'olivier, les hélichrysums et autres herbes aromatiques. Les plantes sont disposées en fonction de leur effet sculptural afin de produire des perspectives en perpétuel changement. La technique de Gildemeister est cependant aussi remarquable que son grand art, car dans ce paysagisme sans concessions elle s'est fait la championne de ce qu'elle appelle « le jardinage à l'économie d'eau », en sauvegardant cette précieuse denrée par une politique de non-arrosage. Elle ne compte que sur les pluies hivernales et conserve l'humidité dans le sol grâce à un rigoureux système de paillis. Gildemeister, qui a aussi exercé son talent en Amérique du Sud, conseille de choisir des espèces parfaitement adaptées au climat, et de tirer le meilleur parti des protections naturelles, pour éviter de pâtir de l'ardeur du soleil et du vent.

☞ **Blandy, Manrique, Page, Sventenius, Tyrwhitt, de Vesian**

**Heidi Gildemeister.** Active à la fin du XXᵉ siècle et au début du XXIᵉ siècle. **Jardin à Majorque** (ESP), vers 1980.

# Gill Irving

## Laughlin House

En Californie du Sud, pendant les trente premières années du XXᵉ siècle, Irving Gill a beaucoup travaillé à la promotion du design de maisons modernistes peu coûteuses, en mettant l'accent sur les espaces extérieurs et leur rapport avec l'effet d'ensemble. Dans ses lotissements de San Diego et de Santa Monica, il a créé des groupes de maisons en béton blanc avec des toits-terrasses. En plaçant les accès plus ou moins en retrait par rapport à la rue et en les décentrant, il a donné une individualité à chaque demeure. Gill a compris ce que signifie l'habitat, et les arbustes et

les fleurs qui figuraient sur ses maquettes sont devenus des réalités – comme ici pour Laughlin House à Los Angeles, où la blancheur des murs est adoucie par des bacs à fleurs placés devant les fenêtres, des plantes en pots et des arbustes. Les cours et les pergolas que Gill aime à incorporer dans ses architectures – des tonnelles couvertes de vigne pour Laughlin House – mettent en valeur l'affinité qui existe entre le modernisme des murs et l'adobe hispanique traditionnelle.

☞ Church, Loos, Neutra, Washington Smith, F. L. Wright

**Irving Gill. n.** Syracuse, New York (EU), 1870. **m.** Lakeside, Californie (EU), 1936.
**Laughlin House**, Los Angeles, Californie (EU), 1907-1908.

# Gilpin William Sawrey

## Scotney Castle

L'immense perspective qu'offre cette terrasse à balustrade sur un paysage dominé par les ruines très romantiques d'un château à tourelles semble parfaitement naturelle. Pourtant, si le château est bien réel, la campagne, elle, a été entièrement remodelée par le paysagiste William Sawrey Gilpin. En 1836, le propriétaire, Edward Hussey, demanda conseil à Gilpin pour choisir l'emplacement d'une nouvelle demeure que devait lui construire l'architecte Anthony Salvin. L'avis de Gilpin révéla qu'il avait l'œil d'un peintre : la maison fut édifiée sur les hauteurs d'un bastion d'où l'on pouvait apercevoir les ruines du précédent château. Les principes de la composition d'un paysage se trouvèrent ainsi respectés : premier plan, plan médian et arrière-plan. Gilpin, qui était un protégé du théoricien du mouvement pittoresque sir Uvedale Price, devint paysagiste assez tard, après l'échec de sa carrière de peintre. Auparavant, il aida son oncle, le célèbre révérend William Gilpin, pour les illustrations de son tour pittoresque de la rivière Wye, qui fit naître une nouvelle sensibilité favorable au « jardin anglais ».

☛ W. Aislabie, Armstrong, Johnes, Knight, Rochford

**William Sawrey Gilpin. n.** 1762. **m.** Sedbergh, Yorkshire (RU), 1843.
**Scotney Castle**, Lamberhurst, Tunbridge Wells, Kent (RU), 1836.

# Girard Dominique

## Nymphenburg

La cour d'entrée du palais de Nymphenburg s'étend à l'extrémité d'un long canal qui se poursuit jusque dans le centre de Munich. L'immense palais, vu depuis les allées bordées d'arbres de chaque côté du canal, est mis en valeur par la rigueur des jardins. L'architecture, les canaux et les parterres atteignent tous la même perfection géométrique. L'Électeur de Bavière Maximilien-Emmanuel engagea Dominique Girard, élève de Le Nôtre, pour dessiner ce parc au début du XVIIIe siècle ; sa conception, telle qu'elle est exprimée sur cette vue, se répète à plus grande échelle dans les principaux espaces éloignés du palais. Comme tous les princes allemands, Maximilien-Emmanuel admirait beaucoup les jardins de Versailles. On retrouve le même désir de grandeur à Ludwigsburg, en Bade-Wurtemberg, à Herrenhausen, dans le Hanovre, ainsi que dans le palais de Maximilien-Emmanuel à Schleissheim, où Dominique Girard travailla également.

☛ Bullant, Le Nôtre, Sophia, Zuccalli

**Dominique Girard**. Actif (ALL), début XVIIIe siècle. **m.** Munich (ALL), 1738.
**Nymphenburg**, Munich (ALL), début du XVIIIe siècle

169

# Girardin Marquis de     Ermenonville

Comme dans un tableau soigneusement composé, une colonnade de peupliers se dresse pour veiller sur une simple tombe érigée au milieu d'un lac paisible. C'est la sépulture du philosophe Jean-Jacques Rousseau, qui mourut en 1762, lors d'un séjour à Ermenonville chez le marquis de Girardin, l'un de ses plus fervents disciples. Rousseau pensait que les enseignements de la nature et des gens modestes étaient le seul antidote aux maux de la civilisation. Bien que Girardin, aristocrate éclairé admirateur de Voltaire et de Newton, ait écrit un traité, *Sur la composition du paysage*, il invita le peintre paysagiste Hubert Robert à travailler à ses côtés à la transformation de sa propriété d'Ermenonville, dont il voulait faire un lieu idéal et propice à la philosophie. Lors d'un voyage en Angleterre, il fut enchanté par le travail de Shenstone à Leasowes dont il s'inspira. Bien que très marqué par la mode des « jardins anglais », Ermenonville devint le plus beau jardin paysager de France et dépasse de beaucoup les pâles imitations qui suivirent.

☛ **Pearson, Pückler-Muskau, Robert, Shenstone**

**Marquis René-Louis de Girardin. n.** Paris (F), 1735. **m.** Vernouillet (F), 1808. **Ermenonville**, environs de Meaux (F), vers 1766.

# Goethe **Johann Wolfgang von** Parc sur l'Ilm

Cette perspective à travers le parc sur l'Ilm révèle deux des nombreux centres d'intérêt de Johann Wolfgang von Goethe : l'horticulture et le paysagisme. Il passa les six premières années de son séjour à Weimar dans cette maison qui devint par la suite sa résidence d'été. Le jardin contient les roses anciennes et les plantes herbacées dont il parle dans ses écrits et ses études. Goethe, botaniste averti, développa une théorie évolutionniste fondée sur l'idée de plante idéale, ou *Urpflanz*. Autour de la maison s'étend un parc de 50 hectares qui occupe la longue vallée très plate de l'Ilm, où Goethe testa ses talents de paysagiste. Il dessina et planta ce rêve arcadien dans le style du paysagisme en vogue dans les années 1777-1778 et reçut les encouragements et l'aide de son mécène, le duc Charles-Auguste de Saxe-Weimar. Deux siècles plus tard, il émane toujours de ce parc classique une profonde sensation de beauté et de paix.

☞ **Hamilton Finlay, Pückler-Muskau, Repton, Wordsworth**

**Johann Wolfgang von Goethe. n.** Francfort (ALL), 1749. **m.** Weimar (ALL), 1832.
**Parc sur l'Ilm**, Weimar (ALL), 1777-1778.

# Goldney **Thomas**

## Grotte de Goldney Hall

Le dieu des rivières fixe implacablement les ténèbres dans la grotte de Goldney Hall, au centre de Bristol. Il est éclairé d'en haut par la lumière naturelle et de l'eau tombe en cascade de son urne dans un bassin sombre situé juste devant lui. Thomas Goldney était un marchand féru de navigation et plutôt fantaisiste. Depuis une tour située dans son modeste jardin paysager à l'anglaise, il pouvait surveiller l'activité portuaire, notamment les allers et venues des bateaux qui lui rapportaient les petites cargaisons de coquillages, de coraux et de minéraux dont il décorait sa grotte. La chambre souterraine est une vaste pièce divisée en trois par deux rangées de colonnes. Si les détails architecturaux sont plutôt gothiques, la pierre brute et le tuf utilisé pour le plafond lui confèrent un attrait sauvage. De grandes conches, des fossiles, des quartz (diamants de Bristol) et toutes sortes d'autres minéraux sont incrustés dans les murs et les colonnes, tandis que le dieu des rivières et une lionne reposent dans des niches. Seul le pavage du sol dégage une sensation de formalisme.

☛ S. Caus, Francini, Isham, Lane

**Thomas Goldney.** n. Bristol (RU), 1696. m. 1768. **Grotte de Goldney Hall**, Bristol (RU), 1737-1764.

# Goldsworthy Andy

## « Taking a Wall for a Walk »

Ce mur qui serpente dans la forêt de Grizedale est une création d'Andy Goldsworthy, artisan et sculpteur connu pour ses installations temporaires ou permanentes en extérieur, réalisées à partir de matériaux naturels collectés sur place : feuilles, branches d'arbres, pierres, et même de la neige. À Grizedale – un parc de loisirs qui s'étend sur plus de 17 km² dans le Lake District, en Angleterre –, il s'est inspiré des murs de pierre traditionnels de la région. Ce serpentin, construit par une équipe de maçons hautement qualifiés, ondule tel un serpent à sonnettes à travers les mélèzes et les sapins sur environ 140 m de long, embrassant au passage les arbres qu'il rencontre. La forêt possédait déjà un ancien réseau de murs en pierre datant de l'époque où ce site était un pâturage ouvert, mais Goldsworthy, qui se passionne pour la fonctionnalité des murs de pierre, a décidé d'articuler le sien de façon à « modifier la relation entre les gens et les lieux ».

☞ Child, I. Hicks, Latz, Smit

Andy Goldsworthy. n. (RU), 1956. « **Taking a Wall for a Walk** », forêt de Grizedale, Cumberland (RU), 1990.

# Gomizunoö Empereur

## Shugaku-in

Les contours harmonieux de la végétation et du lac dirigent le regard vers le lointain, au-delà des eaux paisibles, en direction de Kyoto. C'est la perspective que l'on a depuis le pavillon au nom très poétique – « Nuage touchant un berceau de verdure » –, qui domine le vaste domaine de Shugaku-in. Ce domaine est l'exemple le plus éclatant du *shakkei*, cette technique du jardin japonais consistant à « emprunter » un fragment déterminé du paysage. Le *shakkei* avait précédemment été utilisé de façon subtile et efficace pour encadrer des jardins à la végétation très sèche ou leur servir de toile de fond. Mais ici, par son assurance et son audace, le *shakkei* devient la principale caractéristique de ce parc. L'empereur Gomizunoö, créateur de Shugaku-in, était un homme très sûr de lui, d'où ses relations difficiles avec les shoguns. Avant d'atteindre la quarantaine, il abdiqua et passa presque tout le restant de son existence à Shugaku-in. Neveu du prince Toshihito, il était également attiré par les arts et la pratique du bouddhisme zen.

☛ **Gyokuen, Kokushi, Toshihito, Wang Xian Chen**

**Empereur Gomizunoö. n.** Kyoto (JAP), 1596. **m.** Kyoto (JAP), 1680. **Shugaku-in**, environs de Kyoto (JAP), 1655-1659.

# Greene et Greene

## The Gamble House

Le jardin qui se trouve à l'arrière de Gamble House est l'un des moins connus parmi les éléments qui composent ce chef-d'œuvre Arts and Crafts américain. La sensibilité du design japonais si adroitement utilisé à l'intérieur de la maison est toujours présent dans ce jardin en terrasse, dessiné par les frères Greene en même temps que l'habitation. La salle à manger donne sur cette terrasse que domine le balcon de la chambre des maîtres de maison, lieu propice aux siestes réparatrices. La ventilation est un élément fondamental de l'architecture de cette maison car plusieurs membres de la famille Gamble souffraient d'asthme. Les Greene tentèrent d'y remédier par un agencement particulier entre les espaces extérieurs et intérieurs. À l'origine, un grand arbre dont les frondaisons prodiguaient une agréable zone d'ombre sur la terrasse se dressait à l'emplacement de l'actuel tertre recouvert de lierre. Les Greene ont aussi incorporé des bacs à fleurs larges et profonds dans leur aménagement des balcons et prolongé le thème du style japonais en plantant des camélias un peu partout.

☛ Church, Greene, Hornel, Lutyens, Morris, Mawson, Rose

Charles Summer Greene. n. Brighton, Ohio (EU), 1868. m. Carmel, Californie (EU), 1957. Henry Mather Greene. n. Brighton, Ohio (EU), 1870. m. Pasadena, Californie (EU), 1954. The Gamble House, Pasadena, Californie (EU), 1908.

# Greene Isabelle

## Maison Valentine

Agaves, herbes, aloès et yuccas ponctuent de leurs longues feuilles hérissées un patchwork de parterres de petites plantes grasses dans ce jardin dessiné pour être vu aussi bien d'en haut que de l'intérieur. Pour adoucir les angles de cette maison de style pueblo moderniste, Isabelle Greene a utilisé des bougainvillées et des figuiers en espaliers. La perspective que l'on a du premier étage lui a été inspirée par des vues aériennes de terrains agricoles, tandis que les sections contenant les plantes grasses (cérastiums verts, kleinias bleus, sédums rouges et kalanchoes roses) sont agencées de manière à évoquer le quadrillage des champs. Les terrasses sont faites en béton, couleur terre cuite, coulé dans des moules de bois de cèdre. Vu depuis le fond du jardin, leur alignement horizontal a pour effet de diminuer l'impression de distance. Isabelle Greene exerce son talent de jardinière paysagiste depuis le début des années 1960, essentiellement en Californie.

☛ Gildemeister, Greene et Greene, Oehme et Van Sweden

**Isabelle Greene. n.** 1934. Active (EU), seconde moitié du xxᵉ siècle. **Maison Valentine**, Santa Barbara, Californie (EU), 1985.

# Grenville-Temple Richard

Cet arc de triomphe de la grandiose perspective sud attire le regard de l'autre côté du lac octogonal et au-delà. Il fut dessiné en 1765 pour le comte Richard Grenville-Temple afin de compléter l'ample perspective qui s'offrait depuis sa maison : des bosquets d'arbres venaient d'être judicieusement plantés et les pavillons du lac, dus à Vanbrugh, reconstruits à une plus grande distance. Richard Temple, vicomte de Cobham, hérite de Stowe en 1697 et commence lui-même les transformations. Son engagement politique inspire la première iconographie du paysage, notamment l'implantation des nombreux temples et fabriques qui célébraient ses croyances politiques libérales. Au cours du XVIIIᵉ siècle, la famille Temple va employer les meilleurs architectes paysagistes pour réaménager le parc et créer un paysage classique idéalisé : Charles Bridgeman, William Kent et Capability Brown. Stowe servira de modèle dans le monde entier.

☞ Bridgeman, Brown, Hoare, Kent, Vanbrugh

**Richard Grenville-Temple (comte de Temple). n.** Stowe (RU), 1711. **m.** Stowe (RU), 1779.
**Jardins de Stowe**, Buckinghamshire (RU), vers 1680.

177

# Grimshaw Nicholas et Partners

Eden Project

Ces bulles géantes sont le « clou » d'un parc de loisirs à but éducatif construit dans une ancienne carrière de kaolin, en Cornouailles. Ce site de 14 hectares, en forme de cuvette, consiste en un puits de 60 m de profondeur, dont les murs orientés au sud reçoivent le soleil. Ces bulles sont des serres géantes, fabriquées grâce à des technologies et des matériaux de pointe qui permettent d'emmagasiner un maximum d'énergie. À l'intérieur, on a recréé deux zones climatiques de notre planète : les climats tropicaux humides (forêts pluviales et Océanie) et les régions tempérées chaudes (Méditerranée, pointe de l'Afrique du Sud et Californie). Les serres contiennent des plantes originaires de ces régions, qui créent un écosystème naturel et durable dans lequel elles vivent. Dans l'une des serres, dont la bulle n'est pas couverte, et qui reste à température ambiante, on trouve une végétation qui reflète la vaste gamme de plantes britanniques et exotiques capables de prospérer dans la douceur du climat de la Cornouailles.

☛ Balat, Burton et Turner, Dupont, Paxton, Smit

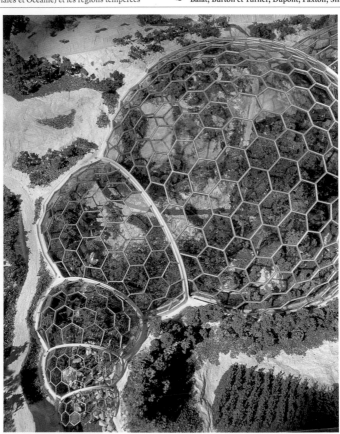

**Nicholas Grimshaw.** n. Hove, Sussex (RU), 1939. **Eden Project**, Cornouailles (RU), 2001.

# Guangdong Jardiniers de    Jardin chinois de l'Amitié

Le jardin chinois de l'Amitié est une oasis de calme au milieu de l'agitation et des gratte-ciel de Darling Harbour, à Sydney. Dessiné par des architectes paysagistes de la province de Guangdong, il est considéré comme le plus vaste et le plus élaboré des jardins chinois hors de Chine. Son organisation en niveaux successifs, reliés par des sentiers étroits et raides qui conduisent à des pavillons ou des points de vue dominant des cascades, le fait paraître plus grand qu'il ne l'est vraiment. Le lac de la Luminosité, au centre, contient des rochers symboliques en formes de dragon, de tortue,

de Phénix et de licorne, et, comme le lac de Stourhead ou les plans d'eau de Capability Brown, il paraît sans fin ; peu importe l'angle sous lequel on le regarde, l'eau disparaît toujours derrière une nouvelle avancée rocheuse. Ce jardin recèle une multitude de pavillons et de galeries, ainsi qu'une salle de lecture, une salle de musique et une charmante maison de thé, des cascades et un bel échantillonnage de plantes chinoises. Malgré l'affluence des visiteurs, le calme et la sérénité règnent toujours dans ce lieu d'harmonie.

☛ **Bateman et Cooke, Hoare, Song Zenhuang, Tien Mu**

**Jardiniers de Guangdong.** Actifs (CH), fin XXᵉ siècle.
**Jardin chinois de l'Amitié,** Darling Harbour, Sydney (AUS), 1988.

# Guedes Manoel Pedro

## Quinta d'Aveleda

La fontaine des Quatre Sœurs, ou des Quatre Saisons, est constituée d'un pilier central orné par des médaillons représentant les visages des quatre saisons et par quatre vasques en forme de conches. Elle est cernée de plantes à bulbes au printemps et de délicats massifs de fleurs en été. L'allée bordée d'azalées qui conduit à la demeure ancestrale des Guedes fait le tour de la fontaine. Les jardins, une ferme en miniature et les bâtiments Arts and Crafts sont dus à Manoel Pedro Guedes, qui vécut au XIXᵉ siècle. Ce parc est connu pour ses espèces rares d'arbres et ses azalées, ses camélias et autres buissons à fleurs qui créent un éclatant couvre-sol dans les zones ombragées par les grands arbres. Parmi les édifices amusants qui animent ce jardin, on compte un abri pour les canards à toit de chaume et des « cottages » rustiques dont certains ont été inspirés par les modèles présentés dans l'ouvrage de Shirley Hibberd, *Rustic Adornments for Homes of Taste*, publié en 1857.

☞ Blandy, Lainé, Lotti, Nesfield, Veitch

**Manoel Pedro Guedes**. Actif (POR), XIXᵉ siècle. **Quinta d'Aveleda**, Penafiel (POR), fin du XIXᵉ siècle.

# Guerniero Gianfrancesco     Wilhelmshöhe

Les jardins à la française de Wilhelmshöhe sont immenses. Le point de mire est une colossale statue d'Hercule placée au sommet d'une pyramide que l'on aperçoit à l'arrière-plan sur la droite de cette belle peinture du début du XIXᵉ siècle. Le parc paysager occupe presque 1 000 hectares et accuse une différence de niveau de 288 m entre le point le plus élevé et le point plus bas. Les origines de ce jardin sont italiennes, car c'est vers l'Italie, et en particulier vers l'architecte Gianfrancesco Guerniero, que Landgrave Karl de Hesse se tourna quand il commanda un jardin à la française en 1699.

On sait peu de chose de Guerniero, sinon que sa mission consistait à mettre en œuvre les idées dont Landgrave Karl s'était imprégné pendant son Grand Tour en Italie, et surtout lors de sa visite à la villa Aldobrandini à Frascati. Une cascade dévale le versant abrupte de la montagne située derrière Wilhelmshöhe en traversant sur son passage des bassins et des grottes aménagés parmi les affleurements rocheux et les épicéas. Hercule, aujourd'hui symbole de la ville de Cassel, garde toujours les lieux depuis son piédestal.

☛ Maderno, Vanbrugh

**Gianfrancesco Guerniero**. n. (IT). Actif (ALL), fin XVIIᵉ siècle.
**Wilhelmshöhe**, Cassel (ALL), 1699-1700, peinture de Johann Erdmann Hummel, vers 1875.

# Guevrékian Gabriel

## Villa Noailles

Le jardin cubiste de la villa Noailles, le seul jardin moderniste des années 1920 et 1930 à avoir survécu, fut commandé par le vicomte et la vicomtesse de Noailles après qu'ils eurent vu le jardin de Guevrékian à l'Exposition de Paris en 1925. Cet aménagement est une composition géométrique abstraite avec une poussée dynamique vers l'avant qui complète la maison conçue par Mallet-Stevens. Dans ses plans d'origine, Guevrékian avait indiqué la plantation de tulipes à la pointe du triangle et de façon alternée dans les carreaux de ce schéma géométrique

intriqué. Des orangers occupaient l'emplacement des boules de buis actuelles et une sculpture abstraite automatisée constituait le point de mire de l'extrémité de cet agencement hautement original. Ce jardin fonctionne à la manière d'une nature morte vue d'en haut, et d'un espace tridimensionnel dans lequel on découvre progressivement une multitude d'angles de vue, comme dans une peinture cubiste. La même année, Gabriel Guevrékian dessina un jardin en terrasse moderniste compartimentée pour la villa Heim à Neuilly.

☞ **Legrain, Lurçat, Mallet-Stevens, Steele, Tunnard, Vera**

**Gabriel Guevrékian**. n. Istanbul (TUR), 1900. m. Antibes (F), 1970. **Villa Noailles**, Hyères (F), 1927.

# Gustafson Kathryn

## Terrasson

Une cascade moderniste et sophistiquée, flanquée de jets d'eau, constitue la pièce maîtresse du jardin d'eau réalisé par Kathryn Gustafson à Terrasson. Elle s'intègre dans un vaste projet de parc public dominant et enveloppant ce village historique de Dordogne. Gustafson, établie à Londres et à Paris, est une spécialiste du paysagisme à grande échelle. Elle fait preuve d'une créativité très affirmée, et en trois dimensions, qui tient en partie à sa volonté de travailler d'après des maquettes en argile, et pas seulement sur du papier. Le parc de Terrasson s'appelle « Fragments d'une histoire des jardins », son but étant de donner des aperçus de différents types de jardins. Ainsi le jardin du « Tracé éphémère » est un plan grandeur nature d'un jardin à la française peint sur l'herbe tandis que le « Buis en histoire » comprend neuf tailles ornementales abstraites d'arbustes. Parmi les réalisations de Gustafson, on compte aussi l'aménagement intérieur de la serre de sir Norman Foster au Jardin botanique du pays de Galles.

☞ **Asaf Khan IV, Geuze, Haag, B. Rothschild, Schwartz**

**Kathryn Gustafson. n. (EU). Active (EU), fin** xx<sup>e</sup> **siècle. Terrasson, Dordogne (F), 1995.**

# Gyokuen

## Entsu-ji

Devant une haie taillée verdoyante se déploie un arrangement de pierres et de mousse, uniquement dicté par le rythme ; derrière la haie on aperçoit les silhouettes de grands arbres et le spectacle grandiose des montagnes dans le lointain. Les lignes horizontales sont accentuées par le pont et le toit de la véranda, les seules lignes verticales étant les piliers du temple et les grands troncs des cèdres japonais. On considère Entsu-ji comme l'un des meilleurs exemples de la technique du *shakkei*. Ici, c'est le mont Hiei, la plus haute colline à 6 km de Kyoto, qui est « emprunté » ou « capturé ».

Il devient partie intégrante du jardin, l'espace intermédiaire étant aboli par la haie. L'empereur Gomizunoö avait déjà maîtrisé la technique du *shakkei* dans son domaine de Shugaku-in quand il commanda ce petit jardin de méditation au moine Gyokuen vers 1670. Il est probable que l'empereur ait participé à son élaboration.

☛ **Gomizunoö, Enshu, Toshihito**

**Gyokuen**. Actif (JAP), XVIIᵉ siècle. **Entsu-ji**, Kyoto (JAP), vers 1670.

# Haag Richard

## Réserve de Bloedel

Ce bassin réfléchissant, modèle de sérénité et de pureté, capture la forêt environnante et le ciel dans ses eaux parfaitement étales. Mais cette forte impression de simplicité n'a été obtenue que grâce à un agencement très ingénieux. Dans la réserve de Bloedel, l'environnement naturel est à l'honneur et jalousement protégé. On y trouve également une allée d'orchidées dessinée par Thomas Church, ainsi qu'un jardin zen. Les propriétaires, Mr et Mrs Prentice Bloedel, aussi passionnés de philosophie orientale que de protection de la nature, souhaitaient faire appel à des paysagistes qui limitent leurs interventions et soient versés dans l'art des anciens jardins orientaux. Richard Haag répondait à ce profil. Très conscient de « la grande image » et de notre modeste place dans l'univers, il a opté pour une rigueur sobre et des interventions minimalistes mais décisives. Haag a passé un an à Kyoto, grâce à une bourse Fulbright, pour approfondir son étude des jardins japonais.

☞ **Child, Church, D. Hicks, Jellicoe, Shigemori, Suzuki**

---

**Richard Haag. n.** Louisville, Kentucky (EU), 1923.
**Réserve de Bloedel**, Bainbridge Island, Washington (EU), 1979-1984.

# Hadrien Empereur

## Villa Adriana

L'élégante colonnade et le canal de 118 m de long, connus sous le nom de *canopa*, sont une reconstitution imaginaire du célèbre canal ponctué de ravissants jardins qui menait d'Alexandrie à Canope, site qui avait beaucoup impressionné Hadrien. Passionné d'art et d'architecture, il fit construire sur le vaste domaine de sa villa de Tivoli des répliques des principaux monuments du monde romain et des copies de sculptures de l'époque athénienne qu'il avait admirées au cours de ses voyages. On pense qu'il a lui-même dessiné cet ensemble entre 118 et 134, en déployant une extraordinaire habileté dans la composition spatiale, et un rare instinct dans l'exploitation de l'environnement naturel. Ici, la perfection de l'articulation et de la succession des bâtiments et des jardins donne une atmosphère intime, inhabituelle dans l'architecture romaine. Hadrien adorait la villa Adriana. Le Sénat lui reprocha bien souvent les séjours prolongés qu'il y faisait, surtout après la mort de son jeune favori, Antinoüs.

☛ **Akbar, Babur, Ligorio, Platon, Pline le Jeune, Tibernitus**

**Empereur Hadrien. n.** Italica (ESP), 76. **m.** Rome (IT), 138. **Villa Adriana**, Tivoli (IT), 118-138.

# Hall Janis

## Waterland

Les multiples ondulations du sol, dans ce site du nord-ouest du Connecticut, sont l'occasion d'une grande variété d'expériences. D'une berme à l'autre, par-dessus les fossés et en franchissant les vallées qui les séparent, s'ouvrent de vastes perspectives en même temps que naissent un sentiment de paix et l'impression de contempler la mer. À Waterland, l'architecte paysagiste Janis Hall a fait disparaître des granges effondrées, des arbres et des murs de pierre en ruines de manière à découvrir « le caractère de la campagne environnante où, en raison de l'existence d'anciennes formations glaciaires, on trouve un terrain offrant un modelé naturel étonnant ». Janis Hall est une artiste et architecte de l'environnement qui a travaillé avec Isamu Noguchi et A. E. Bye depuis 1984. Elle s'intéresse avant tout aux relations entre l'art et la nature et affirme vouloir « créer des lieux qui offrent une résonance aux forces naturelles présentes ». Son traitement sculptural des formes en fonction du site donne naissance à des interactions en perpétuel changement, entre l'ombre et la lumière.

☞ Bye, Jencks, Noguchi, Sørensen, Wilkie

Janis Helen Hall. **n**. Illinois (EU), 1952. **Waterland**, Connecticut (EU), 1987.

187

# Halprin Lawrence

## Jardin McIntyre

Ce jardin moderniste offre un contraste entre des formes massives non organiques et l'essence de la nature : ses bruits, ses odeurs et ses textures. Vaguement inspiré par le design des patios espagnols traditionnels – eau courant dans des canaux géométriques, enclos et nombre strictement limité d'arbres et de plantes –, ce jardin demande peu d'entretien et son agencement éveille la curiosité. Des murs bas masquent des chutes d'eau que l'on peut entendre mais que l'on ne peut pas voir, à moins d'emprunter un chemin conduisant dans une autre direction. Le mouvement dans l'espace est ainsi encouragé, en écho à celui de l'eau. Halprin a commencé sa carrière chez Thomas Church en 1945 et fut son assistant pour la réalisation d'El Novillero. Le jardin McIntyre est le premier projet important d'Halprin. Bon nombre de ses idées furent retenues pour la mise en œuvre de chutes d'eau, de plazas ou de parcs dans des projets de plus grande envergure comme le Franklin Delano Roosevelt Memorial à Washington ou la Lovejoy Plaza à Portland.

☞ **Barragán, Church, Crowe, Le Corbusier, Legrain**

**Lawrence Halprin. n.** New York, New York (EU), 1916. **Jardin McIntyre,** Bay Area, Californie (EU), 1960.

# Hamilton Charles

## Painshill

Ce petit temple gothique (à la fois point de mire et perspective) qui se reflète dans les eaux paisibles du lac artificiel de Painshill combine l'illusion et la poésie. De 1738 à sa quasi-banqueroute, en 1773, Charles Hamilton transforma ces 80 hectares de lande désolée en paradis terrestre, à l'écart de sa modeste demeure. Hamilton, qui compte parmi les grands paysagistes amateurs du XVIIIᵉ siècle, manipula les lieux comme un peintre et un décorateur de théâtre et introduisit de nombreuses espèces nouvelles de conifères et d'arbustes d'Amérique du Nord, qu'il planta en fonction du site : des fleurs bigarrées pour le temple de Bacchus, des ifs sombres pour le Mausolée. En homme de spectacle il loua un « faux ermite » pour son ermitage et apprit à son jardinier à actionner les jeux d'eau quand les visiteurs entraient dans sa grotte magique, toute de rochers et de cristaux. Son jardin fut immortalisé dans les esquisses de William Gilpin et dans le service de table Wedgwood de la Grande Catherine de Russie. La restauration de Painshill respecte l'esprit de son créateur.

☞ **Aislabie, Gilpin, Hoare, Kent, Lane, Monville, Robins**

**Charles Hamilton. n.** 1704. Actif (RU), fin XVIIIᵉ siècle. **m.** 1786. **Painshill**, Coblam, Surrey (RU), 1738-1773.

# Hamilton Finlay Ian   Little Sparta

Une citation du révolutionnaire français Saint-Just est le point fort de ce jardin littéraire créé en Écosse par le poète du paysage Ian Hamilton Finlay. Depuis 1966, Finlay agrémente son jardin de bâtiments, de statues ou de tablettes de pierre gravées aux résonances profondément classiques. Les maximes des principaux penseurs de la Révolution française, champions des vertus romaines, et celles du philosophe Jean-Jacques Rousseau, adepte d'une vie pastorale simple, sont exprimées sur divers supports qui ornent les sentiers herbeux, les clairières et les vastes perspectives. Ce jardin est une critique implicite des valeurs culturelles contemporaines. En 1978, Finlay entra en conflit avec les autorités locales pour des raisons fiscales et décida de mobiliser son jardin dans une sorte de combat artistique : c'est ainsi que des grenades et des cuirassés sont venus enrichir sa décoration. Cette querelle a également amené Finlay à rebaptiser son jardin, qui s'appelait à l'origine *Stonypath*, en *Little Sparta*. Aujourd'hui, Finlay crée des pierres gravées pour des parcs dans toute l'Europe.

☞ Burlington, Gibberd, Jarman, Shenstone, Strong et Oman

Ian Hamilton Finlay. n. Nassau (BAH), 1925. **Little Sparta**, Lanarkshire (RU), à partir de 1966.

# Hanbury Sir Thomas

## La Mortola

Ce jardin paradisiaque, qui s'étend sur 45 hectares et descend majestueusement la colline sur un dénivelé de 100 m en une série de terrasses jusqu'à la Méditerranée, est riche en espèces exotiques rares. En 1867, sir Thomas tomba amoureux de ce site aux restanques naturelles, avec ses oliviers, ses citronniers, ses cyprès et ses vignes. Il en fait l'acquisition pour le transformer en un jardin expérimental où la végétation se développerait librement. Il demande l'aide de son frère Daniel, pharmacien et botaniste éminent. Ces jardins furent très vite connus pour l'harmonie qui régnait entre les bassins, les fontaines, les belvédères, les escaliers et le paysage alentour, ainsi que pour la richesse de leur flore. Des plantes provenant d'Amérique centrale, d'Amérique du Sud, d'Afrique du Sud et d'Australie y côtoyaient une végétation typiquement méditerranéenne. Le parc tomba dans l'oubli après la mort du fils de sir Thomas, Cecil, en 1937. Il resta à l'abandon jusqu'à ce que l'université de Gênes en fasse l'acquisition en 1983 et entreprenne une ambitieuse restauration.

☞ **Acton, Gildemeister, Johnston, Page, Pinsent**

**Sir Thomas Hanbury. n. (RU), 1832. m. 1907. La Mortola**, environs de Vintimille (IT), 1867.

# Hancock Ralph

## Jardin suspendu de Derry et Toms

En se promenant dans la cour des Fontaines, avec le bruit de l'eau qui coule au milieu de palmiers exotiques, entre des bâtiments blanchis à la chaux et les faïences vernissées de couleurs vives, on se croirait dans un parc mauresque du sud de l'Espagne. Construit sur un demi-hectare clos de murs, ce jardin espagnol fait partie du somptueux aménagement du toit d'un grand magasin de Kensington, à Londres. Malgré la faible profondeur de terre, on y trouve aussi un jardin anglais avec plus de cent espèces d'arbres, un cours d'eau, un pont, des flamants roses et une cour

Tudor avec ses arcades, de provenance inconnue. Ce site construit entre 1936 et 1938 fut conçu par Trevor Bowen et dessiné par l'architecte paysagiste Ralph Hancock, auteur des jardins suspendus du Rockefeller Center de New York. Le jardin, qui survécut aux bombardements des années 1940, succomba aux ravages de la maladie des ormes quelques années plus tard. Aujourd'hui restauré, il est ouvert au public et sert de cadre à des réceptions privées.

☞ Cox, Delaney, Hosack, Muhammad V, Tortella, Vignole

**Ralph Hancock. n.** 1893. Actif (RU), début XXᵉ siècle. **m.** 1950. **Jardin suspendu de Derry et Toms**, Londres (RU), 1936-1938.

# Hardouin-Mansart Jules

Toute la diplomatie d'Hardouin-Mansart, architecte et courtisan, est perceptible dans les plans qu'il traça pour la retraite de Louis XIV à Marly : une retraite grandiose mais cependant très intime, comparée à Versailles, tout proche. Le roi pouvait donner des réceptions privées dans ce château invisible de la route. Le pavillon royal, dédié au soleil, donnait sur une vaste perspective en pente douce occupée par des plans d'eau et des jardins très géométriques, le long de laquelle douze petits pavillons d'amis symbolisant les signes du zodiaque se faisaient face. Des bosquets touffus plantés à proximité du pavillon central offraient un contraste romantique et annonçaient déjà, par leur caractère champêtre, les jardins à anglaise du siècle suivant. On pouvait aussi se divertir en se rendant à la Rivière, une somptueuse cascade, ou à la Roulette, ancêtre des montagnes russes. Ici comme à Versailles ou à Vaux, Hardouin-Mansart travailla en étroite collaboration avec Le Nôtre, et il est bien souvent difficile de définir leurs contributions respectives. Aujourd'hui, il ne subsiste rien du château de Marly.

☛ **Fischer von Erlach, Gallard, Le Nôtre, Ligne**

# Hardtmuth Joseph

## Lednice

Un minaret de style ottoman se reflète dans le lac bordé de roseaux de l'un des plus grandioses parcs paysagers d'Europe. Des lacs et des cours d'eau, couvrant 34 hectares, furent créés à l'emplacement des marécages d'une propriété s'étendant sur 27 hectares de terre ferme. Une quinzaine d'îles artificielles abritent une variété d'oiseaux aquatiques très rares. Ce parc fut aménagé à la fin du XVIIIe siècle pour remplacer le jardin à la française originel. Il est toujours orné d'une quantité de kiosques et de pavillons d'une majesté rarement égalée en Europe centrale. Le minaret, qui date de 1797, fut dessiné par Joseph Hardtmuth dans un style « à la turque », un des styles architecturaux exotiques mis en œuvre à Lednice pour plaire et instruire les visiteurs. Une serre ronde et une enfilade de jardins à la française, aménagés au XIXe siècle, complètent cet ensemble de parcs et jardins qui témoignent de l'éclectisme des goûts de la famille Liechtenstein à travers les siècles.

☛ **Chambers, Mehmed II, Nash**

Joseph Hardtmuth. n. 1762. Actif (TCH), fin XVIIIe siècle. m. 1807. **Lednice**, environs de Brno (TCH), vers 1797-1807.

# Hargreaves George

## Villa Zapu

Sur une crête richement boisée dominant la Napa Valley, une tour d'apparence postmoderne s'élève devant un long bassin étroit. À son pied, de larges bandes herbeuses forment des spirales qui se déploient en ondulations à travers le site. Composés de deux espèces locales résistantes à la sécheresse, ces zigzags répondent à l'implantation des pieds de vigne des vallées voisines. C'est l'un des rares aménagements que George Hargreaves ait réalisés pour des particuliers. Son cabinet d'architectes, établi à San Francisco, se consacre en général à des projets de plus grande envergure comme les 2000 Sydney Olympics Plazas ou le Waterfront Park de Louisville. Pour Hargreaves, la plupart des paysages actuels sont chargés d'une histoire si longue et si complexe qu'ils ne pourront plus jamais être « naturels ». Son but, quand il intervient sur un site, est donc de rétablir une connexion avec le passé en intégrant tous les aspects d'un environnement donné. À ce titre, la villa Zapu est exemplaire, car elle combine et traduit le contexte naturel, agricole, historique et culturel de Napa Valley en un modèle esthétique.

☛ **Caruncho, Church, Jellicoe, Wirtz**

# Harrild **Frederick**

### Castle Tor

D'extraordinaires cerceaux de pierre donnent un caractère festif aux marches qui descendent en pente raide le long d'une modeste villa de stuc blanc jusque dans le jardin principal de Castle Tor, au-dessus de Torquay, sur la « Riviera anglaise ». Élève de Lutyens, Fred Harrild a su très vite imposer son talent éclatant, notamment avec ce jardin qui évoque l'élégance et la dignité du travail du maître. Cependant, sa noblesse n'est en rien comparable à celle de la maison, dont les terrasses aux ornements médiévaux, formées par de gigantesques murs de soutènement en calcaire, semblent écraser le visiteur. Une grande quantité de pierres a dû être utilisée en raisons de l'escarpement, et les plantes, malgré leur effet adoucissant, ne réussissent pas à contrebalancer l'architecture massive. La première terrasse est occupée par un bassin étroit et long, flanqué d'une colonnade toscane ; la terrasse inférieure abrite une porte de corps de garde, merveilleusement ouvragée et équipée d'une herse. Ici, la majesté et le travail de la pierre se déploient pour le plus grand bonheur des yeux.

☞ **Barnsley, Lutyens, Mawson, A. Parsons**

**Frederick Harrild**. n. 1883. m. vers 1960. **Castle Tor**, Torquay (RU), à partir de 1922.

# Harrison Newton et Mayer Helen   Le jardin du Futur

Le sommet du toit en terrasse du Kunstmuseum de Bonn accueille un pré à la végétation sauvage, parsemé de tours bleues coniques. Il constitue « une sculpture figurative, un terrain vivant, coloré, en perpétuel changement », et fut transplanté depuis la région vallonnée de l'Eifel où il était menacé par un projet immobilier. Une prairie sèche, une prairie humide et une prairie de pierres y furent ajoutées par les artistes écologistes Helen Mayer Harrison et Newton Harrison en 1996. À travers cette installation, ils voulaient évoquer les pouvoirs réparateurs de la prairie européenne, qu'ils considèrent comme l'association la plus réussie entre les humains et le reste de l'écosystème. Après avoir conditionné notre vie pendant des siècles, la « prairie » est aujourd'hui en péril à cause de la monoculture et d'un excès de pacage et de fauchage. Les Harrison ont travaillé dans le monde entier pour attirer l'attention sur les blessures les plus douloureuses infligées à l'écosystème de notre planète.

☛ Libeskind, Linden, Oudolf, M. Rothschild, Tschumi

Newton Harrison. n. New York, New York (EU), 1932. **Helen Mayer Harrison. n.** New York, New York (EU), 1929.   197
**Le jardin du Futur,** Kunstmuseum, Bonn (ALL), 1996.

# Hay William

## Nooroo

Cette image d'une vieille glycine en fleur donne un aperçu de la densité de la végétation estivale à Nooroo. Entre 1875 et 1880, les versants du mont Wilson, à l'ouest de Sydney, furent très prisés pour établir des résidences d'été. C'est là que William Hay a dessiné et construit le domaine arboré de Nooroo (en aborigène, « Lieu ombragé ») en 1880. La richesse du sol de cette région lui a permis de travailler avec une grande variété de plantes indigènes et d'en introduire d'autres en provenance du monde entier. Il créa plusieurs espaces extérieurs en disposant des pelouses et des terrasses autour de la maison. En 1917, la famille Valder acheta cette propriété et doubla la taille du jardin ; il s'étend aujourd'hui sur 2 hectares, qui se divisent en quinze sections principales. Les différents niveaux sont reliés par de simples escaliers de pierre que masque l'abondante végétation. On découvre de surprenantes perspectives colorées à chaque détour des chemins et on ne compte plus les multiples espèces qui peuplent ce jardin : azalées, glycines, camélias, magnolias, érables, jonquilles ou bleuets des champs.

☞ **Burley Griffin, Cook, Phillips, Verey**

**William Hay.** Actif dans les Blue Mountains (AUS), fin XIXᵉ siècle et début XXᵉ siècle. **Nooroo**, mont Wilson (AUS), 1880.

# Hearst William Randolph

## Hearst Castle

Le bassin de Neptune est peut-être l'élément le plus spectaculaire de l'extraordinaire château que William Randolph Hearst – modèle du *Citizen Kane* d'Orson Welles – se fit construire en 1919 au sommet d'une colline dominant le Pacifique, « la Colline enchantée ». L'ensemble, réalisé par l'architecte Julia Morgan, une des premières femmes à exercer cette profession aux États-Unis et adepte fervente du style italianisant, est dominé par un temple gréco-romain et entouré de cyprès italiens. Le bassin est totalement intégré dans les jardins. L'échelle de ce site, qui s'étend sur 51 hectares à une altitude atteignant jusqu'à 500 m, est impressionnante. Au temps de sa grandeur, il fallait 700 000 plantes par an pour l'entretien des parterres et on estime à 2 000 le nombre d'espèces d'arbres et d'arbustes qui poussent à l'abri des serres. Le château est un temple dédié à Mammon, mais surtout à la richesse et à l'ambition, qui ne manque pas d'une certaine grandeur décadente. À la mort de Hearst, le domaine revint à ses héritiers qui, dans l'impossibilité de l'entretenir, le léguèrent à l'État qui en fit un musée.

☛ Duquette, Gibberd, Mizner, Peto, Vanderbilt

**William Randolph Hearst. n.** San Francisco, Californie (EU), 1863. **m.** San Simeon, Californie (EU), 1951.
**Hearst Castle**, San Simeon, Californie (EU), 1919-1947.

# Henri de Prusse Prince    Château de Rheinsberg

La lumière du soir tombe sur l'une des nombreuses statues du Rheinsberg, un grand jardin entièrement conçu pendant la période de transition entre le baroque et le paysagisme anglais. Ce parc, qui annonce celui de Sans-Souci, fut commencé en 1736 par Frédéric II, alors prince héritier de Prusse, mais c'est à son frère cadet, le prince Henri, à qui il fit don de cette propriété en 1744, que l'on doit la plus grande partie du jardin. De structure baroque, il est traversé par un long axe transversal qui court parallèlement au lac autour duquel s'organise l'ensemble du domaine : le long

de cet axe on rencontre le Salon (bâtiment central d'une ancienne orangerie) et des statues des quatre saisons. Non loin s'élèvent un théâtre de verdure datant de 1758, un mémorial dédié au frère du prince Henri, le prince Auguste-Guillaume (père du successeur de Frédéric II, Frédéric-Guillaume II) et une pyramide dans laquelle le prince Henri est enterré. Mais tout autour de cette structure baroque et de ses ornement rococo s'étend un paysage harmonieux dans le plus pur style des jardins anglais.

☛ **Frédéric II, Frigimelica, Hardouin-Mansart, Le Nôtre**

**Prince Henri Ludwig de Prusse n**. Berlin (ALL), 1726. **m**. Rheinsberg (ALL), 1802.
**Château de Rheinsberg**, Brandebourg (ALL), 1744.

# Hepworth Dame Barbara

## Jardin de sculptures [...]

Placée exactement selon les souhaits de l'artiste, bénéficiant des variations de lumière ainsi que de la végétation environnante, cette sculpture appartient à la collection d'œuvres de Barbara Hepworth, qui a transformé le petit jardin adjacent à ses ateliers de Trewyn en galerie de plei air. En étudiant la manière dont Hepworth souhaite que l'on voie ses sculptures, on pénètre plus avant dans les œuvres elles-mêmes, et dans la philosophie qui sous-tend son art. Hepworth était convaincue que « la pleine expression sculpturale est spatiale – c'est une réalisation de l'idée en trois dimensions, par une construction dans la masse ou dans l'espace [...] Il faut qu'une parfaite unité existe entre l'idée, la substance et la dimension [...] L'idée [...] c'est en réalité de donner vie et vitalité à un matériau. La vitalité n'est pas un attribut physique, organique [...] c'est la vie spirituelle intérieure. » Ceci est perceptible dans les sculptures, mais dans la mesure où ce principe sous-tend également la conception du jardin, on peut dire que l'expérience globale est plus vaste que la somme de ses composantes.

☛ **Gibberd, Heron, Jellicoe, Miró, Moore, Sventenius**

**Dame Barbara Hepworth. n.** Wakefield, Yorkshire (RU), 1903. **m.** Saint-Ives, Cornouailles (RU), 1975.
**Jardin de sculptures de Barbara Hepworth,** Barnoon Hill, Saint-Ives, Cornouailles (RU), vers 1939-1975.

# Herman Ron

## Résidence Ellison

Un damier en trois dimensions fait de gravillons noirs lavés et de mousse (*Soleirolia soleirolii*), qu'ombragent des bambous plantés sur une pelouse d'herbe mando naine, occupe la cour de la résidence Ellison. Ron Herman s'inspira des jardins de Kyoto pour dessiner cet espace central que l'on voit depuis plusieurs pièces de la maison moderniste dominant la baie de San Francisco, construite par William Wurster en 1961. Bien que les jardins japonais soient une source d'inspiration majeure pour Herman, son travail n'a rien d'un pastiche. Dans cette même propriété, il a introduit un paisible bassin

rectangulaire se terminant d'un côté à angle droit par un mur composé de blocs de verre opaque très texturés et incrustés de tiges d'aluminium brillantes. Cette construction n'est pas sans rapport avec l'œuvre de l'artiste Piet Mondrian. L'emploi de barrières – panneaux de verre, murs de séparation, bambous – ménage une impression de surprise dans un espace relativement restreint. Le travail d'Herman représente une synthèse du modernisme californien et des principes du zen japonais.

☛ Enshu, Gyokuen, Jungles, Lutsko, Sitta, Soami

Ron Herman. n. Los Angeles, Californie (EU), 1941. **Résidence Ellison**, San Francisco, Californie (EU), 1997.

# Heron Patrick

## Eagles' Nest

Une simple pierre est la clé de voûte et le point culminant du jardin de Patrick Heron en Cornouailles. Des affleurements massifs de granit, aux contours grossièrement adoucis par les tempêtes venues de l'Atlantique, dominent le flanc d'une colline couverte d'azalées. Un sentier serpente en descendant sous des pins pliés par le vent, à travers un plateau verdoyant et cultivé, jusqu'à une invisible côte rocheuse à plusieurs dizaines de mètres en contrebas. Ce « nid d'aigle » se trouve parmi les pierres couvertes de mousses et de lichens de Zennor, sur la rive ouest de

la Cornouailles, où Heron vit et travaille depuis le printemps 1956. Son expression artistique a changé d'esprit et de forme sous l'influence de ce lieu et de son atmosphère. Depuis ce petit lopin de lande isolée, Patrick Heron a contemplé les infinies variations de lumière et de couleur sur la mer et le ciel, et a totalement modulé sa peinture en fonction de ses observations. Pendant les dernières années de son existence, il a concentré ses efforts sur son jardin et ses collections d'azalées, qu'il considérait comme une œuvre en soi.

☛ Hepworth, Jellicoe, Monet, Wordsworth

# Hertrich William

## Desert Garden de la Fondation Huntington

Avec ses 5 hectares de cactus et de plantes grasses dispersés selon un agencement fluide qui incite le visiteur à la découverte, le Desert Garden de la Fondation Huntington peut se vanter d'être le plus grand jardin de ce genre à ciel ouvet (4,8 hectares). Si l'on considère l'énorme quantité de plantes cultivées dans les serres, il peut aussi s'enorgueillir d'avoir la plus importante collection de cactées au monde ; c'est là en effet que sont cultivés les deux tiers de tous les cactus et plantes grasses connus. Le Desert Garden est l'œuvre du Dr William Hertrich qui travailla pour le magnat des chemins de fer Henry Huntington de 1905 à 1949 et persuada son employeur, vers 1920, d'entreprendre ce projet. Les plantes sont distribuées géographiquement, mais leur effet décoratif est tel qu'il est parfois bien difficile de choisir son itinéraire. La passion d'Hertrich ne se limitait pas à ce type de végétation, et la Fondation Huntington, ancien ranch San Marino, abrite aussi une roseraie et un jardin japonais, les plus grands de Californie du Sud.

☞ Cao, Farrand, I. Greene, Martino, Otruba, Walska

**William Hertrich.** Actif (EU), première moitié du xxᵉ siècle. **m.** 1961.
**Desert Garden de la Fondation Huntington,** Los Angeles, Californie (EU), 1920.

# Hicks David

## The Grove

Au centre du jardin qui entoure la maison de David Hicks se trouve un grand bassin réfléchissant bordé de pierres. Il est entouré par un alignement de marronniers d'ornement taillés qui s'ouvre sur une allée, également plantée de marronniers, débouchant sur un vaste paysage dans le lointain. Un obélisque, placé à environ 250 m, focalise le regard. Du fait des haies, les visiteurs ne découvrent le bassin, pièce maîtresse de l'agencement du jardin, qu'au moment même où ils s'en approchent. Il n'y a quasiment pas de fleurs, Hicks ayant choisi de ne placer que deux pots de plantes annuelles de chaque côté de la porte principale de la maison. Cet ensemble, créé en moins de dix ans, est une remarquable réussite, son concepteur ayant parfaitement intégré la relation entre l'espace, l'échelle et l'effet de surprise. David Hicks a rencontré un grand succès dans le monde entier en créant des jardins dont le dessin élégant reflète la rigueur de la tradition anglaise.

☛ Aldington, Bingley, Bowes-Lyon, Haag, Jellicoe, Page

**David Hicks. n.** Londres (RU), 1929. **m.** 1999. **The Grove**, Britwell Salome, Oxfordshire (RU), fin du xxᵉ siècle.

# Hicks Ivan

## The Garden in Mind

Un ressort enroulé autour de la tête d'un David ouvre une série de spirales flanquées d'ornements fantomatiques flottants qui se répondent de part et d'autre du jardin. Plus loin, des paulownias en forme de mains s'agrippent à de vieux outils de jardinage rouillés. Quand on pénètre dans cet ancien potager à Stansted Park, dans le Hampshire, la réalité s'estompe. Son concepteur, Ivan Hicks, a travaillé pendant dix ans comme jardinier en chef d'Edward James, le mécène excentrique de Dalí et de Magritte. En faisant la synthèse entre cette expérience formatrice et sa connaissance des mythes et de la littérature, Hicks a créé un jardin de rêves, au sens littéral du terme : apparemment irrationnel, il regorge de sens cachés. Dans un schéma général s'inspirant de l'ancienne métaphore de l'Arbre de vie, il a dessiné des pièces, des sentiers et des tertres symboliques ainsi que des installations surréalistes. Les plantes sont taillées, modelées ou assemblées en œuvres d'art vivantes. Depuis la fin des années 1990, Hicks travaille à l'aménagement de la Forêt enchantée, à Groombridge Place, dans le Sussex.

☛ **Chand Saini, Hamilton Finlay, James, Saint-Phalle**

**Ivan Hicks. n.** Donnington Castle, Derbyshire (RU), 1944.
**The Garden in Mind**, Stansted Park, Rowlands Castle, Hampshire (RU), 1991.

# Hideyoshi Toyotomi          Sambo-in

Ce grand jardin date de l'époque Momoyama et fut dessiné pour le plaisir de s'y promener. Il s'organise autour d'un magnifique lac et se termine par une chute d'eau qui cascade sur trois niveaux. De délicieux pavillons de thé sont adroitement dissimulés dans des petits jardins particuliers que l'on découvre avec surprise. Ce site célèbre fut créé en avril 1598 par le prince Hideyoshi qui désirait donner une extravagante fête des cerisiers en fleurs qui devait durer plusieurs jours. Pour l'occasion, on s'empressa d'embellir le vieux temple de Sambo-in, mais l'aménagement paysager du jardin, qui commença peu de temps après, s'étala sur vingt ans. On y amena plus de sept cents pierres remarquables provenant de jardins célèbres, que trois cents soldats disposèrent sur les conseils de Yoshiro Kentei, un riverain féru de pierres. Hideyoshi, fils d'un paysan, accéda au pouvoir dans l'ombre du shogun Nobunaga. Les grands déploiements de puissance et de fastes faisaient partie de son règne de fer, et les jardins de Sambo-in, aussi charmants soient-ils, n'étaient à leur façon qu'un outil politique efficace.

☛ **Gyokuen, Kokushi, Shigemori, Soami**

**Toyotomi Hideyoshi. n.** Edo, actuel Tokyo (JAP), 1536. **m.** Edo, actuel Tokyo (JAP), 1618.
**Sambo-in**, Fushimi, environs de Kyoto (JAP), 1598.

# Hildebrandt Johann Lukas von

## Palais du Belvédère

Un sphinx garde l'entrée de ce jardin, qui fut dessiné pour relier deux palais viennois, le Belvédère supérieur (1732), d'où cette vue a été prise, et le Belvédère inférieur (1716), que l'on aperçoit dans le lointain. Ce parc fut conçu pour refléter la grandeur militaire du prince Eugène de Savoie qui sauva l'Autriche, et le reste de l'Europe, de l'armée ottomane à plusieurs reprises (1687, 1697, 1718). Dans le Belvédère supérieur, le prince donnait de grandes réceptions qui pouvaient réunir jusqu'à 6 000 convives, d'où l'immensité du parc. Il vivait au quotidien dans le Belvédère inférieur,

dont le jardin offrait une atmosphère plus intime. L'architecte autrichien Hildebrandt fut assisté dans son œuvre par un élève français de Le Nôtre, François Girard, l'un des nombreux paysagistes qui contribuèrent, aux XVIIᵉ et XVIIIᵉ siècles, à faire connaître dans toute l'Europe le style baroque des jardins à la française.

☛ **Girard, Le Nôtre, Marot et Roman**

Johann Lukas von Hildebrandt. n. Gênes (IT), 1668. m. Vienne (A), 1745. **Palais du Belvédère**, Vienne (A), 1716-1723.

# Hill Sir Rowland et sir Richard     Parc d'Hawkstone

Voici l'un des profonds ravins qui entaille le paysage rocheux d'Hawkstone, dans le Shropshire. Pour apprécier pleinement le contexte, il faut savoir que ces sombres précipices s'accompagnent de pitons vertigineux, de flèches de grès qui s'élèvent dans les airs et de folies ornementales qui emplissent un immense domaine qui s'étendait jadis sur plus de 300 hectares. Ce sont ces contrastes qui rendent ce paysage unique : les mousses, les fougères et l'humidité de ces défilés obscurs se transforment tout à coup en parois abruptes, en tunnels, en à-pics, en escarpements et en ponts,

tandis que du sommet des falaises on domine treize comtés. Ces effets sont délibérés ; ils constituent un élément essentiel du mouvement pittoresque dont Hawkstone Park est l'un des meilleurs exemples : le but était de faire naître des émotions contrastées dans un environnement naturel. Sir Rowland Hill commença la conception de ce parc dans les années 1750, mais ce qu'il en reste est l'œuvre de son fils aîné, sir Richard, et à son petit-fils, lui aussi sir Rowland Hill, plus connu pour avoir inventé le timbre-poste.

☛ Bomarzo, Johnes, Knight, Laborde, Pulham

**Sir Rowland Hill**. Actif (RU), début XVIIIᵉ siècle. m. 1783. **Sir Richard Hill**. n. 1733. m. (RU), 1809.
**Parc d'Hawkstone**, Shropshire (RU), vers 1748.

# Hirschfeld C. C. L.

## Le Prater

Cette peinture de Yohenn Ziepler (d'après un dessin de Lorenz Yanscha) montre le Volksgarten du Prater, dessiné à la fin du XVIIIe siècle par l'architecte danois Hirschfeld. Le Volksgarten était la nouvelle version de la promenade publique, un espace ouvert à tous, pour le « plaisir de flâner » (l'un des premiers exemples étant le Tiergarten de Berlin, en 1649). À l'intérieur du Volksgarten, qui fut conçu de manière à incorporer des perspectives sur la campagne environnante, toutes les classes sociales se retrouvaient pour profiter des beautés de la nature dans un contexte urbain. D'après

Hirschfeld, ce qui différenciait le Volksgarten d'une promenade publique était l'incorporation de bâtiments et de statues racontant l'histoire de l'architecture et des héros nationaux. Hirschfeld développa ses théories concernant l'aménagement des jardins publics dans une épopée en cinq volumes : *Theorie der Gartenkunst* (*Théorie sur l'art des jardins*, Leipzig, 1779-1785). Il popularisa ce style en Autriche et dans les pays scandinaves.

☛ **Brown, Kent, Tyers**

**Christian Cay Lorenz Hirschfeld.** n. (DK), 1742. m. (DK), 1792. **Le Prater**, Vienne (A), fin du XVIIIe siècle.

# Hoare II Henry

## Stourhead

Le Panthéon, une rotonde coiffée d'un dôme symbolisant l'idéal classique, apparaît de l'autre côté d'un lac et apporte une touche de magie au paysage environnant. Cette image, qui pourrait sortir tout droit d'une peinture d'un vieux maître, est en réalité une création de Henry Hoare pour sa propriété de Stourhead dans le Wiltshire. Après la mort de sa deuxième épouse, en 1743, il se consacra à l'embellissement de Stourhead pour le mettre au goût du jour. Il fit aménager un grand lac à partir de plusieurs étangs formés par la Stour, puis commanda à Henry Flitcroft, protégé de lord Burlington,

une série d'édifices particulièrement raffinés pour ponctuer l'allée qui en faisait le tour. Les temples de Flore et d'Apollon occupent des emplacements choisis, et une ravissante grotte se dissimule sous une avancée de la rive du lac. Descendant d'une grande famille de banquiers londoniens, Hoare fut très tôt en contact avec les premiers défenseurs du « jardin anglais », dont lord Burlington, Alexander Pope et William Kent, ainsi que son voisin de Hestercombe, Coplestone Warre Bampfylde.

☞ **Bingley, Bridgeman, Kent, Piper, Pope**

# Holford Capitaine Robert

## Arboretum de Westonbirt

L'Acer Glade est une clairière absolument merveilleuse, avec sa collection d'érables japonais rougeoyants, qui déploient leur spectaculaire feuillage automnal. En 1829, le capitaine Robert Holford élabora les grandes lignes de son immense projet, une série d'allées en étoile, reliées entre elles par des sentiers et des perspectives naturelles, sur le domaine de son père, à Westonbirt. Et cette entreprise devint l'affaire de sa vie ; il demanda même à des « chasseurs de plantes » de lui rapporter de l'étranger des espèces nouvelles et peu connues. On planta les célèbres Acer Glade (clairière des Érables) et Colour Circle (cercle de Couleurs) entre 1850 et 1875. Le fils de Robert Holford, George, continua à enrichir l'arboretum, comme le fit aussi lord Morley (neveu de George) qui hérita de la propriété en 1926. Mais cinq ans après sa mort, en 1956, Westonbirt revint à la Couronne d'Angleterre au titre des droits de succession, puis à la Forestry Commission qui a désormais la charge d'entretenir cette fabuleuse collection, qui compte aujourd'hui plus de 18 000 arbres répartis sur 242 hectares.

☞ de Belder, Cabot, Frédéric Iᵉʳ, Veitch, Vilmorin

**Capitaine Robert Holford. n.** 1808. **m.** Londres (RU), 1892. **Arboretum de Westonbirt**, Gloucestershire (RU), 1829.

# Hornel Edward Atkinson

## Broughton House

Un pont s'inspirant des jardins orientaux trahit les influences artistiques qui ont marqué le jardin côtier de l'artiste écossais Edward Atkinson Hornel, près de l'estuaire de la Dee, en Écosse. Hornel, qui appartenait au groupe de peintres dit les « Glasgow Boys » au cours des années 1890, fit un voyage au Japon en 1893, qui marqua à la fois son œuvre picturale et sa conception de la nature. Son projet d'origine se composait essentiellement d'un jardin de campagne romantique rempli de curiosités, comme des monolithes et des fragments de sculptures, ou des éléments au parfum oriental, dont un bassin avec des pierres pour passer à gué. L'intérêt d'Hornel pour le Japon s'inscrit tout à fait dans la fascination que ce pays a longtemps exercé sur la Grande-Bretagne, notamment à la fin du XIXᵉ siècle. Ce parc a récemment été enrichi d'une rampe orientale et de quelques imitations de bonzaïs. Des cerisiers japonais, des anémones, des fougères, des bambous, des cornouillers et des fatsias renforcent l'impression que l'âme de l'Orient a toujours habité ce lieu.

☛ Bateman et Cooke, Gominzunoö, Guangdong, Monet

**Edward Atkinson Hornel. n.** Victoria (AUS), 1864. **m.** Kirkcudbright, Écosse (RU), 1933.
**Broughton House**, Kirkcudbright, Écosse (RU), 1901-1933.

# Hosack David — Jardins suspendus du Rockefeller Center

Des milliers de fenêtres de bureaux plongent sur le plus impressionnant jardin du monde, au sommet du Rockefeller Center, sur la Cinquième Avenue de New York. En fait, il existe trois autres jardins identiques à celui-ci, qui occupent les toits de trois bâtiments voisins du Rockefeller Center. Ralph Hancock les installa en 1933, apparemment pour répondre aux souhaits d'un certain David Hosack, botaniste, fondateur et propriétaire des jardins botaniques d'Elgin qui occupaient l'emplacement du Centre avant sa construction ; ce grand connaisseur, mort en 1835, voulait créer des

« jardins suspendus de Babylone » en plein cœur de New York. Les plans actuels du jardin ont un style plutôt international qui mélange les influences italienne, française et anglaise, avec des ifs taillés en forme de pyramides, des haies de buis, un bassin carré et des parterres de fleurs. Ces jardins ayant été prévus dès l'origine, ils bénéficient de plus de 50 cm de terre sur toute leur superficie. Depuis le café du grand magasin Saks, la perspective sur les jardins suspendus du Rockefeller Center est magnifique.

☛ Athelhampton, Bosworth, Boy, Cox, Delaney, Hancock

Dr David Hosack. **n.** 1769. Actif (EU), début XIX<sup>e</sup> siècle. **m.** 1835.
**Jardins suspendus du Rockefeller Center**, New York, New York (EU), 1933.

# Hosogawa Tadayoshi

## Parc Joju-en

Ce jardin brouille la notion d'échelle du visiteur. Des monticules herbeux et une reproduction du mont Fuji en miniature entourent un bassin circulaire qui prend des airs de grand lac. Afin de pousser plus loin l'illusion d'accomplir un voyage en paysage pittoresque, ce site artificiel tire parti des structures naturelles du terrain pour y incorporer des éléments du paysage plus lointain. Tadayoshi Hosogawa, le seigneur Daiymo de la province de Higo, modela les 6 hectares de terrain autour de sa résidence privée comme un « jardin de promenade » typique de la fin de la période Edo. On y flânait selon un itinéraire long et complexe, ponctué d'éléments évoquant des poèmes, des chants ou des sites célèbres. Ces promenades incluant des collines, des étangs, des ponts et des îles rappelaient les routes des pèlerinages ou les marches expiatoires, bien que leur raison d'être ait été absolument profane. Elles répondaient au goût récent des nobles Daiymo pour le paysage qu'ils contemplaient de leurs carrosses pendant leurs voyages bisannuels forcés à Edo (actuel Tokyo).

☞ **Gomizunoö, Jencks, Kokushi, Toshihito**

**Tadayoshi Hosogawa**. Actif (JAP), début XIXᵉ siècle. **Parc Joju-en**, Kamamoto, Higo (JAP), début XIXᵉ siècle.

# Huygens Constantijn

## Hofwifjck

Ces plans et dessins de Hofwifjck étaient censés accompagner un poème sur la maison et le jardin, écrit par son propriétaire Constantijn Huygens, poète, homme d'État et secrétaire des princes d'Orange. Huygens dessina sa *villa suburbana* à la périphérie de La Haye, selon les principes de Vitruve, qui affirmait que les proportions du corps humain sont un microcosme des lois cosmiques. La maison en était la tête, l'avant-cour la partie supérieure, la route qui traversait sa propriété – encore aujourd'hui – en était la taille et le reste du jardin la partie inférieure. Ce site était une expression des idéaux à la fois du classicisme et du calvinisme. La belle maison avec ses douves et ses panneaux en trompe-l'œil est devenue un musée dédié à Huygens. Il ne reste du jardin que les canaux décoratifs et les larges allées plantées de hêtres et de chênes rouges, coincées entre une autoroute, une ligne de chemin de fer, un canal et une zone industrielle.

☛ **Bowes-Lyon, Colchester, Post, Van Campen**

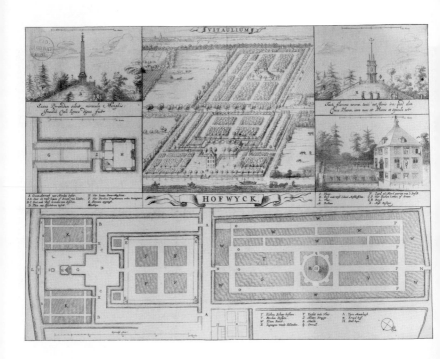

**Constantijn Huygens.** n. La Haye (PB), 1596. m. La Haye (PB), 1687. **Hofwifjck**, Voorburg, La Haye (PB), 1639-1642.

# Ineni

## Temple funéraire de la reine Hatchepsout

La conception architecturale de ce temple réalisé par l'architecte Ineni – une succession de terrasses et de portiques dont les lignes horizontales tranchent avec la verticalité de la falaise de Deir el-Bahari, en Égypte –, est d'une puissance exceptionnelle. Le temple funéraire de la reine Hatchepsout (XVIIIe dynastie) fut sans doute inspiré du temple voisin de Montouhotep. Bien qu'il soit difficile d'imaginer ce site aride et balayé par le sable en jardin des plaisirs, il est attesté qu'il fut jadis élégamment planté et irrigué. Les sculptures peintes de couleurs vives qui ornent les murs de la loggia nous donnent une indication sur le type de plantations et sur le dessin des jardins. Sous le portique situé au sud de la rampe se trouve la célèbre représentation de l'expédition maritime lancée par Hatchepsout vers le pays de Pount (Somalie) pour rapporter des arbres à encens. Les fouilles archéologiques ont aussi permis d'établir que des rangées de figuiers sycomores, de palmiers et de tamaris s'alignaient le long de la rampe de la terrasse inférieure permettant d'accéder au temple situé plus haut.

☞ Akbar, Cyrus le Grand, Darius Iᵉʳ, Jahangir, Musgrave

**Ineni.** Actif (EGY), vers les années 1450 av. J.-C.
**Temple funéraire de la reine Hatchepsout**, Deir el-Bahari (EGY), vers 1458 av. J.-C.

# Irwin Robert

## Jardin central du J. Paul Getty Museum

Voici les gradins arrondis du jardin du J. Paul Getty Museum à Los Angeles, œuvre de Robert Irwin, paysagiste de jardins et sculpteur. Pour le musée Getty, il a réussi à masquer la vue de l'agglomération de Los Angeles depuis le site situé en haut d'une colline. Ainsi, quand par hasard cette perspective se révèle au visiteur, elle a un impact d'autant plus fort. Pour préparer au contraste de cette éventuelle découverte, Irwin a choisi des cultures en terrasses plantées d'essences très différentes : des arbres, une végétation à feuilles persistantes, une merveilleuse gamme de plantes odorantes et un splendide labyrinthe d'azalées taillées qui semblent flotter sur le bassin. La plupart des espèces qu'il a sélectionnées ont d'évidentes qualités sculpturales, même en hiver. À la fin du chantier, en 1998, Irwin a fait graver sur une grosse pierre du ruisseau qui serpente hors du champ de cette image quelques mots qui reflètent la réussite triomphale de ce jardin : « Toujours présent, jamais deux fois le même / Toujours changeant, jamais moins qu'entier. »

☛ **Gehry, Hamilton Finlay, Wilkie**

Robert Irwin. n. Long Beach, Californie (EU), 1928.
Jardin central du J. Paul Getty Museum, Brentwood, Los Angeles, Californie (EU), 1997.

# Isham Sir Charles

## Lamport Hall

On fit beaucoup d'éloges de cette rocaille, commencée en 1848, pour son emploi de « recoins profonds, de saillies audacieuses, d'amas pour ainsi dire tombés de ruines », pour sa vaste gamme de plantes au sol ou grimpantes, dont beaucoup restaient miniatures grâce à la taille de leurs racines. L'obsession d'Isham pour les petites échelles prit une nouvelle orientation en 1881 avec la publication d'une gravure qui montrait un minuscule singe en peluche se balançant sur un arbre de Lamport Hall. Ce fut le début de l'invasion : au cours des années 1890, sa rocaille devint le refuge d'une foule de gnomes en argile provenant du continent – des nains de jardin ! Ainsi ces figurines – qui représentaient à l'origine un groupe de mineurs grévistes de 1894 –, dont le premier lot fut importé d'Allemagne pour servir de décoration de table, firent leur première apparition dans un jardin. Isham, comme son ami Arthur Conan Doyle, croyait sincèrement à l'existence des esprits et des fées au fond du jardin. Un seul des gnomes d'Isham existe encore aujourd'hui.

☛ **Crisp, Lane, Pulham, Robert, Robins**

**Sir Charles Isham.** Actif (RU), XIXᵉ siècle. **Lamport Hall**, Northamptonshire (RU), 1848.

# Jahangir

## Jardins de Shalimar

Les jardins de Shalimar furent construits juste à l'extérieur de la ville fortifiée de Lahore par l'empereur moghol Shah Jahan pour servir de résidence d'été et de maison d'hôtes. Le jardin, clos de murs, est divisé en trois terrasses successives de trois mètres chacune. Les terrasses supérieure et inférieure sont décorées de parterres, dans le style *chahar-bagh*, divisés en quatre parties par des canaux et des allées pavées. La terrasse centrale que l'on voit ici est un jardin d'eau. L'eau descend de la terrasse supérieure le long d'un toboggan de marbre aux incrustations compliquées (*chaddar*), jusque dans un bassin qui entoure le pavillon central. Ce réservoir était autrefois bordé de cent cinquante fontaines qui répandaient une brume alentour. La terrasse centrale et la terrasse inférieure communiquent par une salle encaissée (*sawan bhadun*), dans laquelle l'eau cascadait sur trois des murs intérieurs, le quatrième étant formé par une allée de marbre ouverte. Derrière ces pans d'eau se trouvent des murs percés de petites niches où l'on plaçait jadis des fleurs et des bougies : un somptueux spectacle dans la nuit.

☛ **Akbar, Allah, Shah Jahan**

**Jahangir. n.** Fatehpur-Sikri (IND), 1569. **m.** Cachemire (IND), 1627. Règne, 1605-1627.
**Jardins de Shalimar**, Lahore, Punjab (PAK), 1641.

# Jakobsen Preben

## Foresters House

Un tracé net et angulaire délimitant l'herbe et le sentier met en valeur une végétation exubérante dans sa forme et dans ses couleurs pour ce jardin des Costwolds, long de 46 m. Le dessin du chemin encourage le regard à s'attarder sur les arrangements floraux. Preben Jakobsen, paysagiste né au Danemark, commença sa carrière de pépiniériste en Europe et travailla à Kew avant de retourner au Danemark pour y étudier l'architecture paysagiste. C'est là qu'il s'imprégna des principes du modernisme tout en conservant une sensibilité exceptionnelle pour la végétation. Dans ce jardin, l'accent est mis sur les axes horizontaux et verticaux, non seulement par des éléments ajoutés, dont une pergola et un étang à l'extrémité du site, mais aussi par les formes des arbres : ainsi les cornouillers des pagodes (*Cornus controversa*), dont les branches ont un port horizontal, contrastent avec les lignes verticales des minces bouleaux argentés. Jakobsen a également démontré son habileté dans la réalisation de résidences privées, à Span, dans les années 1960.

☛ **Aalto, Le Corbusier, Sørensen, F. L. Wright**

Preben Jakobsen. n. (DK), 1934. **Foresters House**, Wiltshire (RU), à partir de 1983.

221

# James Edward

## Las Pozas

Des colonnades élaborées, des escaliers en volute ne menant nulle part et des ponts farfelus parsèment les hectares d'une incroyable propriété mexicaine baptisée Las Pozas. Cette jungle de béton surréaliste, à l'intérieur de la jungle mexicaine, fut construite entre 1949 et 1979 par Edward James, une personnalité encore plus extravagante que la vision à laquelle il donna vie. Né en Angleterre de parents anglo-américains fortunés, il fréquenta les figures les plus créatives de son époque. Il épousa la danseuse Tilly Losh, publia Betjeman, finança Dylan Thomas, posa pour

Magritte, collectionna Picasso, passa commande à Stravinsky et se confia à Sigmund Freud. Mais il se sentait surtout très proche des surréalistes. En 1944, il découvre la jungle mexicaine et achète plusieurs hectares de forêt semi-tropicale près de Xilitla. Avec l'aide d'un jeune Mexicain, Plutarco Gastelum, il embauche une armée de maçons pour bâtir son étonnant univers de béton dans lequel il va engloutir une fortune. Malheureusement, le béton n'est pas éternel et Las Pozas retourne peu à peu à l'état de jungle.

☛ **Cheval, I. Hicks, Saint-Phalle, Smit**

**Edward James. n.** Londres (RU), 1907. **m.** Xilitla (MEX), 1984. **Las Pozas**, environs de Xilitla (MEX), 1949-1979.

# Jarman Derek

## Prospect Cottage

Les sculptures totémiques de Derek Jarman, faites à partir de galets et d'objets refoulés par la mer, et une surprenante végétation, exubérante et désordonnée, entourent une petite maison de pêcheurs en bois, construite sur une plage venteuse du Kent à l'ombre de la centrale nucléaire de Dungeness B. Ce jardin devint très vite (et reste encore) une destination culte, qui a suscité de nombreuses imitations, dont la plupart sont sans intérêt. « J'investis mes cailloux avec la puissance d'Avebury », a écrit Jarman. « J'ai lu tous les ouvrages mystiques sur les circonférences et les lignes droites. Et je construis mes cercles avec toutes ces idées derrière la tête. » Avec le paysage mystérieux de Dungeness en toile de fond, les sculptures de Jarman, conçues à partir de bois flotté, de métaux rouillés et de pierres usées par les intempéries, ont acquis quelque chose de magique. Contre toute attente, ses plantation furent aussi une réussite : coquelicots éclatants, soucis, iris et églantines prospéraient à côté de non moins surprenants choux frisés de mer, santolines et lavandes. Et ce jardin survit...

☞ **Chatto, Hamilton Finlay, I. Hicks, James, Smit**

# Jefferson Thomas

## Monticello

Cette photographie du jardin potager de Thomas Jefferson, à Monticello, avec ses rangées de légumes impeccablement alignées, suffirait à elle seule à asseoir sa réputation de jardinier expérimental. Le belvédère donne sur de grands vergers de pommes américaines, pour la plupart des variétés provenant de semences. Le plan d'ensemble doit beaucoup aux années que Jefferson passa en France en tant qu'ambassadeur des États-Unis et durant lesquelles il visita de nombreux jardins anglais pour étudier l'art paysager et les techniques horticoles. Tout ceci contribua à la perfection du dessin, de l'aménagement et de la gestion de Monticello. Son jardin fleuri est l'un des rares exemples restés intacts depuis le début du XIXᵉ siècle ; il se caractérise par une longue allée sinueuse faisant le tour d'une grande pelouse, avec des plantations ornementales de part et d'autre. Jefferson s'était engagé à ne faire pousser que des espèces originaires d'Amérique. Monticello, toujours merveilleusement entretenu, est un monument à l'ingéniosité et à la diversité des centres d'intérêt de Jefferson.

☞ **Bosworth, Palladio, Vanderbilt, Washington**

Thomas Jefferson. n. Shadwell, Virginie (EU), 1743. m. Monticello, Virginie (EU), 1826.
Monticello, environs de Charlottesburg, Virginie (EU), 1768-1809.

# Jekyll Gertrude

## Munstead Wood

Cette bordure regorgeant de plantes herbacées paraît à première vue le fruit d'un désordre naturel, mais doit en fait son élégance au talent de la paysagiste Gertrude Jekyll, dont les techniques de jardinage, bien que généreuses et exubérantes, étaient aussi soigneusement orchestrées et contrôlées afin de rendre à la perfection l'effet souhaité. Cette photographie a été prise de son vivant. Artiste peintre, elle séjourna à Paris à l'époque des impressionnistes, mais quand sa vue commença à faiblir elle se consacra au jardinage. Elle s'installa à Munstead Wood, une maison dessinée par l'architecte sir Edwin Lutyens en 1897. Son terrain de 6 hectares lui servit de laboratoire ; elle y expérimenta ses associations de plantes et aiguisa son habileté à appliquer à son jardin la théorie des couleurs de la peinture. Jekyll utilisait littéralement les plantes comme des touches de couleur et créait des tableaux dans ses plates-bandes. Cette attitude était totalement novatrice, et son partenariat avec Lutyens donna naissance à un nouveau style de jardin, dans l'esprit Arts and Crafts.

☛ **Egerton-Warburton, Lutyens, Mallet, M. Rothschild**

**Gertrude Jekyll. n.** Londres (RU), 1842. **m.** Surrey (RU), 1932. **Munstead Wood**, Godalming, Surrey (RU), 1897.

225

# Jellicoe Sir Geoffrey

## Sutton Place

Une version agrandie d'une sculpture en relief de Ben Nicholson, entourée par des haies d'ifs et précédée d'un bassin rectangulaire, clôt l'œuvre majeure (bien qu'inachevée) de Geoffrey Jellicoe commanditée par Stanley Seeger en 1980. L'intention de Jellicoe était de faire un jardin moderniste divisé en différentes sections que l'on devait aborder dans un ordre spécifique. Cet itinéraire, fondé sur le passage de l'homme à travers la vie, depuis la naissance jusqu'à la mort, témoignait de l'intérêt que Jellicoe portait à la philosophie de Carl Jung. La naissance était représentée par un grand lac en forme de fœtus, la mort et l'au-delà par le mur de Nicholson. Parmi les sections toujours présentes à Sutton Place, on compte une allée surréaliste en hommage à Magritte, avec d'énormes urnes qui créent une illusion d'optique, et le Paradise Garden, un délicieux espace de sentiers en méandres, de fontaines et de tonnelles de roses. Jellicoe, architecte de formation, avait choisi de se consacrer à l'art paysager après un tour des jardins baroques italiens dans les années 1920.

☞ Bowes-Lyon, Hepworth, Jekyll, Miró, Moore

Sir Geoffrey Jellicoe. **n**. Londres (RU), 1900. **m**. Londres (RU), 1996. **Sutton Place**, Surrey (RU), 1980-1986.

# Jencks Charles

## Jardin des Spéculations cosmiques

Ce travail de la terre sur une longue terrasse sinueuse de 120 m de long qui se poursuit en s'incurvant au-delà de deux bassins en forme de croissants, et que l'on voit ici depuis le sommet d'un tertre évoquant une coquille d'escargot, est le point fort du jardin des Spéculations cosmiques de Charles Jencks, créé en Écosse dans les années 1990. Jencks est un défenseur passionné des plus récentes théories sur l'histoire de l'univers, et plusieurs sections de ce jardin sont des métaphores visuelles de théories scientifiques. La torsion imposée au terrain est l'expression la plus saisissante d'une « fractale », ces courbes irrégulières produites par une subdivision répétée en mathématiques. Sa forme (mais non sa signification) lui fut inspirée par des expériences de sa défunte épouse, Maggie Keswick, sur le principe *feng shui* de la mise à nu des « os de la terre ». C'est dans le même esprit que Jencks a réalisé son potager, baptisé le Physics Garden, qui comprend six sculptures de métal figurant la structure en double spirale de l'ADN, entourées par un « mur cellulaire » de buis taillé et un tourbillon de laitues.

☛ **Enshu, Hall, Kokushi, Qian Long, Sørensen**

# Jensen Jens

## Jardin du Lincoln Memorial

Cette paisible clairière d'arbres en fleurs sous le soleil du printemps, au cœur d'un parc public est caractéristique du style de l'architecte paysagiste d'origine danoise, Jens Jensen. Ce jardin est un monument vivant à la mémoire d'Abraham Lincoln, célèbre enfant de l'Illinois. Pour sa réalisation (1936-1949), Jensen renonça à ses honoraires. De nombreuses espèces qu'il souhaitait utiliser n'étant pas disponibles dans le commerce, les écoliers de l'Illinois et les clubs de jardinage locaux se chargèrent de collecter des glands de chêne, des graines, des plantes sauvages et des semis naturels dans les zones forestières avant qu'elles ne soient aménagées. Des volontaires plantèrent des milliers de graines, de jeunes plants et toute la végétation sauvage qui occupent les espaces ouverts créés par Jensen au milieu des massifs boisés. Jensen, connu pour planter des espèces indigènes, développa un style paysager très en phase avec le style promu par l'école d'architecture contemporaine du Midwest, la « Prairie School », menée par le grand Frank Lloyd Wright, avec qui il collabora à plusieurs reprises.

☞ **Brookes, Oehme et Van Sweden, Robinson, F. L. Wright**

Jens Jensen. **n.** Dybbøl (DK), 1860. **m.** Ellison Bay, Wisconsin (EU), 1951.
**Jardin du Lincoln Memorial**, Springfield, Illinois (EU), 1936-1949.

# Johnes Thomas

## Hafod

La rivière Ystwyth descend avec fracas dans une étroite gorge rocheuse flanquée d'arbres aux formes noueuses et traversée par un gracile pont de bois : un spectacle naturel saisissant. Thomas Johnes, qui hérite du domaine de Hafod en 1783, est un ardent défenseur du jardin paysager de style pittoresque qui voit le jour à peu près à cette époque. Il conçoit pour son nouveau domaine une série de promenades et d'allées qui permettent de profiter des plus belles vues : cascades, torrents, ravins ou tout simplement perspectives sur la campagne environnante. Horticulteur émérite, il crée l'un des premiers jardins de rocailles et demande à Nash de lui construire une grande serre en 1793. On estime qu'il planta plus de deux millions d'arbres entre 1795 et 1801, afin « d'améliorer » le paysage. Mais les sommes faramineuses dépensées pour ces embellissements finirent par grever sévèrement le budget d'Hafod, et la plus grande partie du paradis de Johnes tomba dans l'oubli. Grâce à des peintures d'époque et des descriptions de visiteurs, les jardins viennent d'être rendus à leur gloire d'antan.

☛ W. Aislabie, Gilpin, Hamilton, Knight, Laborde, Nash

**Thomas Johnes. n. (RU), 1748. m. (RU), 1816. Hafod**, Dyfed, pays de Galles (RU), 1783.

# Johnson Philip

## Jardin de sculptures du MOMA

La cour du Museum of Modern Art de New York (MOMA) est plus qu'un lieu d'exposition pour la sculpture moderne ; les œuvres semblent y « vivre » paisiblement et, en y pénétrant, on a l'impression d'entrer dans l'espace même des sculptures. Un simple agencement de canaux, de pavements de pierre et d'allées associé à une végétation sobre produit un sentiment d'équilibre et de plénitude, tout en suscitant l'effet d'isolement nécessaire. À l'époque de cette commande, en 1953, Johnson était membre du conseil d'administration et directeur du département d'Architecture.

Le dessin qu'il conçut pour cette cour s'inspire des réalisations de Mies van der Rohe. Johnson étudia la philosophie à Harvard, mais, passé la trentaine, il changea d'orientation après avoir lu les écrits de Le Corbusier, de Mies van der Rohe et de Gropius. Le style international de Johnson (comme on le baptisa) et surtout ses gratte-ciel audacieux marquèrent la ligne d'horizon de nombreuses villes d'Amérique du Nord.

☛ Hadrien, Le Corbusier, Libeskind, Mies van der Rohe

Philip Johnson. n. New London, Ohio (EU), 1906. **Jardin de sculptures du MOMA**, New York, New York (EU), 1953.

# Johnston Capitaine Lawrence

Ces pavillons jumeaux sont placés de part et d'autre d'un sentier herbeux bordé de charmes enchevêtrés, à Hidcote Manor, vaste jardin anglais créé au début du siècle par le capitaine Lawrence Johnston, un Américain ayant hérité du cottage de sa mère. Le puissant dessin de ce site est défini par de grandes haies d'ifs, de lierre et de hêtres, qui constituent les « murs vivants » d'une série de petits espaces fermés, tous situés du même côté de cette longue allée axiale en gazon qui monte vers les deux pavillons et débouche sur une grille majestueuse au-delà de laquelle s'étend la campagne. La maîtrise des volumes et des proportions dans le traitement de ces espaces, la sophistication, l'originalité et l'élégance des plantations – comme on le voit dans ce massif rouge – expliquent que Hidcote Manor ait eu un tel retentissement et une telle influence depuis le début du siècle, et soit mentionné au même titre que le remarquable jardin de Vita Sackville-West à Sissinghurst. De surprenantes perspectives marquent fortement ce domaine qui recèle un superbe jardin d'eau.

☞ Barnsley, Lindsay, Robeson et Gray, Sackville-West

**Capitaine Lawrence Johnston. n.** (EU), 1871. **m.** Gloucestershire (RU), 1957.
**Hidcote Manor**, Gloucestershire (RU), vers 1902-1948.

# Jones Inigo

## Arundel House

L'architecte anglais Inigo Jones opéra un remaniement d'Arundel House et de ses terres entre 1615 et 1625. Il adjoignit à la demeure principale une aile qui donnait sur un jardin clos de murs et doté de grilles, que l'on aperçoit à l'arrière-plan de ce portrait de la comtesse d'Arundel. L'usage de grilles monumentales comme séparation entre le jardin cultivé et le jardin sauvage fut l'une de ses principales contributions à l'architecture des jardins. L'aspect novateur des aménagements de Jones résidait aussi dans la riche texture de ses scènes champêtres et dans la pureté de ses détails classiques, comme en témoignent les grilles des cours et des jardins. Son style sans affectation est perceptible dans l'arc d'une grande simplicité qui clôt le jardin représenté dans cette toile. Surmonté d'un chaperon en forme de bulbe, il est pris entre les murs d'enceinte du domaine. Les agencements de Jones, qui s'apparentent à des décors de théâtre et sont bien souvent d'inspiration italienne, eurent beaucoup d'influence sur l'art des jardins de l'époque.

☞ Kent, Landsberg, Lumley, More, Palladio

**Inigo Jones**. **n**. Londres (RU), 1573. **m**. Londres (RU), 1652. **Arundel House**, The Strand, Londres (RU), 1615-1625, in *Alathea, Countess of Arundel and Surrey*, par Daniel Mytens, vers 1618.

# Joséphine Impératrice

## La Malmaison

Le lac qui serpente entre les bouquets d'arbres incite les promeneurs à profiter du grand air. Cette aquarelle évoque l'atmosphère charmante de la Malmaison, ce jardin romantique aux touches pittoresque créé par l'épouse de Napoléon, l'impératrice Joséphine, dans les années 1780 : « Mon jardin est le plus joli du monde. Il a plus de succès que mon salon », aimait-elle à dire. Ce style de jardin très naturel, si différent de la sophistication agressive de Versailles, quartier général du Roi-Soleil et de ses successeurs, reflète l'esprit romantique de libération associé au premier Empire

(1804-1814) et aux écrits de Rousseau. Il est aussi directement lié à l'école du paysagisme anglais. Le jardin de Joséphine, très prisé à l'époque, a en grande partie disparu, mais le nom de la Malmaison évoque et évoquera toujours les roses, ces roses si chères à Joséphine qui les collectionnait (environ deux cent cinquante variétés) et à l'artiste belge qui les immortalisa, Pierre-Joseph Redouté. La rose de la Malmaison est une variété à fleur double, très parfumée, que l'on cultive encore.

☛ **Bélanger et Blaikie, Girardin, Le Nôtre, Robert**

# Dieu judéo-chrétien  Jardin d'Éden

« Quand le Seigneur Dieu fit la terre et le ciel, aucun arbrisseau ni aucune plante ne poussait sur le sol, parce que Dieu n'avait fait tomber aucune pluie [...] ; et il n'y avait pas non plus d'hommes pour cultiver le sol [...] Puis le Seigneur Dieu planta le jardin d'Éden très loin vers l'Orient, et c'est là qu'il plaça l'homme à qui il avait donné forme. Le Seigneur Dieu fit surgir des arbres du sol, tous agréables à regarder et bons comme nourriture ; et au milieu de ce jardin, il plaça l'Arbre de vie et l'Arbre de la connaissance du bien et du mal. Le Seigneur Dieu prit l'homme et le plaça dans le jardin d'Éden pour qu'il le cultive et en prenne soin. » (Genèse 2.) Contrairement à la tradition islamique, l'Éden de la Bible a eu peu d'influence (mis à part les jardins médiévaux) sur la conception et le dessin des jardins, la plupart des jardins occidentaux ayant été créés pour le plaisir ou pour célébrer un pouvoir temporel. Cependant, l'idée du jardin comme retraite et comme espace édifié pour des raisons morales a eu de profonds retentissements dans la culture occidentale.

☞ Allah, Sennachérib

**Dieu judéo-chrétien. Jardin d'Éden**, d'après le livre de la Genèse, Ancien Testament. « La Chute », illustration de Monte del Fora (1448-1529) extraite d'un recueil de cantiques, *Monte Senario Folio II*.

# Jungles Raymond

## Résidence Jungles-Yates

De gigantesques feuilles tropicales, une décoration en mosaïque, de l'eau et de confortables espaces de vie en plein air, tous ces éléments caractérisent le style du paysagiste Raymond Jungles, établi en Floride, qui s'est fait une importante clientèle privée dans la région de Miami. Son épouse, Debra Lynn Yates, crée des mosaïques tandis que Raymond Jungles se consacre à la plantation d'espèces au feuillage impressionnant (palmiers, bambous, fougères, cycas, bananiers) et de fleurs chatoyantes, comme les orchidées, certaines broméliacées, des lauriers-roses, des hibiscus, des strelitzias, des bougainvillées et des lis. Le choix de Jungles, qui a regroupé certaines plantes pour créer des bandes de couleurs au sol, s'inspire du travail du Brésilien Roberto Burle Marx, qu'il admire énormément. Ici, dans son jardin privé, Jungles s'est efforcé de donner l'impression d'un envahissement végétal, comparable à celui des forêts humides d'Amérique du Sud. Debra Lynn Yates décrit d'ailleurs Miami comme le lieu « où les États-Unis rencontrent le tiers-monde, plus que n'importe où en Amérique ».

☛ Burle Marx, Cao, Gaudí, Hargreaves, Jarman, Watson

Raymond Jungles. n. 1956. Actif à la fin du XIXᵉ siècle. **Résidence Jungles-Yates**, Coconut Grove, Floride (EU), 1988.

# Kang Xi Empereur Le « Hameau de montagne pour fuir la chaleur »

Ce pavillon qui se dresse au bord d'un lac, est l'un des cent édifices qui furent construits dans un vaste parc, le plus grand de Chine, à la demande de l'empereur Qing Kang Xi en 1703. Ces bâtiments palatiaux d'une élégance exceptionnelle étaient régulièrement occupés par les empereurs et leur cour pendant les mois d'été. Un mur d'enceinte long de 10 km clôturait le parc. La partie sud est occupée par une série de lacs parsemés d'îles, que traversent des digues plantées de saules. Différents pavillons occupent des emplacements stratégiques et offrent des perspectives

idéales sur des paysages « aquatiques ». Au nord, se trouve le jardin des Mille Arbres, un ancien parc à daims, en bordure duquel se dressent deux imposantes pagodes. Le petit-fils de Kang Xi, l'empereur Qian Long contribua à l'aménagement de ce parc et, comme son grand-père, célébra ce jardin dans une série bien connue de poèmes et de gravures sur bois.

☞ Beck et Collins, Qian Long, Tien Mu

Empereur Kang Xi. n. (CH), 1661. m. (CH), 1722.
Le « Hameau de montagne pour fuir la chaleur » (Bi Shu Shan Zuang), Chengde (CH), à partir de 1703.

# Kebach Karl

## Alupka

Les jardins du palais du comte Vorontsov, à Alupka, se trouvent au pied de l'imposante falaise rocheuse d'Ai Petri. Ce magnifique emplacement est situé sur une étroite bande côtière qui s'étire entre les montagnes et la mer Noire. La terrasse du palais, dessinée par Edward Blore, domine la mer et s'orne de fontaines de marbre, de buis taillés, de plantes fleuries et de trois paires de lions splendides, provenant de l'atelier italien de Francesco Bonami. Une série de terrasses descend jusqu'aux rivages. À l'arrière du palais, le jardinier allemand Karl Kebach a créé un parc romantique où des sentiers tortueux et ombragés mènent à des torrents, des rochers et des cascades, et plus loin à de vastes clairières entourées d'arbres d'une taille impressionnante : des pins italiens, mexicains et de Crimée, des cèdres du Liban, des platanes, des marronniers, des séquoias, des pins argentés et des chênes-lièges. De nombreuses plantes d'Alupka proviennent du jardin botanique Nikitsky.

☛ Aberconway, Rochford, Savill, Steven

Karl Kebach. n. (ALL). Actif au début du XIXᵉ siècle. m. (RUS), 1851. **Alupka**, environs de Yalta (RUS), 1830-1846.

# Kennedy Lewis et George

## Château de Drummond

Ce jardin, avec son parterre rectangulaire grandiose, reproduit les diagonales de la croix de saint André qui traversent les trois allées principales. Les compartiments dessinés à l'intérieur, aujourd'hui fleuris de plantes à massif, étaient à l'origine constitués d'herbacées, de rhododendrons et de bruyères qui composaient un cadre moins formel et dissimulaient la structure de base, décrite en 1837 comme un « immense tapis aux couleurs éclatantes ». Le jardin de Drummond fut dessiné par Lewis Kennedy, qui y travailla avec son fils George de 1818 à 1860. Faisant fi du jardin qui

avait existé au XVIIᵉ siècle, les Kennedy cherchèrent leur inspiration dans la très récente « histoire des jardins » et les commentateurs de l'époque jugèrent que le résultat tenait plus de l'amalgame d'influences italienne, française et hollandaise que de la tradition écossaise. Situé sur une terrasse élaborée desservie par des volées d'escaliers (un tour de force architectural) et décorée de statues, le château de Drummond représenta une sorte de victoire pour les défenseurs du style italien au cours des années 1850.

☛ Barry, Beaumont, Sitwell, I. Thomas, Guillaume III

Lewis Kennedy. n. (RU), 1789. m. (RU), vers 1840. George Kennedy. Actif (RU), première moitié du XIXᵉ siècle. Château de Drummond, Crieff, Tayside (RU), 1818-1860.

# Kent William

## Rousham

Une statue de Pan fixe attentivement la rive opposée d'un bassin octogonal gelé, en direction d'un petit ruisseau sinueux réalisé par William Kent. La brume cache la Cherwell qui coule en contrebas tandis que Vénus (invisible sur ce cliché) émerge de sa cascade plus haut dans le vallon. Remanié par Kent en 1738, à partir d'un dessin plus formel de Charles Bridgeman, Rousham est l'un des anciens jardins paysagers les mieux conservés de Grande-Bretagne. Walpole le comparait à une « Daphnée miniature, avec les plus adorables petits bosquets, torrents, clairières, portiques, cascades et rivière que l'on puisse imaginer ». La meilleure façon de découvrir les 10 hectares de Rousham est de suivre la route que Kent a construite à cet effet tout autour du jardin. Des scènes se succèdent comme des décors de théâtre tandis que des statues classiques et des édifices provoquent des associations poétiques. On s'accorde à penser que c'est Kent, encouragé par le 3ᵉ comte de Burlington (rencontré lors de ses voyages en Italie) et son ami Alexander Pope, qui découvrit que « toute la nature est un jardin ».

☞ **Burlington, Grenville-Temple, Hoare, Pope, Sulla**

**William Kent. n.** Bridlington, Yorkshire (RU), 1685. **m.** Londres (RU), 1748.
**Rousham**, Steeple Aston, Oxfordshire (RU), 1738.

# Khosro II Abharvez    Taq-e-Bostan

Cet Arbre de vie (*simorah*) sculpté avec beaucoup de fantaisie orne l'entrée de la vaste grotte de Taq-e-Bostan. La symétrie et l'équilibre sont magnifiquement respectés dans les volutes, les feuilles d'acanthe, les fruits exotiques et les plantes à fleurs. Construit sous le règne de l'empereur sassanide Khosro II Abharvez, ce site historiquement sacré est d'une beauté à couper le souffle. Deux grottes mitoyennes en forme de cavernes – la plus petite ayant été construite à l'époque de Shapur III (383-388) – sont situées au pied d'une falaise rocheuse en à-pic qui domine les eaux

claires, vertes et profondes d'un lac alimenté par une source. De nombreux caravansérails, sortes d'auberges fortifiées, furent construits aux abords de ce lac au caractère sacré pour les voyageurs venus en pèlerinage. Dans l'ancienne religion de Zarathoustra, ou zoroastrisme, l'Arbre de vie est un thème central dans la description du paradis aux senteurs délicieuses promis aux hommes de foi, c'est-à-dire à ceux qui consacrent leur vie à la quête de la Lumière et de la Vérité.
☞ **Assurbanipal, Ineni, Thoutmosis**

**Khosro II Abharvez. n.** Perse (IR), 591. **m.** Perse (IR), 628. **Taq-e-Bostan**, environs de Kermanshah, Perse (IR), vers le VIIᵉ siècle.

# Kienast Dieter

## Jardins Uetliberg

Une balustrade portant l'inscription très controversée « ET IN ARCADIA EGO » sépare de magnifiques jardins d'une pente boisée et abrupte. Le regretté paysagiste suisse Dieter Kienast a incorporé dans la nature cette citation se rapportant à l'Arcadie des Grecs et de Virgile, créant un nouveau paysage pittoresque du XXᵉ siècle. Mais cette Arcadie, définie par une association remarquable de la nature et d'une pure architecture, traite de notre prise de conscience de l'époque contemporaine. Parfois considéré comme un maître « minimaliste » à cause de son choix

délibéré d'une palette de plantes limitée et de son intérêt centré sur quelques éléments architecturaux, Kienast aimait citer l'artiste minimaliste Robert Morris : « La simplicité de la forme n'égale pas la simplicité de l'expérience. » Kienast donna une signification nouvelle à la notion de « bordure » : sentiers, terrasses, murs, canaux et bassins s'entrecroisent avec précision. Quand il mourut, en 1998, Kienast travaillait à l'aménagement de la Tate Modern de Londres, avec les architectes suisses Herzog et de Meuron.

☞ **Geuze, Hamilton Finlay, Hargreaves, Wirtz**

---

**Dieter Kienast. n.** Zurich (SUI), 1945. **m.** Londres (RU), 1998. **Jardins Uetliberg**, Zurich (SUI), vers 1980.

# Kiley Dan

## Résidence J. Irwin Miller

La *Femme assise*, sculpture de Henry Moore, se penche avec grâce à l'extrémité d'une irréprochable allée de caroubiers plantés du côté ouest de la maison. Ce jardin, achevé en 1955, constitue le premier dessin de paysage moderne et cohérent réalisé par Dan Kiley, dans lequel on retrouve le « riche vocabulaire de l'allée, du bosquet, du boulevard et du tapis vert » typique de l'Europe d'après-guerre. Autour de la demeure, les espaces sont ordonnés et géométriques : un bosquet d'arbres de Judée proche de la sculpture de Moore se fondent dans les bosquets de pommiers, une pelouse, une allée plantée d'arbres et une piscine, l'ensemble étant clos de haies arborées décalées. À l'ouest, des groupes de saules pleureurs et de caroubiers rigoureusement agencés délimitent une prairie qui descend jusqu'à une crique boisée. Faisant figure de maître parmi les architectes paysagistes américains, Kiley adopta le modernisme au cours des années 1930. Après son séjour européen, il s'attela à construire des « paysages de clarté et d'infinité », en réutilisant des éléments classiques dans des compositions modernes.

☞ **Eckbo, Eldem, Moore, Rose, Saarinen, Tunnard**

**Dan Kiley (Daniel Urban Kiley). n.** Boston, Massachusetts (EU), 1912. **Résidence J. Irwin Miller**, Columbus, Iowa (EU), 1955.

# Kingsbury Noël

## Cowley Manor

Les hampes jaune paille aux reflets roses des *Macleaya cordata*, les globes écarlates des *Knautia macedonia* et les feuilles élancées des *Miscanthus sinensis*, ou « plume d'argent », figurent parmi les plantes qui fleurissent les foisonnantes plates-bandes de part et d'autre de l'impeccable pelouse de Cowley Manor. C'est là que, depuis 1994, Noël Kingsbury s'adonne à ses plantations expérimentales pour créer des paysages s'inspirant de la nature, à la demande des propriétaires des lieux. Dans un espace plus éloigné de la maison, des plantes vivaces en longues bandes étroites évoquent ce qu'il décrit comme « un croisement entre la bordure traditionnelle et la prairie de fleurs sauvages ». Contrairement aux agencements habituels, il est possible de traverser et contourner ces « bordures ouvertes », ce qui produit des associations de couleurs et de formes en perpétuel changement et des éclairage magiques. Kingsbury est un grand défenseur de l'utilisation de ces nouvelles plantes vivaces. À l'image des paysagistes continentaux qui l'ont influencé, il est partisan de réalisations écologiques exigeant peu d'entretien.

☛ Egerton-Warburton, Lloyd, Oudolf, Robeson et Gray

**Noël Kingsbury. n.** Reading (RU), 1957. **Cowley Manor**, Cowley, Gloucestershire (RU), 1994.

243

# Knight Richard Payne

## Château de Downton

Richard Payne Knight commença ce stupéfiant jardin au cours des années 1770, alors que Capability Brown était au faîte de sa gloire. Il diffère tellement du style paysager anglais en vogue au milieu du siècle qu'il n'y a rien d'étonnant à ce que Knight ait été l'un des premiers et des plus acerbes critiques de Brown. Knight était un gentleman-paysagiste qui exprima ses théories dans un ouvrage publié en 1794, *The Landscape*. Son jardin de Downton était taillé dans la vallée extrêmement boisée entourant la rivière Teme. Il comprenait des espaces assez ouverts, mais Knight tenait à créer des effets pittoresques partout où il le pouvait, une démarche qui apparaît très clairement dans la construction de deux ponts suspendus au-dessus de la Teme. Lui-même et d'autres adeptes du style pittoresque essayaient de faire naître « le frisson du danger » chez leurs visiteurs. C'est l'absence de variété dans les paysages de Capability Brown que Knight déplorait avant tout : « [...] enveloppés dans une verdure éternelle, ce sont des scènes tristes, insipides et tranquilles. »

☛ W. Aislabie, Gilpin, Hamilton, Hill, Isham, Johnes, Lane

**Richard Payne Knight**. n. Hereford (RU), 1751. m. Londres (RU), 1824. **Château de Downton**, Herefordshire (RU), années 1770.

# Kokushi Muso

## Saiho-ji

Plus de quarante espèces différentes de mousses forment le « revêtement » changeant de ce mystérieux jardin du Temple, dit « jardin de la Mousse », près de Kyoto. Le jardin de l'étang inférieur abrite trois îles principales et une flottille de pierres isolées. Plus haut sur la colline, un jardin sec contient trois magnifiques compositions en pierre : l'île de la tortue, un groupe de pierres émergeant d'un océan de mousse, le *zazen-zeki*, une pierre de méditation dont le sommet est plat et qui semble flotter sur un océan de calme et de silence, et enfin le *kare-taki*,

une cascade sèche de blocs de granit décalés. En parfaite opposition avec le jardin intérieur, la magie réside ici dans l'absence d'eau ; son fantôme est omniprésent, mais on ne la trouve nulle part. Saiho-ji marque la transition entre la tradition Heian des jardins évoquant le paradis bouddhiste de la Pure-Terre, et les jardins secs, plus austères, des temples Muromachi. Saiho-ji date du XIIᵉ siècle mais fut largement modifié en 1334 par Muso Kokushi, prêtre zen très influent.

☛ **Ashikaga Yoshimasa, Enshu, Hosogawa, Rikkyu**

**Muso Kokushi (Muso Soseki). n.** (JAP), 1275. **m.** (JAP), 1351. **Saiho-ji,** Kyoto (JAP), 1334.

# Krieger Johann Cornelius

## Jardins du château de Fredensborg

Fredensborg est le jardin baroque le mieux préservé au Danemark. Créé par l'architecte paysagiste préféré du roi Frédéric IV, Johann Cornelius Krieger, ce parc devait refléter la gloire du château. Des avenues rayonnaient en étoile à partir du château. Les broderies des parterres plantés devant la façade principale figuraient les monogrammes royaux. Des espaces avaient été prévus pour des fonctions particulières : le *ballonplads* pour jouer au ballon, le *meagerioen* pour les animaux exotiques, le *hidseplads* utilisé pour exciter les chiens avant les chasses à courre, les potagers pour nourrir les invités et, plus inhabituel, le *sneglebakken* où l'on conservait des escargots comestibles. Nicolas Henri Jardin, invité à remanier ce parc sur le modèle français, dessina le grand « tapis vert » entouré d'avenues doubles. Puis, au milieu du XIXe siècle, on réaménagea certaines parties de ce jardin dans le style romantique anglais. Au cours des années 1990, on restaura les avenues de Krieger et, en 1995, une nouvelle orangerie fut ouverte.

☛ **Carl-Theodor, Dubsky, Frigimelica**

**Johann Cornelius Krieger.** Actif (DK), XVIIIe siècle. **Jardins du château de Fredensborg**, Hillerød, Zélande (DK), 1720-1726.

# Laborde Marquis Jean Joseph de

Dans cette scène arcadienne, la nature et la culture jouissent d'une coexistence bienheureuse. Ce superbe tableau d'Hubert Robert appartient à une série de toiles représentant le parc de Méréville. Mais il dépasse de beaucoup la simple peinture de paysage, aussi grande soit la maitrise de l'artiste. Il représente un idéal tout en montrant la réalité. Ce paysage était le fruit de nombreuses discussions littéraires et philosophiques entre Robert et le marquis de Laborde, son mécène, banquier de Louis XIV. Avec ces toiles, l'artiste a dessiné le parc, indiquant les plantations et plaçant les folies et les ponts, qui furent construits par les architectes J.-P. Barré et F.-J. Bélanger. Méréville marqua l'apogée du style français pittoresque. Après l'exécution du marquis de Laborde pendant la Révolution, Méréville, qui avait été tant apprécié, fut presque entièrement détruit. À la fin du XIXᵉ siècle, les quatre folies furent achetées par Henri de Saint-Léon et déplacées, pierre par pierre, dans sa propriété de Jeurre, où l'on peut encore les voir aujourd'hui.

☛ Bélanger et Blaikie, Chambers, Girardin, Monville, Robert

**Marquis Jean Joseph de Laborde. n.** (F), vers 1724. **m.** Paris (F), 1794.
**Parc de Méréville** (F), 1793. *Vue du parc de Méréville*, par Hubert Robert, fin XVIIIᵉ siècle.

# Lainé Elie

## Waddesdon Manor

Il est difficile de s'imaginer, en regardant ce détail du somptueux massif de Waddesdon, qu'il s'agit d'une reconstitution moderne ; aucun autre jardin ne donne une meilleure idée de l'opulence, des couleurs et de l'ordre qui caractérisaient les parterres victoriens. Plus de 9 000 pélargoniums écarlates (de la variété *Geranium « Alex »*) ont été nécessaires pour réaliser ce dessin. Elie Lainé, est le créateur de cette œuvre exceptionnelle qui se déployait sur la terrasse de la demeure construite dans le style des châteaux français au cours des années 1870. Le jardin a subi de nombreuses modifications au cours des dernières années du XIXᵉ siècle et fut laissé à l'abandon au début de la Seconde Guerre mondiale. Il fallut attendre 1989 pour que les parterres soient ramenés à leur état d'origine grâce à des documents photographiques. En voici le résultat. Waddesdon est le plus bel exemple, parmi toutes leurs propriétés, de la très grande opulence qui caractérisait les Rothschild et leurs jardins au XIXᵉ siècle.

☞ **Barry, Le Bas, Marot et Roman, Nesfield, Sophia**

Elie Lainé. n. 1839. Actif (RU), fin XIXᵉ siècle. m. 1898. **Waddesdon Manor**, Buckinghamshire (RU), vers les années 1870.

# Landsberg Sylvia

## Ferme de Bayleaf

En regardant le jardin qui conduit à la ferme reconstituée d'un franc-tenancier de la fin du Moyen Âge, les sens du visiteur sont submergés par la couleur des herbes et des fleurs. On a tendance à imaginer les jardins médiévaux comme des jardins clos et fleuris alors qu'ils étaient pour la plupart des jardins « utilitaires », des potagers fournissant fruits, légumes et herbes pour la famille et le bétail. Sylvia Landsberg, qui a conçu cet ensemble, s'est inspirée de textes de l'époque. La plupart des plantes de Bayleaf poussent dans des bacs rectangulaires surélevés, séparés par des sentiers et délimités par des barrières en clayonnage. Cette ferme est protégée par un petit bois de taillis. On y trouve aussi un verger, une tonnelle de chèvrefeuille et une délicieuse pelouse en terrasse qui forme un petit jardin clos d'agrément. Les recherches de Sylvia Landsberg sur les jardins médiévaux l'ont amenée à créer d'autres sites en Angleterre, comme le jardin de la reine Eleanor à Winchester ou le jardin « physique » des frères Cadfael à Shrewsbury.

☞ Carvallo, La Quintinie, Shurcliff, Van Riebeeck, Vogue

**Sylvia Landsberg.** Active (RU), fin XXᵉ siècle.
**Ferme de Bayleaf**, Weald and Downland Museum, Singleton, Chichester, Sussex (RU), conçu dans les années 1990.

# Lane Joseph

## Grotte de Painshill

On atteint la grotte de Painshill grâce à un pont chinois décoré de gypse, de spath calcaire et de coraux. Les grottes sont des antres et des repaires d'où le monde extérieur apparaît sous un jour particulier. Celle de Painshill a été créée vers 1760 par Joseph Lane, un bâtisseur de grottes à la mode, originaire de Tisbury dans le Wiltshire. Mais elle fut vraisemblablement dessinée par Charles Hamilton qui conçut le jardin. On accédait à la grotte en bateau, comme dans celle de Stourhead, de plus petites dimensions. Hamilton conçut ses jardins entre 1738 et 1773, dans l'intention de faire naître une gamme d'émotions aussi variées que possible. Entre autres édifices, on comptait un temple gothique, une abbaye en ruines et une tente turque, mais la grotte a toujours constitué l'élément le plus attrayant. Hamilton, pionnier du paysage naturaliste, eut une grande influence sur l'art des jardins de son temps mais ne fit jamais fortune. Il louait Painshill à la Couronne et ne pouvait se permettre d'y consacrer beaucoup d'argent. Il finit par faire faillite : son œuvre n'en est que plus remarquable.

☞ **Crisp, Goldney, Hamilton, Hoare, Isham, Pulham**

**Joseph Lane.** n. Tisbury, Wiltshire (RU), 1717. **m.** (RU), 1784. **Grotte de Painshill**, Surrey (RU), 1760-1765.

# La Quintinie Jean-Baptiste de

La Quintinie aménagea le nouveau potager du château de Versailles, ou jardin de légumes ornementaux, entre 1677 et 1683. Le site de la rue des Tournelles était à l'origine un marécage. On le remplit tout d'abord de sable provenant du grand bassin situé en face de l'Orangerie, la pièce d'eau des Suisses, puis avec des couches de terre arable et des tombereaux de fumier. À l'image de l'ensemble de Versailles, le potager du Roi est un triomphe de l'homme sur la nature. Ce jardin de 8 hectares se divisait en sections qui créaient une série de microclimats permettant même la culture de melons et de figues. Louis XIV adorait les figues et, en 1687, La Quintinie en livra 4 000 pour la table du roi, quotidiennement. Le centre du potager était occupé par une terrasse surélevée, sur les murs de laquelle on cultivait de la vigne. Elle était divisée en seize plates-bandes qui s'organisaient autour d'un bassin et d'une fontaine installés au centre. Le potager, qui abrite aujourd'hui l'École nationale supérieure du paysage, a récemment fait l'objet de travaux pour retrouver son état d'origine.

☞ Blanc, Carvallo, Jefferson, Le Nôtre, Vogue, Washington

**Jean-Baptiste de La Quintinie. n.** Chabanais (F), 1626. **m.** Versailles, Yvelines (F), 1688.
**Potager du Roi**, Versailles, Yvelines (F), 1677-1683.

# Larsen Jack Lenor

## Le jardin Rouge de LongHouse

Les troncs rugueux de cèdres peints dans le rouge flamboyant des barrières japonaises shinto forment des rangées parallèles ponctuées d'azalées écarlates. Celles-ci s'opposent aux tonalités vertes de l'herbe et des cimes en une perspective dont l'intensité est presque choquante. Cet étonnant travail sur le paysage est l'œuvre de Jack Lenor Larsen qui, pendant plus de cinquante ans, a été l'un des plus grands designers de textiles. Le « Larsen Look » a évolué jusqu'à devenir synonyme de sophistication moderne. La construction de la maison et du jardin débuta en 1986 et, à la fin de 1991, Larsen créa la LongHouse Foundation (devenue LongHouse Reserve) dont le but est de concilier vie et art de concevoir des paysages qui en soient l'expression. Le résultat est un jardin plein de vie et de variété, riche en références locales et lointaines qui s'associent, comme l'amphithéâtre construit sur un ancien fort irlandais circulaire. Des objets trouvés ou recyclés côtoient des œuvres commanditées, et l'ancien et le récent cohabitent judicieusement.

☛ Cao, Child, Duquette, I. Hicks, Majorelle

**Jack Lenor Larsen. n.** Seattle, Washington (EU), 1927.
**Le jardin Rouge de LongHouse**, East Hampton, Long Island, New York (EU), 1986.

# Larsson Carl

## Sundborn

En 1888, le beau-père du peintre suédois Carl Larsson donna, à Carl et à son épouse Karin, une petite ferme en bois, *Lilla Hyttnäs*, sur les rives de la Sundborn. Pendant les vingt années qui suivirent, Larsson va tenir une chronique presque quotidienne de sa maison et de sa vie de famille, à l'aquarelle, qui rassemble des icônes symbolisant le bonheur campagnard et familial de la vie rurale nordique. Le couple Larsson est plus connu pour le style Arts and Crafts simple, léger et aérien, qu'ils mirent au point pour la décoration de leur intérieur, mais le jardin sauvage et romantique joua un grand rôle dans leur existence. Il est le sujet de nombreux tableaux, dont celui-ci, intitulé *The Cottage*. L'œuvre de Larsson est pleine de jardins fleuris, d'arbres chargés de fruits, de plantes en pots, de fleurs coupées et de joyeuses scènes d'extérieur, comme les petits déjeuners en plein air ou la pêche à l'écrevisse. Il appliqua à sa demeure la notion familière du perpétuel changement de la végétation : « Une maison n'est pas morte mais vivante, et comme toute chose vivante, elle doit obéir aux lois des cycles de la nature. »

☞ **Aldington, Monet, Morris, Robinson, Ruskin, Wordsworth**

**Carl Larsson. n.** Stockholm (SUE), 1853. **m.** Falun (SUE), 1919.
**Sundborn** (SUE), 1888-1919. *The Cottage*, aquarelle, 1895.

253

# Lassus Bernard

## Les Buissons optiques

Dans ce jardin réalisé à l'occasion d'une exposition, l'extraordinaire combinaison des couleurs, des textures et des plans successifs s'inspirait d'observations optiques et mathématiques précises. Elles reflètent l'intérêt que porte Bernard Lassus aux jeux entre l'espace imaginaire et ce qu'il appelle « l'espace réel ». Pour Lassus, la superposition des références des différents niveaux de l'histoire et de la culture constitue un autre élément important de son processus créatif. Lassus, qui a travaillé avec Fernand Léger, s'exprime depuis longtemps à travers l'art conceptuel. On le considère aujourd'hui comme un architecte paysagiste et un designer remarquable, ainsi qu'un théoricien et un professeur éminent. Il a réalisé des projets prestigieux comme les jardins des Retours à Rochefort-sur-Mer et a participé à la conception de vastes tronçons du réseau autoroutier français. Mais il lui est aussi arrivé de ne pas être retenu lors de grands concours – dont le réaménagement des Tuileries – comme il aime à le faire remarquer.

☞ **Clément et Provost, Geuze, Hargreaves, Latz, Pepper**

**Bernard Lassus. n.** Chamalières (F), 1929. **Les Buissons optiques**, Niort (F), installation temporaire, 1993.

# Latz Peter

## Installation de brume à Chaumont

Un mystérieux brouillard artificiel enveloppe des lames de pierre assemblées en un alignement du XX<sup>e</sup> siècle à l'occasion du Festival international des jardins organisé au château de Chaumont-sur-Loire, près de Tours. Jardiniers et paysagistes commencèrent à utiliser la brume artificielle – formée par de l'eau vaporisée à haute pression – il y a une vingtaine d'années. Elle fut essentiellement utilisée pour les aménagements à gros budget de certains parcs publics et de jardins prestigieux, mais n'a pas encore fait son apparition dans les jardins privés. Son effet merveilleux et envoûtant estompe les lignes et les éléments du paysage, noyant en un instant l'environnement dans ce qui semble un autre monde. On a déjà eu recours au brouillard artificiel sous des climats très chauds en raison de ses propriétés rafraîchissantes rapides, bien que de courte durée.
Peter Latz est l'un des plus grands architectes paysagiste allemands ; il a dirigé l'aménagement du vaste parc de l'époque postindustrielle dans les anciennes aciéries Thyssen de Duisberg, dans la Ruhr.
☛ **Blanc, Geuze, Haag, Lassus, Toll**

**Peter Latz. n.** (ALL), 1939.
**Installation de brume à Chaumont**, château de Chaumont-sur-Loire (F), début des années 1990.

255

# Le Bas Jacques

## Château de Brécy

Des volutes de buis taillés composent les motifs très épurés de ces deux parterres de broderies. Ces derniers occupent la plus haute des cinq terrasses sises au pied des murs du château de Brécy, qui était autrefois une ferme. Les terrasses s'échelonnent sur une pente qui s'élargit progressivement à mesure qu'elle monte. Une vaste allée centrale conduit à la dernière d'entre elles, ornée de balustrades, ainsi qu'à une monumentale grille d'entrée en fer forgé ouvragé, à travers laquelle on jouit d'une ample perspective sur la campagne alentour. Les pelouses et les arbres à la taille ornementale sont ponctués de statues et de décors en pierre, en harmonie avec les motifs sculptés, en pierre eux aussi, de cette ferme magnifique que certains attribuent à François Mansart, grand architecte classique français (1598-1666). Le propriétaire de Brécy, Jacques Le Bas, était un parent du propriétaire du château de Balleroy, que Mansart dessina entre 1616 et 1636. On ignore la véritable origine des motifs des parterres de broderies, mais il est possible qu'ils aient été inspirés par certains motifs textiles.

☛ **Hardouin-Mansart, Marot et Roman, Poitiers, Sophia**

---

**Jacques Le Bas**. Actif (F), début XVIIᵉ siècle. **Château de Brécy**, Caen (F), début XVIIᵉ siècle.

# Le Blond Jean-Baptiste Alexandre      Domaine de Petrodvorets

Au début du XVIIIᵉ siècle, Pierre le Grand se fit construire par les plus grands architectes de son temps une somptueuse résidence au bord de la Baltique, Peterhof, rebaptisée domaine de Petrodvorets après 1944. Depuis les bassins du parc supérieur qui entourent le palais, l'eau descend les marches de marbre d'une cascade triomphale jusqu'à un bassin au milieu duquel trône la statue-fontaine de Samson terrassant le lion, célébration allégorique de la victoire des Russes contre les Suédois à la bataille de Poltava (le jour de la fête de Samson en 1709 ) qui leur rendit le droit d'accès à la mer Baltique. L'eau emprunte ensuite un canal flanqué de fontaines jusqu'à la mer. Avec ses trois cascades et plus de 150 fontaines, dont certaines comptent parmi les plus belles « fontaines-surprises » encore existantes, Petrodvorets est l'un des plus beaux jardins d'eau du monde. Pierre le Grand, qui voulait imiter et surpasser Versailles, influença l'aménagement, mais Le Blond, élève de Le Nôtre, prenant la suite de Braunstein, marqua le parc par ses interventions magistrales au cours des années 1716-1719.

☛ **Hardouin-Mansart, Le Nôtre, Pierre II**

**Jean-Baptiste Alexandre Le Blond. n.** Paris (F), 1679. **m.** Saint-Pétersbourg (RUS), 1719.
**Domaine de Petrodvorets**, environs de Saint-Pétersbourg (RUS), 1716-1719.

# Le Corbusier

## Villa Savoye

Ce solarium situé sur le toit en terrasse de la villa Savoye fut conçu pour favoriser les effets bénéfiques du soleil sur les corps nus. Le Corbusier considérait que les toits ou les terrasses étaient les meilleurs emplacements pour les jardins et se conformait à une attitude non interventionniste par rapport au paysage environnant. À la villa Savoye, une gamme limitée de plantes, en majorité des espèces à feuilles persistantes, orne des parterres surélevés le long d'une enfilade de terrasses ouvrant directement sur les espaces de vie à l'intérieur. Pour Le Corbusier, espaces intérieurs et extérieurs avaient la même importance et il se référait volontiers à la tradition islamique qui pratique une progression par étapes d'un lieu à un autre. Des perspectives relativement éloignées – ici, des groupes d'arbustes – furent incorporées dans ce cadre grâce à un cloisonnement classique. Le Corbusier a dessiné plusieurs terrasses dans ce même style, ainsi que quelques jardins au sol, dont ceux de la villa Church et de la villa « Les Terrasses », où des allées tortueuses conduisent sous des arbres vers des cours pavées.

☞ Guevrékian, Mies van der Rohe, Sennachérib, Tunnard

**Le Corbusier (Charles-Édouard Jeanneret). n.** La Chaux-de-Fonds (SUI), 1887. **m.** Cap Martin (F), 1965.
**Villa Savoye**, Poissy, Yvelines (F), 1929-1931.

# Legrain Pierre-Émile

## Jardin Tachard

Une allée moderniste et sophistiquée zigzague au milieu du jardin conçu pour la collectionneuse d'art africain Jeanne Tachard. À la fois asymétrique et fluctuante, elle est un bon exemple de ce style de jardin aujourd'hui disparu. Pierre-Émile Legrain était un designer très en vue dans les années 1910 et 1920, spécialisé dans les aménagements intérieurs, le mobilier et les livres. Ce jardin est le seul qu'il dessina. Le projet de Legrain était original par son emploi délibérément inabouti de formes géométriques irrégulières et de différences de niveaux, censées créer une variété de tons de vert et accentuer les textures des plantes. Le plan comprend une série de pièces de jardin, incluant une salle à manger de plein air dont la rigueur impersonnelle est brisée par des motifs originaux décentrés. Legrain tranchait avec ses contemporains modernistes en raison de son amour et de sa compréhension des plantes : le jardin Tachard était orné d'une voluptueuse arcade de roses rouges grimpantes qu'il décrivait comme « un sacrifice au charme ».

☛ Church, Eckbo, Kiley, Mallet-Stevens, Noailles, Rose

**Pierre-Émile Legrain**. n. Levallois-Perret, Hauts-de-Seine (F), 1889. m. Paris (F), 1929.
**Jardin Tachard**, La Celle-Saint-Cloud, Yvelines (F), 1924.

# Leinster I<sup>ers</sup> duc et duchesse de

Carton

Des jardiniers égalisent au rouleau une allée, tandis que le duc et la duchesse de Leinster s'embarquent sur leur rivière artificielle récemment créée. Sa forme serpentine devint l'un des motifs prédominants des paysages du XVIII<sup>e</sup> siècle, dont l'exemple le plus célèbre est le lac Serpentine de Hyde Park, à Londres. Le peintre anglais William Hogarth avait déjà décrété que la ligne serpentine était « la ligne de la beauté » par excellence. Le duc et la duchesse de Leinster dessinèrent l'un des plus importants et des plus grands parcs paysagers d'Irlande. Commencé en 1747, cet immense projet

impliquant le transport de quantité de terre, la création d'un lac et des plantations sur plus de 445 hectares, fut achevé par leur fils, en 1837. Parmi les édifices ornementaux du parc, on admire la Shell House, datant des années 1760, décorée de motifs en coquillages, de spécimens géologiques et de pommes de pin sculptées. Au cours des années 1830, on aménagea un lac artificiel et un jardin à l'italienne en face de la demeure.

☞ Brown, Emes, Goldney, Kent

**James, I<sup>er</sup> duc de Leinster. n.** Dublin (IRL), 1722. **m.** Dublin (IRL), 1773. **Emilia, I<sup>re</sup> duchesse de Leinster. n.** Londres (RU), 1731. **m.** Londres (RU), 1814. **Carton**, comté de Kildare (IRL), 1747-1837.

# Lenné Peter Josef

## Pfaueninsel

L'île enchantée de Pfaueninsel se trouve dans les lacs Havel, à l'ouest de Berlin. Elle fait partie de l'ensemble paysager que Lenné dessina pour Berlin et Potsdam au cours des années 1820 et 1830. Cette étrange folie blanche imitant un château en ruines est plus ancienne ; elle fut construite pour Gräfin Lichtenau, la maîtresse de Frédéric Guillaume II de Prusse, en 1796. Le château est visuellement relié aux palais et monuments dispersés tout autour des lacs. C'est Frédéric Guillaume III qui commanda l'aménagement de cette île à Lenné, en 1822, en lui demandant de rester en harmonie avec les lacs environnants. Unique tenant du mouvement paysagiste en Allemagne, Lenné l'éleva à un degré d'esthétisme jamais atteint à une époque où les Anglais, pourtant inventeurs du concept, avaient déjà adopté d'autres styles d'aménagement de jardin. Pour Pfaueninsel, Lenné s'inspira du jardin des Plantes, à Paris, et introduisit des espèces rares venant du monde entier. Si son chef-d'œuvre incontesté reste Sans-Souci, Pfaueninsel est le plus magique et le plus paisible des jardins d'Allemagne de l'Est.

☛ **W. Aislabie, Frédéric II, Hamilton, Monteiro et Manini**

**Peter Josef Lenné. n.** Bonn (ALL), 1789. **m.** Potsdam (ALL), 1866. **Pfaueninsel**, environs de Berlin (ALL), 1822.

# Lennox-Boyd Arabella

## Jardin privé

Cet élégant petit jardin de buis taillé fait partie d'un jardin privé d'Ascott, où Arabella Lennox-Boyd a dessiné un jardin à la française, riche en idées délicates et originales. La sûreté dont elle témoigne face à ce style et sa capacité à le porter bien au-dessus du simple pastiche historique tiennent peut-être à ses origines italiennes. Les haies de buis taillés relativement importantes incluent des sphères basses dont la forme et la taille évoquent celle du bassin central, et donnent à l'ensemble une atmosphère de félicité harmonieuse. Dans ce jardin, Arabella Lennox-Boyd prouve son talent de botaniste à la manière anglaise, bien qu'elle ne se départisse jamais d'une certaine rigueur dans le dessin d'ensemble. Elle innove en choisissant le noir absolu comme couleur décorative des éléments construits. Rehaussé par la végétation, il n'est nullement funéraire. Au cours des années 1980 et 1990, Arabella Lennox-Boyd s'est révélée être la première paysagiste de jardins d'agrément en Grande-Bretagne.

☞ Acton, Barnsley, Marot et Roman, Page, Pinsent, Trezza

**Arabella Lennox-Boyd.** Active à la fin du XXᵉ et au début du XXIᵉ siècle.
**Jardin privé**, Ascott, Wing, Buckinghamshire (RU), vers 1990.

# Le Nôtre André

## Château de Versailles

Eau, ciel, arbres, sculptures, fleurs à profusion, pelouses, tailles ornementales, immenses perspectives, plans horizontaux, différences de niveaux : André Le Nôtre a manipulé tous ces éléments pour créer ce qui est peut-être le plus grand de tous les jardins à la française de sa longue carrière (soixante ans). Sa maîtrise du traitement de l'espace est évidente au château de Versailles, où le visiteur accède au bassin d'Apollon à l'extrémité du monumental tapis vert, avec l'impression que ce domaine s'étend au-delà du Grand Canal, apparemment jusqu'à l'infini. À Versailles, Le Nôtre travailla à une échelle moins imposante pour les bosquets. Chacun contenait une surprise : une salle de bal sur l'eau, un géant doré à demi enterré, et des fontaines magnifiquement élaborées. Il créa nombre d'autres jardins de châteaux offrant d'immenses espaces – Vaux-le-Vicomte et Sceaux – mais aucun ne peut rivaliser avec Versailles par l'échelle et l'ambition.

☛ Boyceau, Duchêne, Francini, Gallard, Hardouin-Mansart

André Le Nôtre. n. Paris (F), 1613. m. Paris (F), 1700. **Château de Versailles** (F), 1662-1700.

# Libeskind Daniel

## Jardin E. T. A. Hoffman

S'élevant au-dessus d'une surface en pente, quarante-neuf blocs en forme de tessons sont disposés en sept rangées de sept piliers. Des branches d'olivier, symbolisant la paix et l'espoir, émergent du sommet de chaque colonne. On pénètre dans le jardin de l'Exil et de l'Émigration par le niveau inférieur du Musée juif de Berlin, en suivant l'un de ses trois axes : le plus long, l'axe de la Continuité, mène par un escalier très raide jusqu'aux expositions concernant l'époque actuelle et le futur ; le second accède au jardin de l'Exil, et le troisième se termine en impasse avec la tour de l'Holocauste. Daniel Libeskind, l'architecte, a assimilé le dessin du bâtiment du musée, recouvert de panneaux de zinc, à une étoile de David déconstruite, dont les vides et les pointes reflètent les expériences sensorielles et émotionnelles. Ce concept se poursuit dans le jardin dont le sol, incliné et pavé, désoriente et destabilise les visiteurs.

☞ **Gehry, Guevrékian, Harrison, Johnson**

**Daniel Libeskind. n.** Lodz (POL), 1946. **Jardin E. T. A. Hoffman (le jardin de l'Exil et de l'Émigration)**, Berlin (ALL), 1999.

# Ligne Prince Claude-Lamoral II de

## Château de Beloeil

La géométrie rigoureuse du jardin à la française classique se déploie dans toute son harmonie et sur une grande échelle au château de Beloeil, en Belgique. De chaque côté d'un grand lac de 450 m de long terminé par une statue de Neptune à l'une de ses extrémités, est disposé une série d'enclos séparés par des haies de charmes. Ces jardins furent dessinés au XVIIIᵉ siècle par le prince Claude-Lamoral II de Ligne. Le jardin principal couvre 20 hectares. Les rangées d'arbres bordant le lac sont interrompues par des allées ouvrant sur une variété de perspectives en enfilade.

Bien que l'on puisse attribuer les plans de Beloeil au prince Claude-Lamoral et son exécution à Jean-Michel Chevotet, c'est au prince Charles-Joseph de Ligne, le fils de Claude-Lamoral, que le nom de ce château est le plus souvent associé. Son traité, *Un coup d'œil sur Beloeil*, parle de ce jardin avec amour. Ses propos sont d'autant plus poignants que la victoire des Français à Fleurus, en 1794, le contraignit à un exil dont il ne devait jamais revenir.

☞ Arenberg, Gallard, Le Nôtre, Philippe V d'Espagne

Prince Claude-Lamoral II de Ligne. n. 1685. Actif (B), milieu XVIIIᵉ siècle. m. 1766.
Château de Beloeil, environs de Leuze (B), milieu du XVIIIᵉ siècle.

# Ligorio Pirro

## Villa d'Este

L'allée des Cent Fontaines est le monument le plus connu des spectaculaires jardins Renaissance de la villa d'Este. Elles sont disposées par groupes de trois, et leur effet dépend de leur échelle, de leur géométrie, et de leur répétition sur les différents niveaux. Cette villa fut construite sur une colline escarpée des environs de Tivoli pour le cardinal Ippólito d'Este, célèbre collectionneur et amateur d'antiquités, qui briguait la papauté. Il choisit comme architecte l'érudit humaniste et classique Pirro Ligorio, à qui l'on attribue généralement l'allée des Cent Fontaines. Ligorio, peintre, architecte et archéologue, eut une immense influence sur le dessin des jardins de la Renaissance. Il a établi un style de maison-et-jardin intégrés, qui resta la pierre angulaire de l'architecture pendant 250 ans. Ces jardins figurent parmi les mieux préservés et la villa d'Este est par conséquent riche en enseignements sur le paysagisme de la Renaissance.

☛ **Bushel, I. Caus, Garzoni, Mozzoni, Nazarite**

**Pirro Ligorio. n.** Naples (IT), 1513. **m.** Ferrare (IT), 1583. **Villa d'Este**, Tivoli, Latium (IT), vers 1560-1575.

# Linden Ton ter

## Jardin Ton ter Linden

Des couleurs subtiles et chatoyantes composent cette bordure dans le jardin de Ton ter Linden. Il y a trente ans, le peintre amstellodamien Ton ter Linden fit l'acquisition d'une ferme et d'un pré dans une paisible zone rurale des Pays-Bas. Il y planta des coupe-vent et des haies pour déjouer la fureur des vents qui balaient ce plat pays, et pour offrir une délicate structure à son jardin. Il conjugua des techniques comme le désherbage sélectif, utilisé dans l'entretien du parc J. P. Thijsse d'Amstelveen, qu'il appréciait, et son amour pour la peinture impressionniste

dans une série de pièces de jardin et de bordures d'une ineffable beauté. Quand il jardine, Ton ter Linden se fie à sa connaissance des herbacées, à leurs besoins, leurs habitudes, leurs couleurs, leurs formes et leurs textures, bien plus qu'à des plans élaborés sur le papier. Il assemble la végétation d'une manière spontanée qui pourrait presque paraître arbitraire. Le résultat est une nature enrichie, d'une surprenante beauté.

☞ **Monet, Pearson, Ruys, Thijsse**

**Ton ter Linden**. Actif (PB), fin xx$^e$ siècle. **Jardin Ton ter Linden**, environs de Meppel (PB), vers 1980.

# Lindsay Norah

## Sutton Courtenay

« Sans grandeur, mais non sans rigueur », les propres mots de Norah Lindsay, écrits en 1931, ont saisi l'essence de la luxuriance fortuite de son jardin intemporel, avec ses topiaires taillées en flèches qui émergent au-dessus des bouquets de plantes à feuilles persistantes. Cependant, malgré une apparence de joyeux abandon, Norah Lindsay, qui était une disciple de Gertrude Jekyll, orchestra soigneusement le jeu des couleurs et l'arrangement des formes et des feuillages. Imaginant le jardin comme un univers romantique et théâtral, Lindsay agrémenta le plan de base par des semis spontanés. Son sens inné du style et du bon goût lui valut une important clientèle fortunée au cours des années 1920 et 1930, dont les Astor, à Cliveden, et lord Lothian, à Blickling. Elle aida Lawrence Johnston, dont elle était très proche, à concevoir sa « jungle de beauté » d'Hidcote. La flamboyance naturelle de Lindsay compensa la timidité de Johnston.

☞ Beaumont, Farrand, Fish, Jekyll, Johnston, M. Rothschild

# Lloyd Christopher

## Great Dixter

Christopher Llyod est devenu célèbre pour les plantations expérimentales et iconoclastes de son jardin de Great Dixter, à la lisière du Kent et du Sussex, en Angleterre. Il y a passé toute sa vie. Son père, Nathaniel Llyod, avait conçu la structure simple de ce jardin en plantant de solides haies d'ifs comme un complément à la maison dessinée par Lutyens. Llyod a maintenu ce cadre rigoureux mais a laissé les plantes s'exprimer librement pendant plus de quarante ans à travers le jardin. Lloyd est un botaniste plein d'imagination. Ses articles, ses conférences et ses livres (notamment *The Well-Tempered Garden*, 1970) en ont fait l'un des jardiniers les plus connus dans le monde, et ses innovations de Great Dixter – dont le jardin exotique qui a remplacé une roseraie classique – ont eu beaucoup d'influence. Mieux que tout autre jardinier contemporain, Lloyd a démontré que la botanique est une forme d'art à part entière. Ici, les formes, couleurs et textures toujours changeantes témoignent de sa maîtrise de cet art.

☛ Chatto, Kingsbury, Lutyens, Oudolf, A. Parsons

**Christopher Llyod. n.** Great Dixter (RU), 1921. **Great Dixter**, Sussex (RU), années 1950.

269

# London George

## Hanbury Hall

Ce jardin récemment restauré, à Hanbury Hall, est un bel exemple de l'inspiration classique hollandaise qui a dominé les jardins anglais à la fin du XVIIᵉ siècle. Conçu par George London et son partenaire Henry Wise, il prouve que ce style n'était pas nécessairement austère et impersonnel. Sa restauration s'appuya sur un plan datant de 1732. Une sélection de plantes aux couleurs vives comme les soucis, la lavande, les œillets, les tulipes, les giroflées et les iris, espèces disponibles au XVIIIᵉ siècle, se déploie en une joyeuse exubérance que l'on contemple à merveille depuis la Long Gallery en brique rouge qui occupe l'un des angles surélevés de ce parterre divisé en quatre parties. On s'accorde à penser que London a travaillé seul ici. Le verger situé au-delà des plates-bandes, avec ses deux petits pavillons à treillages au milieu des traditionnels pommiers, groseilliers et groseilliers épineux dans les bordures, est un reflet de ses connaissances de botaniste.

☞ **Colchester, Marot et Roman, Wise**

**George London**. **n.** 1681. **m.** Londres (RU), 1714. **Hanbury Hall**, Worcestershire (RU), 1701.

# Londonderry Edith, 7ᵉ marquise de

La terrasse des Dodos, avec ses représentations d'animaux en béton à la fois fantastiques et réels, se distingue à travers la végétation hautement fantaisiste d'un parterre à l'italienne. Mount Stewart, l'un des parcs les plus importants réalisés pendant les années 1920, offre une combinaison fort complexe de différents jardins. À la française autour de la maison, ils deviennent exotiques grâce aux bosquets et buissons qui entourent le lac aux contours irréguliers, créé entre 1846 et 1848. Les perspectives sont masquées par une colline dominant le plan d'eau ; elle abrite le cimetière familial dessiné par lady Londonderry sur le modèle des Tír na nòg, la Terre de la jeunesse éternelle des Celtes. Gertrude Jekyll fit les plans du jardin encaissé proche de la maison, mais, au moment de leur exécution, lady Londonderry les modifia à sa manière inimitable. Les soins que le National Trust prodigue à Mount Stewart confirment l'importance de ce jardin à son époque.

☛ Acton, Barry, Bowes-Lyon, Pearson et Cheal, Peto, Sitwell

**Edith, 7ᵉ marquise de Londonderry. n.** (IRL), 1879. **m.** (IRL), 1959.
**Mount Stewart**, comté de Down, Irlande du Nord (RU), vers 1922.

# Loos Adolf

## Maison Müller

En regardant cette esquisse d'une maison privée et de son jardin, on se demande pourquoi Adolf Loos fut considéré comme un architecte extravagant au début du xxᵉ siècle. Il paraît évident aujourd'hui que le fondateur de l'architecture prolétarienne appartient à la même tradition humaniste que les dessinateurs des jardins de la Renaissance italienne. On y retrouve une égale insistance sur la ligne et la perspective, sur la pureté et l'économie de l'effort. Loos pensait non seulement que l'ornement n'était pas nécessaire (son célèbre « l'ornement, c'est le crime ») mais qu'il était nuisible car il faisait appel à la sensualité ; il ne tolérait que les massifs de persistants pouvant servir d'abris. Loos considérait que la simplicité de ces jardins, même si elle risquait ne pas combler les amateurs de belles plantes, favorisait une certaine spiritualité. Il préférait la pureté à la fantaisie : le jardin moderne devait se concentrer sur les réalités de l'âme en éliminant toute fioriture. La logique de Loos était incontestable, mais d'aucuns soutiennent que les résultats ne peuvent être qualifiés de jardins.

☛ **Bramante, Le Corbusier, Mies van der Rohe, Nordfjell**

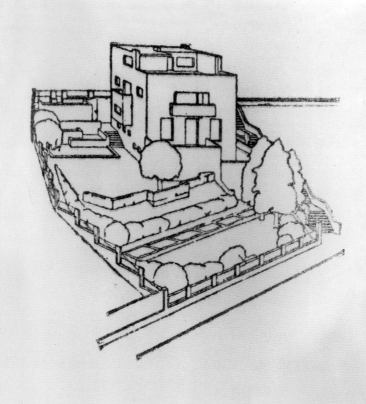

**Adolf Loos. n.** Brno (TCH), 1870. **m.** Vienne (A), 1933. **Maison Müller**, Prague (TCH), 1930.

# Lorimer Sir Robert Stodart — Château de Kellie

Bien que « les fleurs, les fruits et les légumes soient ici mélangés », cette section du jardin est dominée par deux bordures jumelles de plantes herbacées que soulignent des haies de buis et des tonnelles de roses. C'est l'une des sections du jardin clos de murs de pierre que sir Robert créa pour son père. Achevé en 1888, il est empreint d'un esprit très XVII$^e$ siècle, en harmonie avec le château restauré qui, selon l'inscription gravée au-dessus de la porte, « ayant été nettoyé de ses corbeaux et de ses chouettes, est désormais voué à l'honorable repos succédant au labeur ». Après ses études d'architecture, Lorimer se consacra à des projets de jardins s'inspirant de la pré-Renaissance ou des jardins d'agrément écossais du XVII$^e$ siècle, avec des haies hautes et épaisses, des arbres taillés en topiaires, des pelouses, des allées de gazon, des massifs de plantes à feuilles persistantes, des parterres et des kiosques. Bien que moins extraverti, Lorimer fut l'équivalent écossais de sir Reginald Blomfield, le maître du jardin anglais formel. La plus célèbre commande de sir Robert fut Earlshall (1891-1894).

☛ Beaumont, Blomfield, Drummond, Egerton-Warburton

Sir Robert Stodart Lorimer. n. (RU), 1864. m. (RU), 1929. **Château de Kellie**, Fife (RU), 1888.

# L'Orme Philibert de

## Château d'Anet

Le jardin que Philibert de l'Orme dessina pour Diane de Poitiers, maîtresse d'Henri II, était célèbre pour sa symétrie et sa relation avec la demeure. La symétrie apparaît très clairement sur cette gravure, à la fois dans l'agencement des parterres fleuris et dans celui des plantations. (On aimerait imaginer que la dame admirant les tulipes est Diane de Poitiers en personne, mais cette image est une évocation tardive de ce jardin.) On apprécia beaucoup Anet en son temps parce que le château était aligné sur l'axe principal du parc qui se composait d'un grand parterre renfermant lui-même d'autres parterres plus petits, rectangulaires et carrés, entourés par une galerie de pierre surmontée d'une terrasse courant sur toute sa longueur. Anet devint très célèbre après la publication de l'ouvrage d'Androuet du Cerceau, *Les Plus Excellents Bastiments de France*, en 1576, qui proposait des vues détaillées de presque tous les jardins royaux et aristocratiques de France au XVIᵉ siècle.

☛ Du Cerceau, Gallard, Landsberg, More, Poitiers, Serlio

**Philibert de l'Orme. n.** Lyon (F), vers 1512. **m.** Paris (F), 1570. **Château d'Anet** (F), 1548-1554.

# Lotti Cosimo

## Jardins de Buen Retiro

Jalonnée de statues des têtes couronnées, l'avenue des Statues conduit depuis l'une des entrées principales au cœur du plus grand parc de Madrid. Le palais et le domaine, qui faisaient autrefois partie d'une résidence de campagne, datent du milieu du XVIIe siècle. Les jardins furent agrandis et aménagés en 1628 par Cosimo Lotti qui vint de Florence à la demande du roi Philippe IV. Un incendie détruisit le palais. Du jardin de cette époque, il ne subsiste que la grandiose pièce d'eau carrée et le vaste lac, dont l'île servait autrefois de lieu de divertissements en plein air. Cet ancien terrain de jeu pour les rois et les reines devint un parc public au milieu du XIXe siècle. La principale allée carrossable qui fait le tour du parc était empruntée une fois par an par la famille royale lors de sa visite aux différents ermitages dispersés sur les 121 hectares, pour verser l'allocation annuelle accordée aux ermites. Parmi les sculptures les plus impressionnantes, on notera la *Statue de l'Ange déchu*, qui, dit-on, est, au monde, la seule représentation sculpturale de Lucifer.

☛ **Pierre II, Philippe II, Philippe V, Shenstone**

**Cosimo Lotti. n.** Florence (IT), vers les années 1570. **m.** Buen Retiro, Madrid (ESP), 1643.
**Jardins de Buen Retiro**, Madrid (ESP), 1628.

# Loudon John Claudius

## Arboretum de Derby

L'importance de ce plan réside moins dans son agencement que dans le fait qu'il fut celui du premier grand parc public jamais dessiné en Grande-Bretagne. Ce site de 4,4 hectares fut donné à la population de Derby par le philanthrope Joseph Strutt, et le parc ouvrit en septembre 1840. L'entrée était libre deux jours par semaine (dont le dimanche) et, moyennant une somme modique, le reste du temps. Loudon, à qui l'on doit l'aménagement de cet arboretum, avait visité des promenades et des parcs publics au cours de ses voyages en Europe et était convaincu de leur importance dans la réforme sociale, car ils permettaient de « promouvoir la bienséance, le bon ordre et l'instruction de la population ». L'arboretum de Derby se composait pour l'essentiel d'une collection d'arbres agencés selon un principe cher à Loudon, le « gardenesque » : les plantes étaient disposées de manière à ce qu'elles expriment au mieux leurs qualités spécifiques sans chercher à dissimuler l'intervention de l'homme, contrairement aux grands paysages naturalistes du XVIIIᵉ siècle.

☛ Olmsted, Paxton, Switzer, Thays

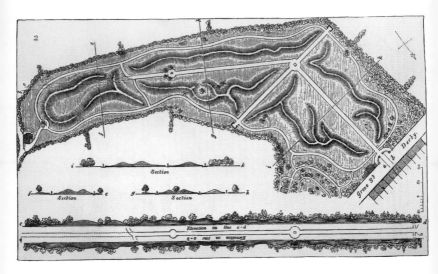

**John Claudius Loudon. n.** (RU), 1783. **m.** Londres (RU), 1843. **Arboretum de Derby**, Derby (RU), 1840.

# Lumley Lord

## Palais de Nonsuch

Cette gravure de 1610, par John Speed, montre les salons d'apparat de la façade sud du palais de Nonsuch. Les scènes inspirées de l'histoire classique et de la mythologie forment une toile de fond à ce qui était sans doute la plus belle partie de ce domaine, le Privy Garden. Il s'organisait en plants de roses, de troènes et de plantes herbacées. Des fontaines de marbre et une ménagerie de sculptures animalières placées sur des colonnes marquaient les intersections des allées. Les somptueux palais et jardins Renaissance de Nonsuch, dessinés à l'origine pour servir de pavillon de chasse à

Henry VIII et remodelés par lord Lumley de 1579 à 1591, étaient censés éclipser Hampton Court et Whitehall en tant que monument à la grandeur de sa majesté. Les visiteurs de Nonsuch s'émerveillaient devant les jardins d'agrément entourant le palais qui comprenaient le Privy Garden, un verger et un potager. À l'ouest s'étendait la Jungle, savamment mise en scène, avec ses sentiers conduisant au bosquet de Diane et d'Actéon. Malheureusement, le palais et les jardins ont été démolis en 1682.

☛ Jones, More, Guillaume III, Wise

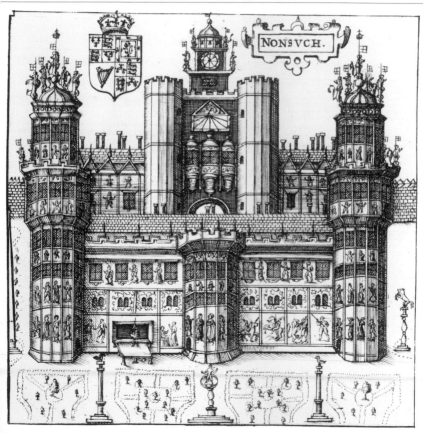

**Lord Lumley.** Actif à la fin du XVIᵉ siècle.
**Palais et jardins de Nonsuch**, environs de Cheam, Surrey (RU), 1579-1591, gravure de John Speed, 1610.

# Lurçat André

## Villa Bomsel

Ce jardin de la villa Bomsel, vu ici depuis le deuxième étage de la maison, était l'une des tentatives malheureuses réalisées au cours des années 1920 et 1930 pour créer un prototype de jardin pouvant s'harmoniser avec l'architecture moderniste. Le dessin d'André Lurçat, prévu pour être vu d'en haut (il n'existe aucun accès au rez-de-chaussée), comprenait un parterre géométrique irrégulier de pelouses tondues et de fleurs, que séparaient des sentiers de gravier et une allée d'eau bordée de glaïeuls. Il tenta d'unifier l'ensemble par le choix des matériaux, comme les plaques de béton choisies pour les éléments aquatiques et les bancs, considérés comme des objets décoratifs en soi. Contrairement à la majorité de ses contemporains modernistes, Lurçat s'intéressait à l'horticulture : les panneaux de béton bleu clair s'ornaient de roses grimpantes et des arbres fruitiers en espaliers habillaient les murs.

☞ Le Corbusier, Legrain, Noailles, Vera, Guillaume III

**André Lurçat. n.** Bruyères, Vosges (F), 1894. **m.** Sceaux, Hauts-de-Seine (F), 1970.
**Villa Bomsel**, Versailles, Yvelines (F), 1926.

# Lutsko Ron

## Ranch de Stoney Hill

Entre le sentier en dalles de grès aux bords irréguliers et les collines bleutées qui se profilent dans le lointain, le regard se porte sur une profusion de « strates » visuelles. Le dessin géométrique de la pelouse et de l'allée est « grignoté » sur son pourtour pour signifier que l'on passe de l'architecture de la maison à un paysage sauvage. À mi-chemin, des touffes de lavande plantées en quadrillages rappellent la végétation d'origine, grise et rabougrie, et font écho aux motifs tracés par les cultures dans cette partie de la Californie. Plus loin, les stipes mettent en valeur le rythme des collines alentour.

Dans une autre partie du jardin, Ron Lutsko a planté des pans entiers de fleurs locales et utilisé une végétation supportant la sécheresse. Lutsko se passionne pour la flore indigène et pour la beauté naturelle ainsi que pour la diversité de la Californie. Défenseur des projets modernes et puissants qui ne cherchent pas à masquer leurs intentions, Lutsko est l'héritier direct de la tradition paysagiste américaine de Thomas Church et Garrett Eckbo.

☞ **Church, Eckbo, Hargreaves, M. Rothschild, de Vesian**

---

**Ron Lutsko. n.** Californie (EU), 1952. **Ranch de Stoney Hill**, baie de San Francisco, Californie (EU), 1991.                     279

# Lutyens Sir Edwin

## Folly Farm

Folly Farm recèle des éléments typiques du style de Lutyens : des marches semi-circulaires adoucies par des plantations, des haies architecturées qui invitent à passer dans d'autres parties du jardin, le célèbre banc qu'il dessina lui-même, un pavement de briques à motifs en chevrons, une maison Arts and Crafts en brique rouge couronnée de cheminées massives. En partenariat avec Gertrude Jekyll, Lutyens a composé quelque soixante-dix jardins, qui comptent parmi les intégrations maison-jardin les plus réussies du XXᵉ siècle. En général, Lutyens dessinait un cadre architectural strict et une série de perspectives classiques auxquels Gertrude Jekyll faisait des ajouts, adoucissant les contours par des plantations aux tonalités recherchées. Lutyens était particulièrement doué dans l'utilisation classique de l'eau ; Folly Farm s'enorgueillit d'un bassin inspiré de la tradition indienne et d'un jardin de canaux. Son œuvre la plus ambitieuse est sans conteste le magnifique jardin d'inspiration moghole qu'il réalisa pour le résidence des vice-rois à New Delhi, en Inde.

☞ **Jekyll, Lloyd, Mallet, Mawson**

**Sir Edwin Lutyens. n.** Londres (RU), 1869. **m.** Londres (RU), 1944. **Folly Farm**, Berkshire (RU), 1912.

# MacDonald-Buchanan Famille

Cottesbrooke Hall

Une longue allée de gazon bordée de pieds-d'alouettes, d'herbe-aux-chats et de campanules, franchit des grilles en fer forgé dont les piliers sont surmontés de griffons en pierre, et débouche sur une vaste pelouse. Cette terrasse ensoleillée orientée plein sud est l'un des nombreux jardins aménagés par les MacDonald-Buchanan autour de cette maison depuis qu'ils s'y sont établis en 1937. Un parterre ornemental d'ifs taillés disposé en face de l'entrée principale et l'allée de statues adjacente composent un surprenant prélude à la française pour cette demeure qui se fond ensuite dans un vaste jardin anglais digne de Repton, avec son lac oblong qu'enjambe un pont à cinq arches datant de 1770. Sir John Langham a construit Cottesbrooke Hall et aménagé les jardins pendant la première décennie du XVIII siècle. Sylvia Crowe et Geoffrey Jellicoe figurent parmi les paysagistes qui ont travaillé à Cottesbrooke Hall.

☛ Crowe, Egerton-Warburton, Jellicoe, Repton

Famille MacDonald-Buchanan. Active (RU), XXᵉ siècle. **Cottesbrooke Hall**, Northamptonshire (RU), 1937.

# Mackenzie Osgood

## Inverewe

Ce mélange de fougères verdoyantes et d'érythrines dégage une luxuriance subtropicale qui résume la somptuosité de ce jardin. Pourtant, c'est sur une petite péninsule très venteuse à l'extrémité de la côte nord-ouest de l'Écosse qu'Osgood Mackenzie commença son jardin de 800 hectares, en 1862, avec seulement deux saules nains. Après avoir protégé son domaine par la plantation de parcelles boisées, Mackenzie découvrit qu'il avait réuni les conditions idéales pour faire pousser certaines espèces délicates capables de prospérer sous le microclimat créé par le Gulf Stream. Ce jardin fut agencé pour tirer le meilleur parti de la topographie. Des sentiers mènent à divers espaces ouverts au cœur des parties boisées, que Mackenzie a enrichis d'une incroyable variété de plantes exotiques rares originaires de Chine, d'Amérique du Sud, d'Australie, de Nouvelle-Zélande et de l'Himalaya. Les jardins abrités, comme Inverewe ou certains autres de Cornouailles, ont ont été des laboratoires expérimentaux pour ces nouvelles espèces.

☞ **La Quintinie, Smit, Smith, Tyrwhitt**

Osgood Mackenzie. n. (RU), 1842. m. (RU), 1922. **Inverewe**, Poolewe, Ross et Cromarty (RU), 1862.

# Maderno Carlo

## Villa Aldobrandini

La lumière du soleil couchant révèle le déploiement dramatique des nymphées et du théâtre d'eau construits entre le mur de soutènement jouxtant la villa Aldobrandini et la colline escarpée de Frascati. Édifiée entre 1598 et 1603 pour l'un des neveux du pape Clément VIII, cette villa est baroque dans son exubérance et passe du formalisme à la nature indomptée. Autrefois, de l'eau amenée par des canalisations jaillissait d'une grotte située très haut sur les pentes boisées, redescendait bruyamment en une succession de cascades vers des piliers jumeaux en forme

de toboggan, puis empruntait un escalier d'eau pour émerger à nouveau dans une niche autour du globe d'Atlas. Comme toujours, on obtenait la meilleure vue depuis les étages supérieurs de la villa. Ici, c'est Maderno qui acheva le travail de l'architecte Giacomo Della Porta. Visitée par John Evelyn en 1645, Aldobrandini devint une halte obligatoire du Grand Tour des jardins italiens, et l'on en trouve certaines résonances dans les cascades édifiées par William Kent à Rousham et Chiswick.

☞ **Kent, Ligorio, Mansi, Tribolo**

**Carlo Maderno. n.** Copelago (IT), 1556. **m.** Rome (IT), 1629. **Villa Aldobrandini**, Frascati (IT), 1598-1603.

# Majorelle Jacques

## Jardin de Majorelle

De l'eau, de l'ombre et un ensemble où dominent le vert et le bleu composent la retraite rafraîchissante de Majorelle, qui offre un répit appréciable à l'abri de l'ardeur du soleil marocain. Ce jeu de couleurs, à la fois hardi et subtil, révèle le goût de son créateur, le peintre français Jacques Majorelle, qui dessina ce jardin au cours des années 1920 dans le style hispano-mauresque avec des canaux, des fontaines, des kiosques à *moucharabia* et une végétation dense, digne de Rousseau. Ce lieu est unique parmi les jardins d'artistes en raison de l'intensité de la palette utilisée tant pour la flore que pour l'architecture. La ferronnerie, les fenêtres et les pots sont jaune vif, les allées rouges, roses ou bleues, tandis que des bougainvillées vermillon et fuchsia couvrent les murs et les treilles. On retrouve partout ce bleu cobalt lumineux connu sous le nom de « bleu Majorelle », qui unifie l'ensemble et rehausse les autres couleurs. Ce jardin a été arraché de l'abandon par Pierre Bergé et le couturier Yves Saint Laurent à la fin des années 1960.

☞ **Barragán, Gehry, Greene, Manrique, Page, Yturbe**

**Jacques Majorelle. n.** Nancy (F), 1886. **m.** 1962. **Jardin de Majorelle**, Marrakech (MAR), années 1920.

# Mallet Famille

## Les Bois des Moutiers

Rhododendrons, hortensias et autres plantes de terre acide prospèrent à l'abri des arbres des Bois des Moutiers, en bordure de mer. S'opposant à ce paradis de plantes naturaliste, les jardins se structurent progressivement à mesure que l'on remonte la vallée en direction de la maison. De charmantes « pièces de verdure » dessinées par Gertrude Jekyll se succèdent et s'articulent grâce aux pergolas, aux volées de marches, aux grilles et aux kiosques de Lutyens. Les Bois des Moutiers furent commandités en 1898 par Guillaume Mallet, banquier éclairé, et son épouse, tous deux passionnés de nature. C'est un parfait exemple de la totale réussite d'un partenariat entre architecte paysagiste, dessinateur de jardins et propriétaires. Lutyens, Jekyll et les Mallet travaillèrent en étroite collaboration à chaque étape du projet, même si le jardin boisé fut conçu par la famille Mallet qui a ainsi pu exprimer son amour des plantes. Leurs descendants prennent grand soin de ce lieu exceptionnel et travaillent sans relâche à le parfaire.

☛ Jekyll, Lutyens, Messel, Robinson

**Famille Mallet.** Active en Normandie (F), de 1898 à nos jours. **Les Bois des Moutiers**, Normandie (F), 1898.

# Mallet-Stevens Robert    Jardin avec arbres en béton

La section paysage de l'Exposition de Paris en 1925, supervisée par J. C. N. Forestier, paysagiste français (1861-1930), présenta les projets les plus avant-gardistes de ce siècle, au milieu des habituels hommages à la tradition et aux styles exotiques. Encouragé à expérimenter de nouveaux matériaux, Robert Mallet-Stevens se fit le maître du béton. Il créa pour cette manifestation une série d'ornements et de bâtiments dont ce jardin avec des arbres en béton. Des murets de soutènement en béton formaient quatre massifs surélevés, plantés d'herbe et de *Sempervivum*. Chaque massif était décoré d'un arbre en béton fabriqué par Jan et Joël Martel : les branches, des plaques de béton, étaient fixées à un tronc central, lui aussi en béton. Certains modernistes firent très sérieusement l'éloge de ce jardin, mais une certaine hilarité se répandit dans la presse et dans le public, qui spéculèrent sur les raisons de la mort des vrais arbres destinés à cette création. Cette installation temporaire est sans doute le jardin moderniste sans compromis le plus abouti. Mallet-Stevens fut aussi l'architecte de la villa Noailles à Hyères.

☞ **Forestier, Guevrékian, Legrain, Vera**

**Robert Mallet-Stevens.** n. Paris (F), 1886. m. Paris (F), 1945. **Jardin avec arbres en béton**, Exposition de Paris (F), 1925.

# Mandokora Kita no      Kodai-ji

Dans un paysage organisé, bien pensé, composé de tertres et de cours d'eau, de pins et de pierres, une passerelle couverte conduit au Kaisan-do, ou salle du fondateur. Dédié à Sanko Joeki, le prêtre fondateur du Kodai-ji, ce bel exemple d'architecture Momoyama est en parfait état de conservation, comme la plupart des pavillons et des terrains environnant ce temple magnifique. Le jardin du temple principal, comprenant le traditionnel bassin en forme de tortue avec une île imitant une grue, fut dessiné par Kobori Enshu. En 1605, Kita no Mandokora se fit religieuse bouddhiste après la mort de son époux, le shogun Toyotomi Hideyoshi, et commandita cet ensemble à Kobori Enshu. Elle décéda paisiblement en ce lieu à l'âge de 76 ans. Aujourd'hui, le Kodai-ji abrite aussi deux délicieux pavillons de thé, déplacés depuis le château Fushimi : la Kasa Tei (maison de l'Ombrelle) et la Shigure Tei (maison de l'Averse), dont on pense qu'ils ont été dessinés par le grand maître de la cérémonie du thé Sen no Rikkyu.

☞ **Ashikaga Yoshimasa, Ashikaga Yoshimitsu, Enshu**

# Manning Warren Henry

## Domaine de Stan Hywet

Cette allée de bouleaux, qui se déroule sur plus de 167 m, est l'une des deux principales allées axiales du jardin ; elle se termine par une fontaine et des salons de thé. Stan Hywet (en vieil anglais, « carrière de pierre ») fut aménagé entre 1911 et 1915 par Warren Manning pour Franklin A. Seiberling, le cofondateur de la firme Goodyear Tyre. En 1911, Manning disait à propos de ce site : « Très peu de propriétés que j'ai visitées et envisagées offraient sur 40 hectares une telle variété capable de donner de la distinction et de l'intérêt à un domaine. » Manning exploita cette diversité. La maison est encadrée par de grands arbres formant des voûtes de feuillage s'ouvrant sur d'immenses pelouses, à la manière des propriétés anglaises du XVIIIᵉ siècle. Des pommiers ponctuent l'allée d'entrée, tandis que l'allée des bouleaux et celle des platanes se dirigent vers le nord et le sud à partir de la maison. Stan Hywet comprend aussi un lagon naturaliste et plusieurs jardins, dont un jardin japonais et un jardin anglais, redessiné par Ellen Biddle Shipman en 1928, comme Manning l'avait suggéré.

☛ **Brown, Repton, Thwaites, Van Campen, Van Hoey Smith**

**Warren Henry Manning. n.** Reading, Massachusetts (EU), 1860. **m.** (EU), 1938.
**Domaine de Stan Hywet**, Akrom, Ohio (EU), 1911-1915.

# Manrique César

## Le jardin de Cactus

Des cactées et autres plantes épineuses ont été disposées au hasard sur un sol volcanique noir. Des terrasses doucement incurvées, dont les murets s'effondrent, entourent une arène centrale et ses bassins communicants, au milieu desquels émergent de simples rochers volcaniques. La géologie volcanique de Lanzarote témoigne d'une époque antérieure à la présence humaine. Le jardin que Manrique a créé dans cette ancienne carrière de Lanzarote est une synthèse de la nature, de l'architecture traditionnelle de l'île, des formes organiques de ses propres sculptures et de son emploi judicieux de plantes indigènes adaptées à cet environnement aride mais fertile. Son jardin « volcanique baroque » est le fruit des idées de Manrique concernant la nature et la vie. Peintre et sculpteur, Manrique a fait ses études à Madrid et vécut à New York avant de retourner dans son pays natal, dont la beauté naturelle a nourri son travail : « Ce que je prends au paysage de ma région, ce n'est pas son architecture, mais sa force saisissante, son essence, qui sont à mon avis les seules choses qui comptent. »

☞ **Gildemeister, Hertrich, Majorelle, Monet, Walska**

**César Manrique. n.** Arrecife, Lanzarote (C), 1919. **m.** Tahíche, Lanzarote (C), 1992.
**Le jardin de Cactus**, Guatiza, Lanzarote (C), 1990.

# Mansi Nicola

## Villa Cimbrone

L'un des plus étonnants jardins en terrasses jamais réalisés est celui de la villa Cimbrone, à Ravello, près de Naples. Il grimpe la colline jusqu'à cette terrasse ornée d'une rangée de bustes d'empereurs en marbre datant du XVIIIᵉ siècle, qui offre un spectaculaire point de vue sur la côte. En 1904, lord Grimthorpe acheta cette villa médiévale délabrée et chargea Nicola Mansi d'imaginer un jardin romantique de charme pour ce site escarpé. Pendant quinze ans, Mansi travailla à créer des sections variées, des allées, des terrasses, des ensembles de statues, une longue pergola couverte de glycines et un jardin à la française, avec des temples et des fragments d'architecture. Lord Grimthorpe mourut en 1917, deux ans après que le jardin fut achevé. La villa fut vendue par sa fille en 1960. Aujourd'hui, les jardins baignent dans cette atmosphère de nostalgie romantique qui accompagne les lents déclins.

☞ Acton, Garzoni, Mardel, Peto, Pinsent

**Nicola Mansi**. Actif (IT), XXᵉ siècle. **Villa Cimbrone**, Ravello (IT), vers 1910-1915.

# Mardel Carlos

## Palais du marquis de Pombal

Ce double escalier décoré d'azulejos orne le jardin construit pour le marquis de Pombal, le puissant Premier ministre du roi portugais Jao V. Dans la grotte située sous l'escalier, les fragments de porcelaine qui tapissent les murs se reflètent dans l'eau d'un bassin. L'architecte des lieux est le Hongrois Carlos Mardel. Les toits de tuile en terre cuite et les murs roses du palais rappellent l'architecture française du XVIIIe siècle. Les jardins à la française sont ponctués de fontaines placées dans des cours pavées de mosaïques de galets. La statuaire et les carreaux de céramique bleus et jaunes – dont la plupart nécessitent une restauration – sont prédominants. Comme dans de nombreux châteaux portugais du XVIIIe siècle, il existe un pavillon pour la pêche et un réservoir d'eau. De l'autre côté du pont, une laiterie ornementale, une magnanerie et un colombier pouvant abriter jusqu'à mille oiseaux complètent ce domaine.

☛ **Gaudí, Fronteira, Medinaceli, Monteiro et Manini**

**Carlos Mardel.** Actif à Lisbonne (POR), 1733-1763. **Palais du marquis de Pombal**, Lisbonne (POR), vers 1756.

# Marot Daniel et Roman Jacob

Les élégantes arabesques de ces parterres de buis dans le jardin du palais royal de Het Loo, aujourd'hui restauré, sont l'œuvre de Daniel Marot. Marot, un huguenot, s'enfuit de France en 1685 et apporta cette touche baroque française aux jardins et aux intérieurs qu'il dessina aux Pays-Bas. Les parterres en broderie, avec trois tons de gravier, à la manière française, sont entourés de plates-bandes, d'étroites bordures soulignées de buis et plantées d'herbacées et de bulbeuses, très appréciées des Hollandais. Jacob Roman commença à construire Het Loo pour Guillaume d'Orange,

futur stathouder de la république, en 1686. Quand Guillaume et Mary furent couronnés roi et reine d'Angleterre, en 1689, on jugea que la maison et le domaine n'étaient pas suffisamment « royaux ». C'est à cette époque que Daniel Marot, Jacob Roman – l'auteur, selon certains, des grandes lignes de ce jardin – et le sculpteur Romeyn de Hooghe furent engagés à Het Loo, sous la direction de Hans Willem Bentinck, pour opérer les transformations nécessaires.

☛ Lainé, Mollet, Nesfield, Sophia, Guillaume III

Daniel Marot. n. Paris (F), 1661. m. La Haye (PB), 1752. Jacob Roman. n. La Haye (PB), 1640. m. (PB), 1716.
Het Loo, Apeldoorn (PB), 1686.

# Martinelli Domenico

## Buchlovice

On aperçoit ici une partie de la cour baroque du jardin de Buchlovice. Elle était souvent utilisée pour des représentations théâtrales ou des fêtes en plein air, comme la très célèbre cour baroque du palais Zwinger, à Dresde. On attribue le dessin du jardin de Buchlovice à Domenico Martinelli, qui arriva de son Italie natale avec son talent de décorateur de théâtre. La relation entre jardins et décors de théâtre était très étroite à l'époque baroque. L'exubérance de l'agencement de Buchlovice repose sur un tourbillon de coupoles, de pavillons, de grilles, de statues et de vases ordonnés autour d'un espace central comportant des fontaines. Une partie de cette cour est surélevée afin que les spectateurs puissent mieux voir ce qui se passe au niveau inférieur. Buchlovice s'enorgueillit aussi d'une belle collection d'arbres constituée par deux botanistes membres de la famille Berchtold, Leopold et son beau-frère Frederick.

☞ Auguste le Fort, Bacciocchi, Fontana, Jones

Domenico Martinelli. **n.** Lucques (IT), 1650. **m.** Lucques (IT), 1718.
**Buchlovice**, Moravie (TCH), fin XVIIe siècle.

293

# **Martino** Steve

## Douglas Garden

Cette petite maison se trouve dans le désert de l'Arizona, au cœur de collines sculpturales couvertes de buissons et de cactus saguros typiques de la région. Steve Martino est l'un des grands architectes du Sud-Ouest américain. Il devint très connu dans les années 1980 et 1990 pour son travail en partenariat avec d'autres architectes sur l'implantation d'un nouveau type d'habitation dans les environnements désertiques. Il a en outre une grande connaissance des espèces xérophiles et de leur utilisation dans l'aménagement des jardins. Dans la plupart de ses projets, Martino met en œuvre une transition quasi imperceptible entre les abords de l'habitation et le paysage désertique environnant et choisit chaque végétal en fonction de ses qualités sculpturales. Bien qu'il concentre son activité sur la même région, Steve Martino connaît parfaitement les tendances dominantes du XXᵉ siècle ; Alvar Aalto a eu une grande influence sur son travail.

☛ **Aalto, Barragán, Gildemeister, Greene, Nordfjell**

Steve Martino. Actif (EU), fin XXᵉ siècle. **Douglas Garden**, Phoenix, Arizona (EU), fin du XXᵉ siècle.

# Mawson Thomas

## Moonhill

Cette esquisse extraite de l'ouvrage de Mawson, *The Art and Craft of Garden Making*, illustre son approche de l'art paysager. La maison est située au-dessus d'une série de terrasses garnies de parterres et de bordures – toutes d'autant mieux plantées que Mawson était un ancien pépiniériste – et d'un ensemble de décors et de topiaires. L'élément le plus édouardien est un bassin de nénuphars rectangulaire qui ajoute une certaine grâce à cette partie du jardin ceinte d'une haie d'ifs. Bien que Mawson ait épousé les idéaux Arts and Crafts, il ne se départit jamais d'une rigueur classique et ses projets furent toujours influencés par les jardins médiévaux et ceux de la Renaissance, ainsi que par le travail de Repton et de Kemp. Outre ses projets d'urbanisme et ses aménagements de parcs publics au Canada, en Grèce et en Australie, Mawson fut un créateur de jardins prolifique. Il fut élu premier président de The Institute of Landscape Architects en 1929. The Hill, à Hampstead, créé pour lord Leverhulme, avec sa pergola monumentale, est peut-être le plus célèbre jardin de Mawson encore existant.

☛ **Barnsley, Greene et Greene, Lutyens, Morris**

" MOONHILL,"
CVCKFIELD, SUSSEX;
for Walter Lloyd Esq:
D. Morley, Herder *Invle.*
Thomas H Mawson, *Garden Archt.*

---

**Thomas Mawson. n.** Scorton, Lancashire (RU), 1861. **m.** Lancaster (RU), 1933.
**Moonhill**, Cuckfield, Sussex (RU), années 1920.

# McEarcharn Neil

## Villa Taranto

Depuis que Goethe a chanté les charmes de Garda – ses figues, ses poires et ses citronniers –, les Européens du Nord n'ont cessé de déferler sur ces contrées méridionales. Les lacs génèrent un microclimat qui rappelle celui de la baie de Naples : de fortes pluies et des étés caniculaires suivis d'hivers sans rigueur. Le capitaine écossais à la retraite Neil McEarcharn fait partie des Européens qui furent conquis par la végétation de cette région d'Italie. Il se mit à dessiner son jardin en 1931, avec une précision toute militaire. Il en résulta une série d'agencements sophistiqués où se mêlaient une flore naturaliste et une collection de plantes éclectiques. Henry Cocker, un ancien de Kew, fut responsable du choix des plantes herbacées et bulbeuses pour ce domaine de 18 hectares, qui possède aussi quelques parterres saisonniers aux couleurs criardes, incluant des tulipes et des pensées au printemps, et des bégonias et des géraniums l'été. Dans une partie du jardin très admirée par D. H. Lawrence, un cours d'eau central coule sur des carillons musicaux et des flots d'hostas envahissent des vallées encaissées.

☛ **Acton, Chambers, Hanbury, Steele, Taverna**

Neil McEarcharn (capitaine Neil Boyd Watson McEarcharn). n. (RU), 1884. m. (IT), 1964.
**Villa Taranto**, lac Majeur (IT), 1931-1951.

# McNab James

## Le jardin de rocaille du Royal Botanic Garden

Quelques-unes des plantes alpines les plus rares du monde se nichent entre les affleurements déchiquetés du jardin de rocaille du Royal Botanic Garden d'Édimbourg. James McNab créa le « Rock Garden » en 1870, à la belle époque de la chasse aux plantes. À l'origine, ce jardin comprenait 5 442 compartiments séparés par des pierres levées. Il fut très mal reçu par la communauté horticole – « une horreur chaotique », écrivit un critique, « on en frissonne encore chaque fois qu'on y pense » –, mais le grand public lui réserva un accueil plutôt enthousiaste. Il fut démantelé en 1908, peut-être à cause de ce mécontentement, et les pierres levées furent remplacées par des saillies rocheuses plus naturalistes. On s'est récemment orienté vers un regroupement des plantations en fonction de leurs origines géographiques. Le lit d'éboulis et la chute d'eau ont été agrandis. Il n'existe cependant pas de plan d'ensemble, et John Main, le jardinier en chef, reconnaît que « c'est un peu comme Forth Road Bridge. À peine a-t-on fini d'en reconstruire un bout qu'il faut recommencer ailleurs. »

☛ **Crisp, Middleton, Otruba, Pulham, Savill**

**James McNab. n.** Surrey (RU), 1810. **m.** Édimbourg (RU), 1879.
**Le jardin de rocaille du Royal Botanic Garden**, Édimbourg, Écosse (RU), 1870.

# Meath William, 11ᵉ comte de  Kilruddery

La pâle lumière du soir et le feuillage d'automne adoucissent la rigueur géométrique de ce jardin. Ici, le style baroque français a été romantiquement transposé dans un paysage accidenté d'Irlande. Kilruddery est un bon exemple du succès des jardins à la française dans l'Europe du XVIIᵉ siècle (on sait qu'un jardinier nommé Bonet, dont on pense qu'il était français, entra au service du 4ᵉ comte de Meath en 1684). La particularité du dessin de ce jardin est l'emploi de canaux jumelés. Le domaine, gravement endommagé par un ouragan au XIXᵉ siècle, fut restauré par le XXᵉ comte de Meath qui ajouta un théâtre de verdure et de nombreuses statues classiques en fonte, fabriquées par de célèbres industriels européens. C'est à la même époque que l'on construisit la serre au toit arrondi, dessinée par William Burn, la laiterie ornementale, œuvre de l'architecte amateur sir George Hodson, et la nouvelle terrasse avec une balustrade, conçue par le prolifique Daniel Robertson.

☛ Bowes-Lyon, Colchester, Johnston, Robert

William, 11ᵉ comte de Meath. n. 1841. Actif (IRL), XIXᵉ siècle. m. 1918. Kilruddery, Bray, comté de Wicklow (IRL), vers 1850.

# Medinacelli Famille

## Pazo de Oca

Des statues pêchent depuis un bateau en pierre qui semble réellement flotter sur un bassin à poissons du Pazo de Oca. Un grand nombre de jardins sont d'un conformisme qui confine à l'ennui. Les exceptions naissent en général de l'imagination d'un paysagiste – comme c'est le cas avec la statuaire du jardin de Pazo de Oca – ou d'une étrangeté évidente de la topographie d'un site. La géométrie rectangulaire de ce domaine est brisée par une perspective d'angle inattendue donnant sur deux bassins à poissons traditionnels est à elle seule anticonventionnelle. Le Pazo de Oca fut aménagé à la fin du XVIIᵉ siècle sous la direction du marquis de Camarosa. Une sélection unique d'arbres fut plantée après 1845 par François Vie, jardinier en chef du Palacio Real de Madrid. Grâce à une restauration récente par le duc de Segorbe, ce lieu devient particulièrement enchanteur par temps de brume ou de pluie, l'humidité faisant ressortir la véritable richesse de couleurs des mousses qui tapissent le granit local.

☞ Dashwood, Pückler-Muskau, Tortella

Famille Medinacelli. Active (ESP), XVIIIᵉ siècle. **Pazo de Oca**, Saint-Jacques-de-Compostelle (ESP), vers 1790-1850.

# Mehmet II Empereur ottoman

Palais de Topkapi

Édifié à l'extrémité de la péninsule d'Istanbul, dominant deux mers et deux continents, le palais de Topkapi s'élève sur le site de l'acropole de l'ancienne Constantinople. Ces jardins sont le fruit de nombreuses traditions : persane, byzantine, ottomane et même italienne. Voici l'une des nombreuses cours intimes à l'intérieur du domaine privé du sultan. Un grand pavillon de loisirs – ou kiosque – donne sur une cour plantée dans un style classique, avec un bassin central octogonal et une fontaine de marbre à étages, représentant la fontaine céleste du paradis. Contrairement aux jardins persans, les jardins turcs n'étaient pas divisés en quartiers séparés par des cours d'eau. Mais, à l'image des grandioses jardins de la Perse et de l'Inde moghole, ils avaient toujours la forme d'enclos murés, carrés ou rectangulaires, étaient souvent pavés de dalles de marbre, et plantés d'arbres et d'espèces symbolisant une religion, comme les cyprès, les palmiers-dattiers et les rosiers.

☛ Almohade, Gouverneurs maures, Nazarite

**Mehmet II, empereur ottoman.** Règne (TUR), 1444-1481. **Palais de Topkapi**, Istanbul (TUR), commencé en 1459.

# Mercogliano Pacello di — Château de Blois

Aucun jardin n'illustre mieux les origines de la Renaissance française que Blois, qui possède un château avec un incroyable jardin à l'italienne, datant de 1500-1510. Une fontaine italienne, deux compartiments à treillages et une galerie sur deux étages figurent parmi ses innovations stylistiques. Rien de semblable n'avait jamais été vu en France. Ici, aucune tentative d'intégration du jardin au château, mais essentiellement une extension de l'ancien château médiéval. Cette attitude était typique de la manière dont la Renaissance italienne fut accueillie en Europe du Nord à l'époque. On s'accorde à penser que l'architecte du jardin fut Pacello di Mercogliano, un prêtre napolitain que Charles VIII ramena de son expédition en Italie en 1494-1495, au cours de laquelle il fut bouleversé par la beauté des jardins napolitains. On attribue aussi à Mercogliano l'introduction de nouvelles plantes et de nouvelles méthodes de culture : on lui doit sans doute les précieux orangers et citronniers dans des pots de terre cuite, qui ornent les jardins en été.

☛ **Du Cerceau, Gallard, de l'Orme, Moroni, Poitiers**

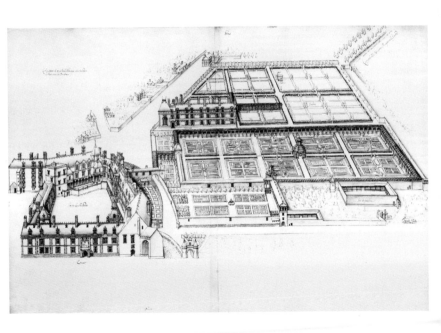

# Messel Ludwig et Leonard

## Nymans

L'ossature carbonisée de cette demeure (construite en 1928, ravagée en 1947) offre une toile de fond dramatique à ce jardin. Ludwig Messel fit l'acquisition de Nymans en 1890 et commença le jardin, activité que reprirent son fils Leonard et, plus tard, sa petite-fille Anne, comtesse de Rosse. Ce parc est célèbre pour son exceptionnelle collection de plantes disposées en une série d'épisodes. Ce compartiment du jardin, qui fut réalisé en premier, s'appelait le Wall Garden. Le paysagiste le composa à partir d'un ancien potager, auquel il ajouta une fontaine centrale flanquée d'arbres à la taille ornementale, avec de somptueuses bordures de fleurs le long des allées de séparation. Plus loin, on trouvait un jardin de bruyère, une roseraie et une allée de tilleuls conduisant à une perspective spectaculaire sur le Weald. Messel fut assisté dans son œuvre par son jardinier en chef James Comber, dont le fils Harold fit plusieurs expéditions en Australie, en Nouvelle-Zélande et en Amérique du Sud, à la recherche de trésors botaniques pour enrichir le futur jardin.

☞ Caetani, Johnston, Monville, Rochford, Sackville-West

**Ludwig Messel**. Actif (RU), fin XIXe siècle. **Leonard Messel**. Actif (RU), début XXe siècle.
**Nymans**, Haywards Heath, Sussex (RU), 1890.

# Michelozzi Michelozzo      Villa Médicis

La célèbre villa Médicis, à Fiesole, a été si souvent restaurée et replantée qu'il est difficile de savoir ce qui subsiste du dessin original de Michelozzi. Les quatre magnolias coniques et les parterres à la française constituent un anachronisme : ils furent ajoutés en 1911 par le paysagiste anglais Cecil Pinsent, pour un propriétaire anglo-américain. Mais la terrasse elle-même est restée pratiquement inchangée depuis sa construction pour Côme de Médicis en 1460. La maison et le jardin, conçus comme un tout, étaient censés se développer naturellement au sein de la campagne environnante. Michelozzi avait été un élève d'Alberti, ce qui explique la perspective ouverte sur la colline escarpée en contrebas des jardins. Alberti fut le premier savant qui défendit l'idée d'une unité de style et d'esprit entre une maison, son jardin et le paysage alentour. Les marches qui descendent de la terrasse couverte de vignes sont modernes. Celle-ci, autrefois occupée par un potager et un verger, était distinctement séparée de la maison et de l'élégante terrasse supérieure.

☛ **Acton, Capponi, Garzoni, Mardel**

# Middleton Sir Arthur

## Belsay Hall

Un immense parc, une série de terrasses et un « ha-ha » en forme d'arc de 4,5 m, descendant depuis une maison dans le style néoclassique vers un lac paisible, sont l'œuvre du grand-père de sir Arthur, sir Charles Middleton. Derrière le lac se trouve le jardin pittoresque, que sir Arthur créa sur l'emplacement de la carrière dont la pierre fut extraite pour construire la maison. Conforme aux obsessions victoriennes de la nouveauté et de la collection, sir Arthur remplit ce jardin d'une multitude d'arbres et d'arbustes rares, exotiques et semi-résistants. Mais toutes ces plantes qui inondèrent la Grande-Bretagne durant la deuxième moitié du XIX<sup>e</sup> siècle à cause des expéditions des chasseurs de plantes nécessitaient pour la plupart une douceur climatique que l'on ne rencontrait qu'en Cornouailles ou sur la côte ouest de l'Écosse. Sir Charles, lui, bénéficia de l'emplacement abrité de la carrière qui lui permit de réunir un ensemble de plantes tout à fait exceptionnel pour cette région du nord de l'Angleterre.

☛ Aberconway, Gilpin, Mackenzie, Rochford, Savill

Sir Arthur Middleton. n. 1838. Actif (RU), fin XIX<sup>e</sup> siècle. m. 1933. Belsay Hall, Northumberland (RU), fin du XIX<sup>e</sup> siècle.

# Mies van der Rohe Ludwig

## Le Pavillon allemand

Un nu gesticule au-dessus d'un bassin peu profond habillé de marbre. À l'occasion de l'Exposition internationale de Barcelone, en 1929, Mies van der Rohe dessina le Pavillon allemand, bâti sur une plate-forme de 53,6 m par 17 m, en travertin. Avec une structure minimaliste cruciforme composée de colonnes d'acier, un toit plat en surplomb et des murs de verre et d'onyx couleur miel, il s'agit du tout premier exemple d'une intégration progressive des espaces intérieur et extérieur : le bassin que l'on voit ici se reflète dans un autre bassin, plus grand, lui aussi peu profond et tapissé de galets, à l'entrée latérale du pavillon. Les murs de verre semblent disparaître, comme pour justifier la célèbre phrase attribuée à Mies van der Rohe, « le moins est un plus ». Il dirigea le Bauhaus, en Allemagne, jusqu'à sa fermeture en 1933, et émigra aux États-Unis en 1937. Il reste l'un des architectes majeurs du XXᵉ siècle, et l'auteur de nombreux bâtiments inspirés par le mouvement moderniste, dont le Seagram Building à New York et la Farnsworth House de Plano, dans l'Illinois.

☛ **Barragán, Le Corbusier, Loos, Lurçat**

**Ludwig Mies van der Rohe. n.** Aix-la-Chapelle (ALL), 1886. **m.** Chicago, Illinois (EU), 1969.
**Le Pavillon allemand**, Barcelone (ESP), 1929, restauré en 1986.

# Miller Carl Ferris

## Arboretum de Chollipo

En 1970, un Américain naturalisé coréen, Ferris Miller, commença à planter un important arboretum sur les rives de la mer Jaune, en Corée. Bien que beaucoup de familles de plantes y soient représentées, celle des magnolias est sans conteste la vedette de la collection. Miller a certainement été influencé par l'enthousiasme général de ses contemporains pour les magnolias, qui n'est pas sans rappeler l'engouement du XVIIᵉ siècle pour les tulipes. La somptueuse floraison annuelle des magnolias rappelle la tradition asiatique des jardins, qui se concentre sur la floraison d'une famille de plantes que l'on connaît surtout à travers la *shakura*, ou « saison de la floraison », deux semaines de festivités durant lesquelles une foule joyeuse célèbre la fête des cerisiers en fleurs dans les parcs et les jardins du Japon. Une autre tradition asiatique, celle de la construction de pavillons destinés à l'observation des jardins, notamment au moment de la floraison, est également représentée à Chollipo par une collection de petits édifices traditionnels coréens, dont beaucoup ont été sauvés de la démolition à Séoul.

☛ Holford, Smithers, Tyrwhitt

**Carl Ferris Miller**. n. (EU), 1921. **Arboretum de Chollipo**, Chung Nam (COR), 1970.

# Milne Oswald

## Coleton Fishacre

Les terrasses, construites comme la maison avec la pierre d'une carrière voisine, confèrent un puissant cadre architectural à Coleton Fishacre, dans le Devon, et permettent d'abriter des plantes exotiques semi-gélives dont un élégant coudrier en arceau. Les terrasses s'ouvrent sur un jardin anglais fait de pentes boisées, de bassins et de cours d'eau, qui se transforme en une sorte de jungle à mesure qu'il descend vers la mer. Coleton Fishacre fut construit entre 1923 et 1926 pour Rupert D'Oyly Carte, fondateur et propriétaire du Savoy Hotel, et son épouse Dorothy, qui avaient repéré cet emplacement depuis leur yacht. La maison épurée, dans le style Arts and Crafts, est l'œuvre d'Oswald Milne, un ancien assistant d'Edwin Lutyens, dont on peut percevoir l'influence dans le bassin arrondi sur la terrasse supérieure. Si l'on doit à Milne les jardins sophistiqués qui entourent la maison et le Rill Garden, le reste du parc fut conçu par les D'Oyly Carte eux-mêmes. Tirant parti du climat doux et humide de la côte, ils introduisirent une vaste gamme de plantes, dont des mimosas et un tulipier géant.

☞ Barnsley, Fish, Harrild, Lutyens, Mawson

**Oswald Milne. n.** 1881. Actif (RU), début XXᵉ siècle. **m.** 1967.
**Coleton Fishacre**, environs de Kingswear, Devon (RU), années 1920.

# Miró Joan

## Le Labyrinthe

Des céramiques monumentales disposées sur des terrasses communicantes peuplent le Labyrinthe de Joan Miró, au milieu des pins de la Fondation Maeght, dans le village de Saint-Paul-de-Vence, dans le Midi de la France. C'est l'un des très rares exemples d'un artiste ayant créé des œuvres pour un lieu spécifique et en plein air. Miró fit des maquettes grandeur nature de ses sculptures en contreplaqué afin de décider de leur emplacement. Puis son collaborateur, le céramiste Josep Artigas, l'aida à réaliser les œuvres définitives. Certaines de ces pièces, dont le marbre *L'Oiseau* lunaire, un oiseau à cornes, sont des sujets figuratifs identifiables ; d'autres, comme la *Femme à la chevelure défaite*, sont abstraites. Miró a réalisé huit maquettes en terre cuite de l'œuvre la plus importante, *Le Grand Arc*, avant de la couler en béton. Avec le Labyrinthe, Miró a satisfait son désir de travailler à une échelle monumentale dans un contexte architectural précis. Fait exceptionnel, les espaces extérieurs (dus à Miró et Giacometti) et les bâtiments furent conçus simultanément pour mieux se compléter.

☞ Brancusi, Hepworth, Monet, Moore, Saint-Phalle

Joan Miró. n. Barcelone (ESP), 1893. m. Palma de Majorque (C), 1983.
Le Labyrinthe, Fondation Maeght, Saint-Paul-de-Vence (F), 1963-1968.

# Mizner Addison

## Casa Bienvenita

Inspirée par les jardins de la Renaissance italienne, cette roseraie cellulaire fut dessinée par Addison Mizner quand il construisit cette villa pour l'homme d'affaire Alfred Dieterich, dans les années 1920. Mizner, connu pour son éclectisme, introduisit un style de manoirs inspirés de la Renaissance espagnole chez les célébrités richissimes de Palm Beach, en Floride. Pour cette demeure, sa seule création sur la côte ouest, il dessina un jardin de roses, peut-être inspiré de la roseraie de Bagatelle ou de celles des paysagistes italiens de la Renaissance, entourée de haies et ponctuée de statues. La Casa Bienvenita, typique de l'exubérance de ce style associant la Renaissance espagnole avec des éléments mauresques, gothiques et romantiques, possède aussi un potager, un salon de thé, un patio en forme de cloître et une pièce d'eau entourée de palmiers. Ce jardin fut restauré en 1979 selon les plans d'origine. Mizner conçut de nombreuses maisons au cours de sa carrière, mais il tomba en défaveur et fit faillite après la chute de l'immobilier, en 1927. Il s'arrêta de construire et écrivit ses mémoires.

☞ **André, Forestier, Hancock, Suarez, Washington Smith**

**Addison Mizner**. n. Benicia, Californie (EU), 1872. **m**. Miami, Floride (EU), 1933.
**Casa Bienvenita**, Montecito, Californie (EU), vers 1920.

309

# Mollet Claude

## Château de Fontainebleau

Ce « portrait » du château de Fontainebleau, dessiné par Claude Mollet, montre le jardin à la fin du règne d'Henri IV. On doit l'état actuel de ce jardin, incontestablement le plus historique de tous les jardins royaux français, en grande partie à André Le Nôtre (1613-1700). En 1527, François Iᵉʳ fait raser le château médiéval et décide de transformer cet ancien rendez-vous de chasse à courre en palais Renaissance. Il engage les meilleurs artistes italiens pour y travailler : le Primatice, Serlio et Vignole, tous réalisent des plans grandioses, des sculptures et des grottes. Le côté italien est encore accentué par l'intervention de Catherine de Médicis. Soucieux d'introduire des éléments plus typiquement français, Henri IV demande à Alexandre Francini de dessiner le parterre du « Tibre » en quatre parties et, en 1595, confie à Claude Mollet la composition du petit jardin de « l'île » dans le grand bassin. Remarquable paysagiste, Mollet exerça surtout ses talents à Saint-Germain- en-Laye et à Versailles, mais fut aussi un écrivain influent, dont le principal ouvrage est *Le Théâtre des plans et du jardinage*.

☞ **Francini, de l'Orme, Mercogliano, Poitiers, Serlio**

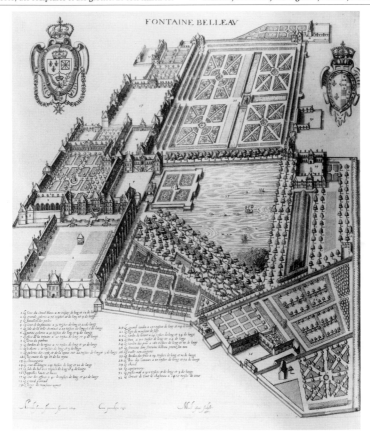

**Claude Mollet.** n. 1550. m. 1603. **Château de Fontainebleau**, Fontainebleau (F), vers 1595.

# Monastère de San Lorenzo

Ces anciennes haies de buis, uniques par leur profusion, doivent leur forme au travail minutieux de jardiniers pendant près de quatre siècles. Ils ont réussi à créer des circuits labyrinthiques d'une extrême densité, qui emplissent le jardin du cloître de San Lorenzo de Trasouto à Saint-Jacques-de-Compostelle. Ce monastère fondé au XIIIe siècle devint la propriété des comtes d'Altamira au XVe siècle, qui le cédèrent aux Franciscains. On dit que les buis sont vieux de 400 ans, et qu'ils offrent un des spectacles les plus étranges dans l'histoire des jardins. Parmi les nombreux symboles religieux dessinés par les haies figure celui de la coquille de pèlerin de Saint-Jacques (la « coquille Saint-Jacques »), un insigne qu'arborent toujours les pèlerins modernes qui viennent visiter ce lieu saint. Dans l'un des quartiers du jardin du cloître se trouvent une fontaine incrustée de mousse et un bassin entouré de fougères. La galerie en arcades qui entoure ce jardin de buis est tapissée par les branches d'une glycine qui embaume l'air au printemps.

☞ **Baron Ash, Blandy, Franco, Rochford, Salisbury, Wirtz**

**Monastère de San Lorenzo de Trasouto**. XIIIe siècle.
**Jardin du cloître**, San Lorenzo de Trasouto, Saint-Jacques-de-Compostelle (ESP), XVIIe siècle.

# Monet Claude

## Giverny

Voici peut-être l'une des vues de jardins les plus connues du XXᵉ siècle, grâce à la série des célèbres peintures de nymphéas que Claude Monet exécuta dans son jardin de Giverny entre 1901 et 1925. Il existe deux jardins à Giverny : le jardin fleuri proche de la maison, qui recèle environ 70 plates-bandes, une pelouse et une longue tonnelle de roses, et le jardin d'eau, installé sur un terrain situé de l'autre côté de la route, acheté par Monet en 1893. Pour le jardin d'eau, Monet créa un grand bassin oriental avec des pivoines, des massifs de bambous et un pont japonais, qu'il peignit en vert au lieu du rouge traditionnel. Dans le jardin d'agrément, les parterres allongés furent ornés d'une seule variété, afin de créer des blocs de couleurs, comme dans les champs de plantes bulbeuses en Hollande. Jardinier original, Monet acceptait que des coquelicots côtoient des bouillons-blancs et se propagent librement. L'abondance de fleurs sauvages fait de Giverny un jardin sensuel, romantique, plein de lumière, une intarissable source d'inspiration pour l'artiste.

☞ Heron, Hornel, Larsson, Morris, Steele

**Claude Monet. n.** Paris (F), 1840. **m.** Giverny (F), 1926. **Giverny**, Normandie (F), 1893-1901.

# Monteiro Antonio et **Manini** Luigi Quinta de Regaleira

Antonio Monteiro, excentrique portugais du XIXᵉ siècle, était le richissime héritier d'une fortune brésilienne provenant du commerce du café et des pierres précieuses. Dans les années 1870, il demande à Manini, architecte italien et créateur de décors pour la Scala, de lui concevoir une villa et un jardin allégorique pour sa propriété de Sintra, près de Lisbonne. Manini dessine la maison et le jardin dans un mélange de styles comme le souhaitait son client, dont l'inspiration bouillonnante puisait à la fois dans la mythologie classique et dans une imagination féconde. L'une des principales attractions de ce lieu onirique est le puits à neuf étages qui descend sur 20 m à l'intérieur d'un promontoire rocheux jusqu'à une étoile aux pointes lumineuses. Ce puits a été utilisé pour des cérémonies initiatiques par les chevaliers de l'ordre du Temple. Ce jardin est l'incarnation du rêve obsessionnel d'un homme.

☞ Bomarzo, Chambers, Cheval, James, Lane, Monville

Antonio Augusto Carvalho Monteiro. n. 1848. Actif (POR), fin XIXᵉ siècle. m. 1920.
Luigi Manini. n. 1848. Actif (POR), fin XIXᵉ siècle. m. 1936. **Quinta de Regaleira**, Sintra (POR), années 1870.

# Montpellier Charles-Alexis de

### Château d'Annevoie

Pendant plus de 200 ans, l'eau a jailli des fontaines et descendu les cascades des jardins d'Annevoie, dans les collines boisées de la vallée de la Meuse. La pression naturelle de l'eau provenant de quatre sources qui montent jusqu'à ces jardins produit des jets d'eau de plus de 7 mètres de haut ou crée des éventails argentés semblables à la roue d'un paon, comme on le voit ici. Charles-Alexis de Montpellier, descendant d'une famille de maîtres ferronniers, ne fut anobli qu'en 1743. Il dessina son parc entre 1758 et 1778, en s'inspirant des jardins italiens, français et anglais visités lors de son Grand Tour. C'est un jardin fait de contrastes : enclos et ouvertures, ombre et lumière, eau paisible et eau en mouvement – de diverses manières –, haies méticuleusement taillées et hêtres aux troncs lisses qui déploient leurs frondaisons généreuses. Annevoie forme un ensemble somptueux en toute saison.

☛ Bingley, Duchêne, Le Nôtre, Wirtz

**Charles-Alexis de Montpellier**. Actif (B), milieu XVIIIᵉ siècle. m. 1778.
**Château d'Annevoie**, Annevoie-Rouillon (B), 1758-1778.

# Monville Baron de

## Désert de Retz

Dans le paysage mélancolique du désert de Retz, la monumentale Colonne détruite s'élève comme une apparition fantomatique. Le créateur de ce jardin visionnaire est le baron de Monville, un libertin extravagant, dont on dit que sa construction fantastique lui valut beaucoup de nuits blanches. Ce rare exemple d'une architecture de fantaisie datant de la fin du XVIIIe siècle, inspirée par Ledoux et Boullée, est chargé d'une importante symbolique, comme le sont toutes les folies – ou fabriques – dispersées dans cet immense parc en majeure partie sauvage. Il dit l'accession de l'homme aux beautés de ce monde, la riche culture dont il a hérité et la nécessité de rester à l'écoute des précieux messages de la nature. Une pagode chinoise en bois, un temple du dieu Pan, des pyramides et des obélisques égyptiens composaient un paysage éclectique qui ne tarda pas à devenir un lieu de divertissements célèbre durant les dernières années de la monarchie française. Le Désert de Retz, abandonné à la Révolution, fut négligé pendant des siècles, puis soigneusement ramené à la vie en 1986.

☛ **Bélanger et Blaikie, Girardin, Laborde, Robert**

# **Moore** Henry

## Perry Green

Désormais tout à fait familières, pour ne pas dire banalisées, ces sculptures de bronze lisse disposées sur une pelouse furent d'une innovation inouïe à leur époque. Si la relation entre un objet d'art tridimensionnel et les reliefs d'un terrain semble aujourd'hui évidente, c'est en partie grâce à l'influence de Moore. En 1940, Henry Moore et son épouse Irina quittent Londres et leur maison de Hampstead, qui a été bombardée, pour se retirer dans le petit village de Perry Green, dans le comté d'Hertfordshire. C'est là qu'ils vivront jusqu'à leur mort, y ajoutant au fil des ans des bâtiments et des terres au cottage d'origine et à son pâturage. Irina fut très active dans la transformation de ce domaine. Elle créa une série de jardins et des espaces moins formels destinés à accueillir les sculptures dans un cadre plus flexible et plus ouvert. Moore décidait lui-même des emplacements, définitifs pour certains, temporaires pour d'autres.

☞ **Heron, Hepworth, Jellicoe, Miró, Monet, Tunnard**

**Henry Moore. n.** Yorkshire (RU), 1898. **m.** Perry Green, Hertfordshire (RU), 1986. **Perry Green**, Hertfordshire (RU), 1940.

# **Maures** Gouverneurs

## Alfabia

Des arbres ornementaux et des parterres bordés de buis sont des ajouts du XVIIIᵉ siècle à ce jardin, le plus évocateur parmi ceux qui se dissimulent dans les îles. Quatre siècles de domination maure ont laissé une marque indélébile sur l'architecture et le paysage de Majorque. Cet héritage est particulièrement visible à Alfabia, dont on pense qu'il fut le siège de plusieurs gouverneurs maures. Malgré le remaniement de plusieurs parties du jardin au cours du XVIIIᵉ siècle, l'élément le plus frappant reste la grande allée qui longe le réservoir d'eau. Pavée de mosaïques de galets et de

briques, elle est couverte d'une pergola en fer formant une voûte et reposant sur des colonnes de pierre octogonales, sur laquelle une vigne et des plantes grimpantes, dont une glycine, se développent abondamment. Des jets d'eau qui jaillissent de chapiteaux en pierre animent l'allée et lui apportent une fraîcheur bienvenue. Au-delà de ce chemin que la végétation protège de la grande chaleur, des cours d'eau, des bassins et des fontaines créent un lien entre des arbres somptueux, des bambous et d'autres arbustes.

☛ Abd al-Rahman, Muhammad V, Nazarite

---

**Gouverneurs maures.** Règne à Majorque (ESP), 1075-1229. **Alfabia**, Majorque (ESP), créé au XIᵉ siècle.

# More Sir Thomas

## Moorhouse

Voici l'une des illustrations les plus évocatrices d'un jardin Tudor. Il sert de toile de fond à un portrait en miniature de sir Thomas More et de sa famille, peint par Rowland Lockey au cours des années 1590, d'après une peinture originale de Holbein. Des murs de brique forment un enclos carré comprenant d'un côté une galerie couverte et ce qui était peut-être une chapelle. Une haie coupée court entoure des séries asymétriques de buissons taillés formant de petits carrés et plantés de quelques arbres. À première vue, aucune recherche de rigueur géométrique n'est apparente, pas plus

que les animaux héraldiques qui figurent en général au sommet des hampes dorées sur les images de l'époque montrant les jardins royaux d'Henry VIII. Ce n'en est pas moins l'un des premiers exemples de jardin de broderie, bien que modeste. Une barrière donne accès aux champs de Chelsea et, sans doute, à la Tamise. On ignore si More contribua au dessin de ce jardin, on sait seulement qu'il légua cette partie de sa propriété à sa fille et à son gendre.

☛ **Jones, Lennox-Boyd, Orsini, Salisbury, Verey**

**Sir Thomas More. n.** Londres (RU), 1478. **m.** Londres (RU), 1535.
**Moorhouse**, Chelsea, Londres (RU), 1520-1535, peinture de Rowland Lockey, vers 1593-1594.

# Moroni Andrea

## Jardin botanique de Padoue

Cette gravure ancienne montre que le jardin botanique de Padoue a peu changé depuis l'époque où il fut dessiné. Les allées principales suivent toujours leurs axes d'origine, parfaitement alignés nord-sud et est-ouest. Et même si les quatre sections ont été réaménagées de temps à autre et le mur d'enceinte circulaire reconstruit au XVIIIᵉ siècle, on reconnaît le jardin que l'architecte de Bergame, Moroni, a construit pour le département d'anatomie de l'université de Padoue, en 1545, au titre d'aide à l'enseignement de la médecine. Il fut planté à l'origine uniquement d'herbes

nécessaires à la pharmacologie, mais cette collection s'enrichit très vite d'autres herbes utilisées en cuisine : quand la pomme de terre fut introduite en Europe en provenance de l'Amérique du Sud, dans les années 1570, on la cultiva ici, dans l'*orto botanico* de Padoue. Par la suite, on introduisit les plantes ornementales, ce qui explique que ce jardin botanique soit non seulement le plus ancien, mais aussi l'un des plus beaux du genre.

☛ **Chambers, Clusius, Palladio, Sloane**

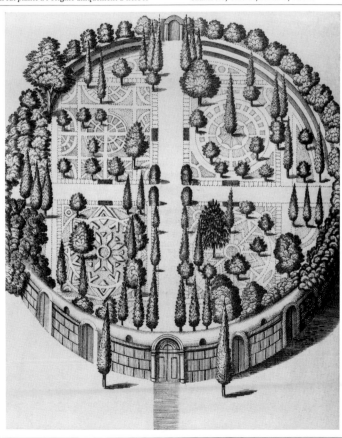

**Andrea Moroni. n.** Bergame (IT). Actif dans la première moitié du XVIᵉ siècle.
**Jardin botanique de Padoue**, Padoue (IT), 1545.

# Morris William

## Kelmscott Manor

Une rangée de rosiers tiges flanque l'allée qui conduit à la façade de cette jolie demeure des Cotswolds. L'impression d'ensemble est si forte que la maison et le jardin semblent avoir surgi de terre en même temps et non avoir été dessinés. Ce cadre a fourni à William Morris, célèbre pour ses dessins de textiles et ses écrits qui prônaient la renaissance de l'artisanat, le lieu idéal où appliquer ses théories selon lesquelles les ouvriers et les artistes devaient vivre dans un environnement qui leur permette de mener une existence créative et agréable. Morris, l'un des fondateurs du mouvement Arts and Crafts, pensait qu'il fallait que les jardins offrent des allées rectilignes, des rangs de légumes bien nets et des bordures très droites que franchirait une profusion de fleurs. Les collines des Costwolds lui fournirent un cadre idéal, comme le montre son commentaire à propos d'un autre cottage qu'il avait vu dans le village de Broadway en 1876 : « C'était une œuvre d'art et un pan de nature – rien de moins. »

☛ **Barnsley, Greene et Greene, Lutyens, Mawson, Parsons**

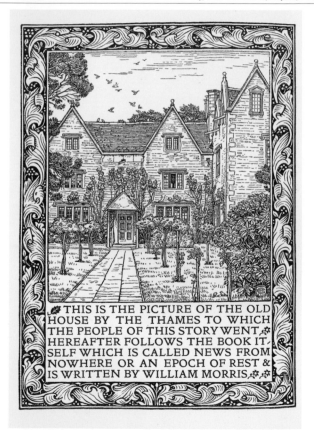

**William Morris. n.** Londres (RU), 1834. **m.** Londres (RU), 1896.
**Kelmscott Manor**, Gloucestershire (RU), 1871. Illustration de la page de titre de *News from Nowhere* (1891) de William Morris.

# Mozzoni Comte Ascanio

## Villa Cicogna Mozzoni

Cette cour-jardin de la villa Cicogna Mozzoni, encaissée et close, comprend deux parterres de buis carrés et deux citernes carrées avec fontaines. Les murs sont recouverts de grands pans de tuf et percés d'un petit nymphée, au centre, et de niches ornées de statues classiques. Le système élaboré de jeux d'eau a été récemment remis en état de marche. À l'extrémité du jardin, on découvre une petite grotte avec une porte dérobée. Ce jardin complète idéalement la villa Renaissance remodelée au cours des années 1550 par les frères Campi de Crémone, sous la direction du comte Ascanio Mozzoni. On ne sait pas exactement qui a dessiné le reste du parc. Depuis le premier étage de la maison donnant sur le jardin, les perspectives ont été savamment calculées pour que chaque fenêtre offre un point de vue totalement différent. Cette conception idéale de l'espace fait de cet ensemble l'un des rares exemples de jardins de la Haute Renaissance encore existants. Un fantastique escalier d'eau, très raide, conduit depuis le grand salon jusqu'au flanc de la montagne jouxtant la villa.

☞ **Borghèse, Bramante, Garzoni, Vignole**

Comte Ascanio Mozzoni. Actif milieu xvi<sup>e</sup> siècle. m. (IT), 1593. **Villa Cicogna Mozzoni**, Lombardie (IT), années 1550.

# Muhammad V

## Cour des Lions de l'Alhambra

La forêt de minces colonnes d'albâtre sculptées de motifs floraux offre une transition idéale entre la galerie et les pavillons et la cour des Lions de l'Alhambra, à Grenade, joyau de l'art mauresque commencé en 1377 par le sultan nasride Muhammad V. Les quatre canaux traditionnels de la division du monde et de l'univers partagent la cour en quatre et convergent vers une fontaine centrale dodécagonale soutenue par douze lions de pierre grimaçants, symboles de la souveraineté et de la puissance. Cette cour, où le gravier domine aujourd'hui, était autrefois plantée d'orangers et de parterres surbaissés qui formaient un tapis de fleurs. Citadelle dès le IXᵉ siècle, l'Alhambra devint un palais célèbre avec l'avènement des sultans nasrides, au milieu du XIIIᵉ siècle, jusqu'à la prise de Grenade par les Rois catholiques, en 1492. Relié à un jardin d'été (le Generalife), situé de l'autre côté de la colline, l'Alhambra a enflammé les imaginations romantiques et reste un témoignage unique et vivant des jardins paradisiaques islamiques, qui touchent aussi bien les sens que l'esprit.

☞ **Allah, Gouverneurs maures, Nazarite, Tortella**

Muhammad V. Règne (ESP), 1354-1359 et 1362-1391. **Cour des Lions de l'Alhambra**, Grenade (ESP), 1377.

# Musgrave Gouverneur de Kerman

Jardin de Shahzadeh

Perdu comme une oasis au milieu du désert, ce jardin persan situé au pied d'une chaîne de montagnes déchiquetées et arides s'oppose à son environnement. Fidèle à la tradition, le jardin de Shahzadeh est clos de murs et ordonné selon un plan très symétrique, ponctué d'allées de pierres, de cours d'eau et de bassins. Il offre l'évasion et la solitude. Il comprend des pavillons bien aérés, des allées ombragées, des chutes d'eau en cascades et des avenues de cyprès et de peupliers. Huit parterres qui flanquent le cours d'eau central ajoutent à l'équilibre et à la grâce inhérente à cet espace exquis. Comme l'oasis garantissant la survie au voyageur du désert quand il était épuisé, comme le Coran promettant aux fidèles la vie éternelle dans un riche paradis, le jardin persan terrestre était le lieu où la vie était vécue dans toute sa plénitude. C'est aussi dans l'idée de jardin que les arts, la littérature et les religions de Perse ont puisé la majeure partie de leur inspiration.

☞ Allah, Assurbanipal, Ineni, Gouverneurs maures

Musgrave, gouverneur de Kerman. **Jardin de Shahzadeh** (Bagh-e-Shahzadeh), Mahann, Perse (IR), XIXᵉ siècle.

# Nash John

## Pavillon royal

Ce bâtiment, conçu comme une villa de bord de mer pour le prince régent, fut édifié en 1787, puis remanié dans le style « hindou », très admiré par le prince lors d'une visite à Sezincote, par John Nash en 1808. Nash fut engagé à l'origine sur les conseils de Repton, pour construire la véranda qui devait compléter les nouveaux jardins qu'il avait conçus pour la villa en 1797. Lors des travaux, Nash – qui avait eu depuis trente ans le privilège de la clientèle royale – agit en sous-main. Non seulement il ne respecta pas son contrat avec Repton mais il alla jusqu'à ignorer les plans que ce dernier avait prévus depuis 1806 pour le réaménagement du domaine. Quoi qu'il en soit, les jardins conçus par Nash s'inspiraient très fortement du travail de Repton. Dans l'espace limité des jardins du Pavillon, Nash sacrifia à la passion de l'époque pour la floriculture en créant une série de massifs qui furent remplis de plantes exotiques par W. T. Aiton, le directeur des jardins botaniques royaux de Kew.

☛ Chambers, Cockerell, Repton, Shah Jahan

**John Nash**. n. Londres (RU), 1752. m. East Cowes, île de Wight (RU), 1835. **Pavillon royal**, Brighton (RU), 1808.

# Nasoni Niccolò

## Casa de Mateus

Ces bâtiments à tourelles ainsi que les jardins d'origine de la casa de Mateus sont attribués au peintre et architecte toscan Niccolò Nasoni, pour le compte d'Antonio Jose Boteho Murao. Un miroir d'eau reflète la silhouette baroque de la demeure. La sculpture contemporaine de Joao Cutileiro détonne un peu avec la rigueur guindée des parterres bordés de buis qui occupent les terrasses devant la maison. Des broderies tourbillonnantes et des piliers allant jusqu'à 2,4 m de haut figurent parmi les nombreux motifs en buis qui ornent ce jardin. Un tunnel de cyprès taillés très court, haut de 7,5 m, se fraie un chemin sur plus de 34 m au milieu des terrasses. Ce style de tunnel arboré, obscur et frais à l'intérieur, était autrefois fréquent dans les jardins du nord du Portugal. Des haies de cyprès, formant des arches à intervalles réguliers, enferment une série de vergers dans une partie surélevée de ce domaine.

☞ **Fronteira, Mardel, Oliveira et Robillon, Porcinai**

# Nazarite Architecte de cour

Cette ancienne résidence d'été des Nasrides occupe un emplacement saisissant sur les hauteurs de la colline qui domine le palais de l'Alhambra et la ville de Grenade. Elle comprenait des jardins et des vergers étagés en une série de terrasses irrégulières. La cour principale, le Patio de la Acequia, est un espace clos orienté nord-sud dont l'axe central est occupé par un canal de 48 m de long pour moins d'un mètre de large, qui joint les deux portiques d'accès reliés sur le côté ouest par une galerie dont les arcades ouvrent sur l'Alhambra. Le bruit des jets d'eau retombant dans le bassin central crée

une atmosphère d'un calme exceptionnel. Les salles qui donnent sur ce jardin profitent de cet enchantement et du spectacle somptueux qu'offrent les fleurs et les plantes qui embaument l'air. L'ensemble procure un authentique ravissement fait de simplicité, d'élégance et d'aisance. Les vastes perspectives résultent d'un agencement ingénieux de l'environnement, que les souverains islamiques portèrent à des sommets proches de la perfection dans l'architecture des jardins andalous.

☛ **Ligorio, Muhammad V, Sangram Singh**

**Nazarite, architecte de cour.** Actif (ESP), xiv<sup>e</sup> siècle.
**Jardins du Generalife (Jennat al-Arif )**, Patio de la Acequia, Grenade, Andalousie (ESP), 1319.

# Nesfield William Andrews

## Holkham Hall

Des broderies délicates, tracées selon un schéma complexe de style Louis XIV et composées de haies de buis et de plates-bandes fleuries sur fond de graviers colorés, distinguent les parterres de la grande terrasse sud de Holkham Hall. Sur la gauche, en face des parterres, on aperçoit le bassin où trône la statue de saint Georges terrassant le dragon, par R. C. Smith. Les broderies des parterres d'une autre terrasse due à Nesfield, orientée au nord, reproduisent les initiales des propriétaires. Nesfield manifesta un regain d'intérêt pour les formes d'art élaborées du XVIIᵉ siècle en créant des massifs et des parterres pour des maisons de campagne. Il est aussi très connu pour la série de jardins communicants qu'il dessina pour les jardins botaniques de Kew, de 1844 à 1848. Son travail à Holkham (1849-1872) s'inscrit dans une longue tradition d'inventivité. Depuis sa création en 1720, ce vaste domaine a été successivement transformé par William Kent, Capability Brown et John Webb.

☛ **Barry, Blomfield, Brown, Marot et Roman, Sophia**

**William Andrews Nesfield. n.** 1793. Actif (RU), seconde moitié du XIXᵉ siècle. **m.** 1881.
**Holkham Hall,** Thakenham, Norfolk (RU), 1849-1872.

327

# Neutra Richard

## Résidence Loring

Un soleil éclatant qui se reflète dans une piscine bleue, la ville dans le lointain, les lignes épurées et modernistes d'un confortable espace de vie : tous les ingrédients du rêve américain des années 1950 sont réunis ici. Grâce à des panneaux coulissants ouvrant sur d'immenses murs de verre, cette maison sur un seul niveau est un prolongement de l'espace dédié au culte du soleil entourant la piscine. Même les tapis intérieurs sont assortis au pavage extérieur. Cette composition idyllique et globale du sud de la Californie est l'œuvre de Richard Neutra qui se spécialisa dans les constructions résidentielles de plain-pied, auxquelles il donnait un caractère industriel et qu'il édifiait sur des sites soigneusement préparés. Il travailla souvent dans des secteurs beaux et retirés, comme pour le Kaufmann Desert Home, qui accentuait le contraste entre la vie moderne et le cadre naturel et sauvage alentour. Il possédait une perception aiguë de la culture américaine et de l'architecture locale. Né en Autriche, il fit ses études avec Adolf Loos et Otto Wagner avant de partir pour les États-Unis en 1923.

☛ **Halprin, Hargreaves, Herman, Loos**

**Richard Neutra. n.** Vienne (A), 1892. **m.** Wuppertal (ALL), 1970. **Résidence Loring**, Los Angeles, Californie (EU), vers 1950.

# Niven Ninian

## Jardins botaniques de Glasnevin

La collection très éclectique de plantes de ces jardins botaniques prend tout son éclat sur la toile de fond translucide que lui offre la serre. Ninian Niven, qui devint directeur des jardins botaniques de Glasnevin en 1834, fut le plus grand jardinier paysagiste irlandais de l'époque victorienne. Il sut créer sa propre forme d'expression, « en mélangeant judicieusement » le style naturel des jardins anglais à la rigueur des jardins à la française. En 1836, il publia le premier guide grand public d'un jardin botanique. Il proposa aussi un certain nombre d'idées novatrices en matière d'aménagement de jardins, notamment une rocaille qui, par le choix et l'agencement de ses roches, représentait les couches géologiques de l'Irlande, ou encore ce jardin où il planta des espèces exotiques d'un côté d'une allée sinueuse et des espèces locales de l'autre, séparant les différentes familles botaniques par des arceaux qui enjambaient les chemins. Ce prodigieux jardinier paysagiste dirigeait aussi une pépinière et une école d'horticulture, et publia quelques opuscules religieux et un recueil de poésie.

☛ Burton et Turner, Fowler, Loudon, Paxton, Veitch

**Ninian Niven. n.** Glasgow (RU), 1799. **m.** Dublin (IRL), 1879.
**Jardins botaniques de Glasnevin**, Dublin (IRL), 1834-1838.

329

# Noailles Charles et Marie-Laure de

Villa Noailles

Une collection de fleurs infiniment variée prospère sur les flancs d'une colline proche de Grasse et peuple ce somptueux jardin du sud de la France. L'eau, qui coule depuis un nymphée en passant par une série de fontaines, est omniprésente dans ce domaine. Des perspectives soigneusement calculées s'ouvrent sur des vues particulièrement belles dans la campagne environnante, qui a malheureusement souffert ces dernières années de l'expansion immobilière. Çà et là, on remarque de discrètes allusions – à travers un enclos de buis ou une enfilade de fontaines – à des jardins célèbres, comme ceux de Sissinghurst ou de la villa d'Este. Ces clins d'œil trahissent les sources d'inspiration du vicomte Charles de Noailles, puisées lors des visites de jardins – illustres et moins illustres – au cours de ses nombreux voyages. Ici, les plantes occupent la première place : une multitude de bulbeuses acclimatées, des ensembles de magnolias, des pivoines herbacées ou arborescentes et des viornes.

☛ **Ligorio, Mallet-Stevens, Peto, Sackville-West, Vesian**

**Charles et Marie-Laure de Noailles.** Actifs au début du XXᵉ siècle. **Villa Noailles**, Grasse (F), 1947-1981.

# Noel Anthony

## Fulham Garden

Ce spectacle semble inviter le visiteur à sortir de la maison et à visiter le jardin de ville d'Anthony Noel, à Londres. De romantiques lis blancs et des pétunias en pots contrastent avec l'austérité du buis taillé, tandis que du lierre panaché « tapisse » le mur. L'ex-acteur Anthony Noel associe un penchant pour la théâtralité à une maîtrise de l'espace, surtout à petite échelle. Certaines de ses idées, comme la cabine de plage en guise d'abri de jardin ou les rangées de pots en terre cuite peints de rayures de couleurs vives et plantés de minuscules buis en forme de sucettes, ont été souvent copiées depuis plusieurs années. Cette assurance de Noel dans le traitement de l'espace se manifeste, entre autres, par le choix d'urnes, de plantes ou de treillages de grandes dimensions pour de petits espaces, mais toujours avec la même élégance tranquille. Ses jardins sont toujours parfaitement éclairés, car ses clients londoniens les utilisent autant le jour que la nuit. Noel se distingue des autres paysagistes par sa volonté de travailler presque exclusivement à une échelle réduite.

☛ **Le Nôtre, Page, Sackville-West**

**Anthony Noel.** Actif (RU), fin XXᵉ siècle. **Fulham Garden**, Londres (RU), années 1990.

# Noguchi Isamu

## Jardin de sculptures de l'Unesco

Près d'un bassin, des pierres sont disposées selon le motif de l'*Horai* au pied d'une butte aux douces ondulations, plantée de pins et d'érables. Ce jardin, encerclé par l'architecture moderne de Marcel Breuer, joue le rôle d'un océan de tranquillité. Quand on demanda au sculpteur Isamu Noguchi de composer un jardin pour le siège de l'Unesco à Paris, en 1956, il était au sommet de sa notoriété. Il considéra cette proposition comme un défi : celui de s'initier à l'art des jardins tout en saisissant l'occasion d'associer son propre style moderniste aux principes anciens qui régissent l'ornementation des jardins japonais. Afin de renouer avec cette tradition des jardins qui le fascinait, Nogushi retourna deux fois au Japon. Il y rencontra le grand paysagiste Mirei Shigemori qui l'emmena dans l'île de Shikoku pour choisir et extraire des pierres qui seraient expédiées à Paris. Bien qu'il fût considéré comme « le plus éminent sculpteur américain » de notre temps par Robert Hughes, Noguchi puisait dans ses deux cultures, pour ne retenir que le meilleur de chacune d'elles.

☛ **Ando, Brancusi, Enshu, Johnston, Neutra, Suzuki**

**Isamu Noguchi. n.** Los Angeles, Californie (EU), 1904. **m.** New York, New York (EU), 1988.
**Jardin de sculptures de l'Unesco**, Paris (F), 1956.

# Nordfjell Ulf

## Résidence à Stockholm

Des massifs de sédums très denses mettent en valeur, par contraste, le monolithe purement moderniste de cette résidence privée proche de Stockholm. Depuis l'aube du modernisme, les paysagistes ont lutté pour trouver le type de jardin capable de s'accorder avec ce style architectural. Ici, Ulf Nordfjell a choisi une végétation abondante, libre, typique de la tendance récente qui favorise les plantes vivaces et les plantes grasses ondulant au vent, s'opposant ainsi à l'immobilisme et la rigueur parfaitement lisse des bâtiments. Dans le travail de Nordfjell, des blocs de pierre éclatés, des lames de pierre et du gravier sont méticuleusement placés en écho au paysage naturel de la Suède, une rudesse qu'il compense par des plantations soigneusement étudiées qui comprennent des plantes herbacées vivaces résistant facilement à l'hiver. Nordfjell est aussi un céramiste accompli, dont l'œuvre est très décorative.

☞ Greene, Gill, Oehme et Van Sweden, Oudolf, Tunnard

**Ulf Nordfjell.** Actif (SUE), fin XXᵉ siècle. **Résidence à Stockholm**, Stockholm (SUE), années 1990.

# Oehme Wolfgang et van Sweden James

Jardin Meyer

Un sentier serpente à travers des masses audacieuses de plantes grasses et de plantes vivaces aux couleurs vives. Cette végétation qui ondule dans le vent semble ne rien devoir à la main de l'homme, comme si elle avait toujours prospéré librement le long de ce sentier à l'apparence on ne peut plus naturelle. Ces plantations « insoupçonnables », dont l'agencement trompe par leur simplicité, sont typiques du travail de James van Sweden et Wolfgang Oehme, auxquels on a attribué l'invention du « nouveau jardin américain » au début des années 1990. Cette image désormais familière d'un jardin naturel en liberté, planté de vivaces locales sans prétention et d'herbes, était une nouveauté à l'époque. Contrairement à beaucoup de ses contemporains, van Sweden ne souhaitait pas remodeler le paysage, préférant s'accommoder de la topographie existante, et rejetait la présence de pelouse, qu'il avait surnommée le « béton vert », et des persistants taillés. Au contraire, avec l'aide du botaniste Oehme, il s'évertua à sélectionner des plantes qui changent avec les saisons et composent des tableaux naturels.

☛ **Clément et Provost, Jekyll, Jensen, Kingsbury, Oudolf**

**Wolfgang Oehme. n.** Chemnitz (ALL), 1930. **James van Sweden. n.** Grand Rapids, Missouri (EU), 1935.
**Jardin Meyer,** Harbert, Missouri (EU), 1989.

# Ogawa Jigei

## Villa Murin-an

Flanqué de grands rochers plats, un sentier serpente, rejoint et traverse un cours d'eau paisible. Il passe dans des massifs d'arbustes et un terrain boisé, les montagnes formant au loin une parfaite toile de fond à cette scène naturaliste. Ce jardin d'agrément est soigneusement agencé autour de deux ruisseaux et de deux étangs peu profonds. Ici, la disposition des pierres a un caractère particulièrement naturel, les azalées sont méticuleusement taillées, et l'alternance des arbres et des clairières est parfaitement orchestrée. Le domaine de la villa Murin-an est un remarquable exemple des jardins de l'époque Meiji, durant laquelle ils devaient être de fidèles « copies », sorte de tributs à la nature, utilisant des instruments « naturels ». Le geste du dessinateur devait rester invisible et ne laisser aucune place au symbolisme ou à l'abstraction. Si certains jardins de cette époque manquent de personnalité, ceux de la villa Murin-an font exception. Ils furent réalisés en 1896 par Jigei Ogawa, à la demande de l'homme d'État Aritomo Yamagata, qui souhaitait aménager les abords de sa luxueuse demeure.

☛ Hepworth, Mandokora, Shigemori, Soami

**Jigei Ogawa. n.** (JAP), 1860. **m.** (JAP), 1932. **Villa Murin-an**, Kyoto (JAP), 1896.

335

# Oliveira et Robillon

## Palais de Queluz

Le style rococo des bâtiments du palais de Queluz est estompé par l'imposante végétation et les larges avenues de son parc. Chaque allée conduit à des statues ou à une pièce d'eau. Les bosquets frais et ombragés forment un contraste flagrant avec la parfaite rigueur des jardins en parterres qui dominent la partie située en face du palais. L'architecte Mateus Vicente de Oliveira construisit Queluz pour le futur roi Dom Pedro III, alors infant. Il transforma cet ancien pavillon de chasse en une résidence royale pour l'été. La seconde phase des remaniements, dont le dessin des parterres des deux immenses jardins, le jardin de Malta et le jardin Pensile, est due à l'architecte français Jean-Baptiste Robillon. Ces ajouts devaient compléter les pièces de réception du palais et se prêtaient aux divertissements de la famille royale à la belle saison. La musique, les feux d'artifice et les promenades en bateau sur l'extravagant canal orné de carreaux de céramique enchantaient les hôtes du roi.

☛ Fronteira, Mardel, Monteiro et Manini, Pinsent

**Mateus Vicente de Oliveira. n.** Barcarena (POR), 1706. **m.** 1785. **Jean-Baptiste Robillon. n.** Paris (F), **m.** Queluz, Estemadura (POR), 1782. **Palais de Queluz** (POR), 1785.

# Olmsted Frederick Law

## Central Park

Les allées et les routes incurvées qu'Olmsted traça en 1858 pour Central Park, à New York, sont un triomphe de l'art paysager et de l'urbanisme et sont d'autant plus remarquables qu'elles brisaient le schéma géométrique qui organisait le plan des rues. En collaboration avec Calvert Vaux, il envisagea un parc composé de divers éléments pittoresques pour compléter le paysage naturel, rocheux et boisé vers le sud, légèrement en pente vers le nord. Contraint d'incorporer des avenues transversales, Olmsted décida de pallier cette intrusion en encaissant les routes au-dessous du niveau du sol d'origine.

Central Park a subi de nombreuses modifications et, avec l'avènement des gratte-ciel, on peut voir la ville depuis presque partout dans le parc, mais le plan d'ensemble d'Olmsted, qui ménageait des surprises successives et prévoyait une multitude de bosquets discrets et de contrastes délibérés entre espaces boisés et espaces ouverts, a en grande partie survécu. Olmsted, le plus important architecte paysagiste du XIXe siècle, est surtout connu pour ses œuvres à grande échelle à New York et à Boston.

☛ **Hardouin-Mansart, Le Nôtre, Vanderbilt**

Frederick Law Olmsted. n. Hartford, Connecticut (EU), 1822. m. Waverley, Massachusetts (EU), 1903.
**Central Park**, New York, New York (EU), 1858.

# Ongley Lord

## Le Jardin suisse

Ce chalet suisse en bois, avec son toit de chaume et son tapis de jonquilles jaunes au printemps, est la principale attraction de ce parc d'1,5 hectare, composé d'une succession de clairières intimes et fleuries, créé par lord Ongley dans les années 1820. C'est le plus bel exemple britannique de jardin de style pittoresque suisse. Tout comme les chinoiseries furent à la mode dans les jardins européens du XVIIIᵉ siècle, la Suisse devint l'objet d'une sorte de culte au début du XIXᵉ siècle, notamment après la publication de récits romantiques de voyages dans les Alpes. On pense que ce chalet rustique,

qui réserve au visiteur des points de vue savamment ménagés, est l'œuvre de John Bounarotti Papworth. Mais le parc recèle d'autres curiosités : un abri en rondins à toit de chaume, des passerelles en fonte qui enjambent le ruisseau, des tonnelles fleuries soutenues par de gros arceaux de fer et un village de carte postale où l'on demandait autrefois aux femmes qui l'habitaient de porter une cape rouge et un grand chapeau.

☛ **Bateman et Cooke, Greene et Greene, Wordsworth**

**Lord Ongley**. Actif au début du XIXᵉ siècle. **Le Jardin suisse**, Bedfordshire (RU), années 1820.

# Orrery John, 5ᵉ comte d'

## La maison en os

Parmi les créations fantaisistes du 5ᵉ comte d'Orrery figure une maison en os, dont les ruines sont toujours visibles aujourd'hui. Parfois surnommée « le Palais d'ivoire », en raison de sa couleur blanchâtre, elle est entièrement recouverte de fémurs de cerfs et de bœufs. Les articulations furent placées vers l'extérieur afin de dissimuler les joints en mortier. Orrery était un ami des écrivains Alexander Pope et Jonathan Swift, et la maison en os (Bone House) figurait à l'époque parmi les plus importants jardins rococo d'Irlande. Entre autres folies créées par le comte d'Orrery, on trouve un ermitage entièrement constitué de racines d'arbres aux formes grotesques, ainsi que des cascades rustiques au milieu de bosquets de conifères où il fit ériger des statues classiques ; sur leur piédestal, il fit graver des inscriptions latines appropriées. Caledon fut remodelé vers 1807 par John Sutherland, le plus grand paysagiste d'Irlande, qui travaillait dans le style de Capability Brown. En 1829, William Sawrey Gilpin, champion du mouvement pittoresque, ajouta les terrasses qui entourent la maison.

☞ **Brown, Gilpin, Hamilton, Robins**

# Orsini Ottavia

## Château de Ruspoli

Le parterre du château de Ruspoli (anciennement Vignanello), dont on dit qu'il est le plus ancien d'Italie, fut dessiné par Ottavia Orsini, fille du créateur de Bomarzo. Elle commença à travailler à ce jardin en 1574. Douze parterres rectangulaires en broderies de buis, chacun représentant un motif différent, se combinent pour former un grand parterre rectangulaire qui s'orne en son centre d'un bassin à bord festonné, entourant une fontaine. Les haies extérieures, ponctuées de citronniers en pots, se composent d'un mélange de différentes espèces de lauriers tandis que des chênes verts prodiguent leur ombre dans les angles. À l'origine, les parterres étaient sans doute plantés de fleurs – surtout des bulbes – et des herbes faisaient office de haies à la place des buis. Pour les plates-bandes du milieu, Ottavia incorpora ses propres initiales et celles de ses deux fils, Sforza et Galeazzo, une tradition qui perdure. Ottavia modernisa ce site ancien dont on peut retracer l'histoire grâce à des documents remontant à 853, quand des moines bénédictins bâtirent une citadelle sur cet emplacement.

☛ Bomarzo, Lennox-Boyd, More, Salisbury, Verey

**Ottavia Orsini.** Active (IT), fin XVIᵉ siècle. **Château de Ruspoli**, Viterbo (IT), 1574.

# Otruba Ivar

## Jardin botanique de l'Université

Le jardin botanique de l'Université de Brno est l'un des jardins d'Europe centrale les plus significatifs du XXe siècle. Pour le réaliser, le paysagiste Ivar Otruba ne s'inspira pas de jardins anciens ou contemporains, mais fit entièrement confiance à son imagination. Son travail repose sur un ensemble d'éléments naturels : des prairies, des torrents et le flanc d'une colline, ce dernier étant un lieu idéal pour rassembler une collection de plantes alpines. Là, des séparations verticales en béton ou des feuilles de métal isolent des compositions rocheuses naturelles représentant différentes formations montagneuses et leur végétation. Dans un autre secteur, des blocs de calcaire, hissés jusqu'à hauteur des yeux sur des poteaux métalliques, servent de supports à des jardins alpins en miniature. Ce travail d'Otruba est tout à fait original – et peut-être unique – puisqu'il s'agit d'un vaste jardin botanique dont le style est parfaitement cohérent. Le plan d'origine de Kew, par William Chambers, correspondait à cette description, mais il en reste peu de traces.

☛ Blanc, Chambers, Hardtmuth, Loos, Moroni, Sloane

# Oudolf Piet

## Hummelo

Cette profusion de « nouvelles plantes vivaces » dans le jardin personnel de Piet Oudolf montre parfaitement pourquoi ce jardinier est un paysagiste et un pépiniériste si influent. Historiquement, on peut considérer qu'il réconcilie la tradition allemande d'une végétation naturelle à grande échelle prônée par Karl Förster avec les bordures d'herbacées de l'école anglaise, représentée par Gertrude Jekyll. Ce faisant, il permet aux propriétaires de petits jardins de combiner le maximum d'effets avec un minimum d'entretien. Oudolf est un véritable maître des atmosphères :

il croit que la lumière, le mouvement, l'harmonie, la maîtrise, le sublime et le mysticisme sont accessibles au travers des jardins. Ses dessins associent formes et couleurs, répétition et rythme, buissons et plantes herbacées. Ces dernières peuvent être structurales ou servir de remplissage, naturelles ou forcées. Ce sont bien souvent des herbes et des ombellifères, car ce paysagiste souhaite mettre en valeur la forme et les feuillages autant que la couleur, un jardin devant être une source de plaisir toute l'année.

☛ **Förster, Kingsbury, Lloyd, A. Parsons, Peto**

Piet Oudolf (**Kwekerij Piet Oudolf**). Actif (PB), fin XXᵉ siècle. **Hummelo**, Arnhem (PB), fin du XXᵉ siècle.

# Page Russell

## La Mortella

Le compositeur sir William Walton consulta a Russell Page sur le jardin qui devait entourer la maison qu'il se faisait construire sur une pente d'éboulis escarpée, dans l'île d'Ischia, face à la baie de Naples. Page – un maître du paysagisme simple mais réfléchi – suggéra de tirer le meilleur parti des beaux blocs de lave érodés qui jonchaient le site, des perspectives s'ouvrant à la fois sur le majestueux volcan du mont Nepomeo et sur la mer, et de la végétation indigène composée de romarin, de cistes, d'euphorbes, de genêts et, comme l'indique le nom de la maison, de myrte.

Il imagina un axe en forme de L pour le jardin, et proposa d'installer une série de bassins et de fontaines. La Mortella prospéra ensuite grâce aux bons soins de sir William et de son épouse Susana. Page, l'un des plus grands architectes paysagistes de la fin du XXᵉ siècle, est unique par la grande variété de son œuvre. Parmi ses réalisations les plus importantes, on compte le jardin de la Frick Collection à New York et les plans du Battersea Park, à l'occasion du festival de Grande-Bretagne en 1951.

☛ **Hanbury, Manrique, Shipman, Washington Smith**

# Palladio Andrea

## Villa Barbaro

La villa Barbaro, à Maser, a inspiré l'architecture de nombreux édifices, dont celle du Capitole, à Washington. Voici la célèbre exèdre semi-circulaire du *giardino segreto*, le « jardin secret », qui fait face à la villa, de l'autre côté d'un bassin rond. L'arche centrale et les deux extrémités de l'exèdre sont soutenues par des géants, tandis que les niches sont occupées par des statues grandeur nature. Les somptueux embellissements s'inspirant de l'époque classique sont modelés en plâtre. Palladio ne chercha pas seulement à recréer la noblesse et la dignité de l'architecture de la Rome antique, mais aussi à développer un style de décoration qui convienne au goût prononcé du XVIᵉ siècle pour l'ornementation. Les détails de cette composition sont l'œuvre du sculpteur Alessandro Vittoria, originaire de Trente, au nord de l'Italie. La symbiose entre l'architecture et le paysage dans le dessin des villas palladiennes, dont la villa Rotonda, en Vénitie, a influencé des générations d'architectes.

☞ Bramante, Burlington, Cameron, Fontana, Hoare, Kent

**Andrea Palladio**. n. Padoue (IT), 1518. m. Vicence (IT), 1580. **Villa Barbaro**, Maser (IT), vers 1550.

# Pan En

## Yu Yuan

Cet énorme rocher, censé évoquer une montagne artificielle, semble écraser les bâtiments construits dans la cour. Il s'agit peut-être de la pierre baptisée « Jade délicieusement taillé », que l'empereur Hui'tsung, de la dynastie Sung, avait autrefois convoitée pour son propre jardin. Pan En la considéra comme un trésor, et la plaça avec soin à l'extrémité sud de son jardin. Comme il l'écrit, ce jardin a eu du mal à voir le jour : « Pendant vingt ans j'ai tâtonné [...] rien de bon ne sortait, mais en [1577] j'ai décidé d'y mettre tout mon cœur. » Et il poursuit en donnant une description précise des efforts déployés pour le dessiner. Le mot chinois désignant la création d'un jardin se traduit littéralement par « empiler des rochers et creuser des étangs », qui illustre les principes de base du Yin et du Yang. Pan En continua à créer de nombreuses structures magnifiquement élaborées. Son jardin de Yu Yuan demeure un endroit délicieux, avec ses pierres délicatement disposées, ses bassins s'insinuant jusqu'aux bâtiments et ses toits ondulant sous les arbres.

☛ Crisp, Kang Xi, Qian Long, Tien Mu, Wang Xiang Chen

**Pan En.** Actif (CH), XVI<sup>e</sup> siècle. **Yu Yuan**, Shanghai (CH), 1577.

# Parsons Alfred

## Wightwick Manor

De grosses touffes d'herbacées de couleur vive se détachent sur une haie d'ifs taillée au cordeau et sur l'architecture Arts and Crafts de Wightwick Manor. L'aquarelliste Alfred Parsons, célèbre pour avoir illustré *The Genus Rosa* d'Ellen Willmort, fut engagé aux côtés de W. Partridge pour dessiner les plans du parc de cette illustre demeure. Il imagina un jardin anglais à l'ancienne composé de compartiments délimités par des haies d'ifs et animés de topiaires en forme de paon, de bordures de fleurs et de rosiers grimpants. Son plan initial incluait une longue allée d'ifs et une roseraie qui s'orna plus tard d'une grandiose pergola circulaire. L'agencement imaginé par Parsons à Wightwick résume à lui seul les conceptions du jardin Arts and Crafts, dans lequel les harmonies et les contrastes entre les couleurs des fleurs étaient toujours mis en scène sur fond d'architecture de brique rouge et de grandes haies de verdure. Ce jardin gagna par la suite en solennité avec le travail de Thomas Mawson, qui ajouta des terrasses, des marches et quelques autres détails architecturaux.

☛ **Jekyll, Lutyens, Mawson, Morris, Willmott**

**Alfred Parsons**. Actif (RU), début XX<sup>e</sup> siècle. **Wightwick Manor**, Wolverhampton (RU), 1887.

# Parsons Chris

## Le jardin de rosée

La lumière du petit matin éclaire un étonnant motif abstrait qui paraît « gravé » dans la rosée du *bowling green* gazonné du Buckinghamshire, en Grande-Bretagne. Ce motif est une création de Chris Parsons, un jeune responsable de l'entretien qui se levait avant l'aube pour passer à plusieurs reprises une grande brosse de chiffon sur la pelouse tondue très court. Parsons a découvert cette technique par hasard un matin de 1991, et a déjà réalisé un grand nombre de motifs qu'il photographie depuis un arbre voisin. Un motif de ce genre peut tenir de trois à cinq heures. « La rosée est plus belle sous le soleil car elle scintille », dit Parsons. « Dès que le soleil se couche, la rosée commence à tomber. On peut sentir l'humidité dans l'air. » Parsons s'intéresse aussi à la technique plus conventionnelle qui consiste à obtenir des motifs en réglant la hauteur de la lame de coupe pendant la tonte. Il apprécie le Land Art et les sculpteurs contemporains comme Andy Goldsworthy. Il reconnaît aussi que son travail présente des similitudes avec le style Op Art de Bridget Riley.

☞ Bye, Goldsworthy, Hall, Jencks, Smit, Toll

Chris Parsons. n. Kampala (OUG), 1967. **Le jardin de rosée**, Aylesbury, Buckinghamshire (RU), à partir de 1991.

# Pawson John et Silvestrin Claudio     Maison Neuendorf

Un bassin tout en longueur s'étire vers un mur monolithique où des lignes horizontales se répètent dans la forme des bancs, de la fenêtre et du toit, tranchant nettement sur l'azur du ciel de Majorque. L'austérité de la géométrie de cette composition n'est tempérée que par la chaleur ocre des murs et par la présence des oliviers. Conçue par John Pawson et Claudio Silvestrin en 1989, la maison Neuendorf est l'un des exemples les plus marquants du design minimaliste, à l'intérieur comme à l'extérieur. Cette habitation est un cube fermé par de hauts murs, avec une cour partiellement ombragée qui permet de dîner dehors. La maison a été agencée et le terrain planté de manière à obtenir une totale intégration au paysage : la couleur du mur a été obtenue en mélangeant du plâtre à la terre du pays et la volée de marches a été taillée dans le calcaire local. Le minimalisme de Pawson, pour qui réduire les choses à l'essentiel laisse libre cours à la contemplation, s'apparente au travail de modernistes comme Le Corbusier ou Luis Barragán, mais s'inspire aussi de la simplicité de l'architecture locale.

☛ **Barragán, Gill, Hargreaves, Majorelle, Walker, Yturbe**

**John Pawson. n.** Halifax (RU), 1949. **Claudio Silvestrin. n.** Milan (IT), 1951.
**Maison Neuendorf**, environs de Santanyi, Majorque (ESP), 1989.

# Paxton Sir Joseph

## Chatsworth

Le Conservative Wall, serre dessinée par James Paine et achevée en 1763, fait partie d'anciens édifices de jardin que Paxton – qui travaillait en étroite collaboration avec son employeur, le 6ᵉ duc de Devonshire – incorpora dans un programme d'aménagement lancé en 1826. Avant que celle-ci ne soit vitrée, en 1848, Paxton avait déjà commencé à planter l'Arboretum (1835), construit la Grande Serre (1836), érigé l'énorme rocher (1842) et reconstruit la fontaine du Saule pleureur, datant de 1693. La fontaine dite de l'Empereur (1843) fut créée pour la visite imminente du tsar Nicolas. Les jardins de Chatsworth et ceux de Biddulph Grange ont eu une influence considérable sur le dessin des parcs à l'époque victorienne. Paxton était l'un des esprits universels les plus dynamiques du XIXᵉ siècle. Architecte, auteur, ingénieur et politicien, il fut un pionnier de l'aménagement des parcs publics. Mais il est surtout célèbre pour avoir dessiné les plans du Crystal Palace, incroyable cathédrale de verre et de métal édifiée dans Hyde Park pour abriter l'Exposition universelle de 1851, à Londres.

☛ **Balat, Bateman, Burton et Turner, Dupont, Fowler**

Sir Joseph Paxton. n. (RU), 1803. m. (RU), 1865. **Chatsworth**, Derbyshire (RU), 1826-1858.

# Pearson Dan

## Le dôme du Millenium

Le Living Wall, ou Mur vivant, de 171 m de long, conduit tout droit depuis le dôme du Millenium jusqu'à la Tamise. Les bouquets de bouleaux et de saules taillés disposés à intervalles réguliers devant ce long panneau peint de différents tons de gris, impriment un rythme qui s'intensifie le soir venu. Au point culminant du mur, là où il croise le méridien de Greenwich, le gris fait place à des miroirs. Pearson a créé d'autres effets spéciaux pour le dôme, notamment un jardin suspendu qui masque un énorme conduit de ventilation à l'entrée. Considéré depuis les années 1980 comme l'un des plus importants designers contemporains, Pearson tire son inspiration des plantes indigènes du monde entier et affirme que son but principal est de « jardiner » en accord avec la nature et non contre elle. C'est également lui qui a été chargé d'aménager Althorp House, dans le Northamptonshire, et notamment la petite île où se trouve le mémorial de la princesse de Galles, Diana, comme un écho au tombeau de Jean-Jacques Rousseau à Ermenonville.

☛ Bradley-Hole, Brookes, Girardin, Oudolf, Smyth

Dan Pearson. Actif (RU), début XXIe siècle. Le dôme du Millenium, Londres (RU), 1999.

# Pearson Frank Loughborough et Cheal Joseph    Hever Castle

Située à l'extrémité du corridor bordé d'ifs qui prolonge le jardin à la Pergola, cette arche classique encadre la statue placée en face du Mur pompéien. C'est ainsi que Pearson, pour éviter toute incongruité, a judicieusement séparé le jardin italien, avec sa double pelouse divisée par un jardin surbaissé et une loggia grandiose donnant sur un vaste lac, du château du XIII<sup>e</sup> siècle et du jardin anglais à l'ancienne, avec ses compartiments de verdure clos de haies et remplis de fleurs. Bien qu'il ne possède pas l'esprit des vrais jardins de la Renaissance italienne, le jardin italien fournit un site idéal pour exposer l'immense collection d'antiquités classiques et Renaissance du milliardaire William Waldorf Astor. Hever Castle est représentatif de la redécouverte édouardienne de la vraie nature des jardins italiens et non de la version victorienne stylisée de l'italianisme, ce mélange confus d'éléments anglais, italiens, hollandais et français. Ce jardin fut aménagé entre 1904 et 1908 par Joseph Cheal & Son, qui employa plus de 1 000 hommes, dont 800 pour creuser le lac artificiel.

☛ Duchêne, Gallard, Hardouin-Mansart, Pembroke

# Pembroke Philip Herbert, 4ᵉ comte de

Wilton House

Cette gravure de 1645 montre le jardin de Wilton House. Construit entre 1632 et 1635 autour d'un axe central, il comprend des terrasses, des parterres élaborés, une section sauvage, des statues, une grotte et des galeries de verdure. Il devint célèbre en Europe comme symbole du raffinement et de l'éclectisme de la cour de Charles Iᵉʳ dans les années précédant la guerre civile. Ce parc fut dessiné vers 1632 par Philip Herbert, 4ᵉ comte de Pembroke, avec l'aide d'Isaac de Caus qui travaillait avec l'architecte Inigo Jones. Son plan témoigne d'une forte influence des jardins des villas bâties dans la campagne vénitienne qui, elles aussi, étaient situées sur des terrains plats. Le comte s'inspira d'autres jardins Renaissance européens, notamment celui du Palais du Luxembourg à Paris, qu'il avait vu en escortant Henrietta Maria (épouse de Charles Iᵉʳ) à l'occasion de son retour en Angleterre en 1625. Le jardin de Wilton joua un rôle important car il inspira d'autres jardins Renaissance en Angleterre, comme Dawley, Haigh et Staunton Harold.

☛ Boyceau, I. Caus, Jones, Palladio, Pearson et Cheal

Philip Herbert, 4ᵉ comte de Pembroke. n. (RU), 1584. m. (RU), vers 1649. **Wilton House**, Wiltshire (RU), 1632-1635.

# Pepper Beverly

## Sol y Ombra

Bordant les larges sentiers de cette spirale géante, une armée d'arbres offre un abri bienvenu contre la chaleur accablante de l'été barcelonais. Voici l'élément *ombra* (ombre) du parc Sol y Ombra, situé non loin de la principale gare ferroviaire de la ville. L'élément *sol* (soleil) est une bande herbeuse repoussée par des carreaux de céramique bleus qui, en montant comme une vague, constituent une plate-forme qui retient le moindre rayon de soleil en hiver. Et la terre, par ses creux, ses élévations, ses courbes et ses arabesques, est ainsi sculptée. Ce paysage est une commande de la ville de Barcelone, qui invita des artistes, des architectes et des ingénieurs à intervenir dans toute l'agglomération à l'occasion des jeux Olympiques de 1992. L'Américaine Beverly Pepper, qui a soumis le projet Sol y Ombra, a suivi les cours de peinture de Fernand Léger à Paris avant de s'orienter vers la sculpture en 1960. Dix ans plus tard, elle s'est s'intéressée à l'environnement, auquel elle consacre désormais l'essentiel de son travail. Elle vit aujourd'hui en Italie et travaille surtout en Europe.

☞ **Clément et Provost, Herman, Gustafson, Lutsko, Tschumi**

# Pierre I<sup>er</sup> de Russie

## Le jardin d'Été

Pierre le Grand acheta plus de deux cents statues classiques en Italie pour décorer son jardin d'Été de Saint-Pétersbourg, dont quatre-vingt-dix sont toujours debout. Elles furent placées contre des haies taillées, qui ont depuis poussé librement jusqu'à se perdre dans les arbres, donnant au jardin une apparence moins sophistiquée. Dans un labyrinthe, on installa de nombreuses fontaines composées de groupes sculptés et dorés illustrant les fables d'Ésope, chacun doté d'une notice explicative. Pierre le Grand entendait ainsi permettre aux Russes d'accéder à la culture de l'Europe de l'Ouest. L'ensemble des fontaines fut détruit lors d'une inondation en 1777. Les jardiniers Matveev et Roosen ainsi que l'architecte Zemtsov travaillèrent à la conception de ce jardin, tandis que l'architecte Trezzini fut chargé de construire un petit palais pour le tsar dans l'enceinte du parc. Le jardin d'Été demeure le plus agréable espace vert de Saint-Pétersbourg, sauf au moment du dégel car le sol est alors trop détrempé pour pouvoir accueillir les visiteurs.

☛ **Catherine II, Hardouin-Mansart, Le Nôtre, Rinaldi**

**Tsar Pierre I<sup>er</sup> de Russie (Pierre le Grand). n.** Moscou (RUS), 1672. **m.** Saint-Pétersbourg (RUS), 1725.
**Le jardin d'Été**, Saint-Pétersbourg (RUS), 1703.

# **Peto** Harold

## Iford Manor

À l'extrémité de la terrasse principale, l'on aperçoit la Casita, avec ses colonnes de marbre rose et sa nymphe gréco-romaine ; au premier plan, des haies de buis taillées, des arbustes en topiaires dans des pots de terre cuite et la silhouette d'un jeune homme en marbre... Nous ne sommes pas ici dans la campagne italienne, mais à Iford Manor, dans le Wiltshire, où le culte anglais pour les jardins italiens de la Renaissance a trouvé son expression la plus personnelle et, indiscutablement, la plus aboutie. En 1899, Harold Peto abandonne son activité d'architecte pour se consacrer à l'art paysager et achète cette maison où il crée son jardin dans la vallée boisée de la Frome. Il y construit une série de terrasses dont les murs de soutènement sont en pierre du pays et y incorpore des colonnades, des loggias et un remarquable ensemble de sculptures. Les éléments architecturaux sont atténués par les persistants, les grimpants et les plantes qui poussent entre les pavés. En intégrant de la végétation à l'architecture, il inversa la tendance de l'ère victorienne pour les jardins italianisants grandioses.

☞ **Fairhaven, Lutyens, Mansi, M. Rothschild, Verey**

**Harold Ainsworth Peto. n.** Somerleyton, Suffolk (RU), 1854. **m.** Bradford-on-Avon, Wiltshire (RU), 1933.
**Iford Manor**, environs de Bradford-on-Avon, Wiltshire (RU), 1899.

# Pfeiffer Andrew

## Jardin de Linda Taubman

Voici une interprétation très géométrique du jardin de broderie historique par le paysagiste Andrew Pfeiffer. Les jardins de broderie Tudor se composaient en général de motifs d'entrelacs complexes qui excluaient toute forme purement géométrique, comme les triangles de cette photo, évocateurs de la tradition moderniste française des années 1920. Le jardin de Linda Taubman, dans le Michigan, se déploie sur plusieurs terrasses au milieu d'un terrain boisé, ce qui crée un contraste immédiat entre nature sauvage et nature domestiquée. Cet espace élégant, le potager inférieur,

se démarque par un pavement de briques qui invite le visiteur à descendre et par le contraste entre les lignes horizontales des pelouses et des haies et les formes verticales des arbres voisins. Andrew Pfeiffer, qui est établi à Londres et à Sydney, se décrit lui-même comme un paysagiste qui « crée des paysages idéalisés et libres contenant des éléments sophistiqués et formels ». Dans chacun de ses projets, il intègre des éléments d'architecture locale et des plantes indigènes.

☛ Beaumont, Lainé, More, Page, H. Phillips, Salisbury

**Andrew Pfeiffer. n.** Sydney (AUS), 1944. **Jardin de Linda Taubman**, Bloomfield Hills, Michigan (EU), fin du xxᵉ siècle.

# Phelips Sir Edward

## Montacute House

Cet édifice faisait partie des plans d'origine des jardins de Montacute House, créées pour sir Edward Phelips au cours des années 1590. Le pavillon, réservé aux réceptions, était l'une des deux constructions de jardin où les invités se retrouvaient pour prendre les desserts et les rafraîchissements après avoir dîné dans la maison de maître. Le plan au sol de l'époque élisabéthaine est encore visible au milieu des bordures fleuries créées au XIXᵉ siècle par Phyllis Reiss, qui vivait non loin de là, à Tintinhull House, dont elle dessina aussi les jardins. Les couleurs vives et franches et les larges massifs d'espèces à feuilles permettent au jardin de conserver un intérêt tout au long de l'année. Les plates-bandes regorgent de clématites, de plantes grimpantes, de roses, de delphiniums et de lupins pendant l'été. Le jardin nord fut remanié en 1945 par Graham Thomas, qui s'inspira des réalisations de Vita Sackville-West. On trouve même une avenue bordée d'ifs irlandais taillés, de cèdres du Liban et de hêtres, qui conduit à la nouvelle entrée principale de la demeure.

☛ Egerton-Warburton, Sackville-West, G. S. Thomas

**Sir Edward Phelips.** Actif (RU), XVIᵉ siècle. **Montacute House**, Somerset (RU), vers 1590.

# Philippe II d'Espagne

## Aranjuez

Seul un petit parterre subsiste de l'impressionnant agencement des jardins du palais d'Aranjuez, créés pour Philippe II d'Espagne. Pour mener à bien ce projet, il engagea de nombreux jardiniers hollandais et flamands, et envoya même son jardinier en chef, Jeronimo Algora, faire un tour des jardins de France, d'Angleterre et des Flandres. Le style des parterres clos, qui dominait à l'époque, convenait parfaitement à son goût pour la rigueur. À Aranjuez, il ordonna la création d'un jardin sur une île accessible par une passerelle franchissant le Tage.

Les plans tracés par Juan Bautista de Toledo prévoyaient une division de l'île en une série de petits compartiments carrés et rectangulaires agrémentés de simples fontaines et de statues. Botaniste averti, Philippe II choisit d'y planter des saules, des roseaux, des acacias, des tilleuls, des noisetiers et des châtaigniers, dont la plupart provenaient des Flandres. Son jardin sur l'île fut complètement remanié par l'architecte Herrera Barnuevo, sur ordre de Philippe IV. Il a peu changé depuis.

☛ **Bullant, Fronteira, Lotti, Philippe V, Post, Van Campen**

---

**Philippe II, roi d'Espagne. n.** Valladolid (ESP), 1527. **m.** Madrid (ESP), 1598.
**Aranjuez,** Aranjuez (ESP), représenté par Antonio Joli vers 1562.

# Philippe V d'Espagne

## La Granja

La plus impressionnante des vingt-six fontaines de la Granja est la Nouvelle Cascade, une volée de marches de marbre que l'eau dévale jusqu'à un bassin devant un jardin de parterres. Des statues et des fontaines ponctuent les 145 hectares du parc créé par Philippe V en hommage au travail de Le Nôtre à Versailles, où il vécut enfant. Certains groupes de sculptures saisissants, comme les chevaux traversant une série de bassins, sont l'œuvre de sculpteurs français, dont René Fremin et Jean Thierry, qui reçurent des commandes de la reine Isabelle. Le palais et les aires de jeux furent construits sur le site d'un ancien pavillon de chasse. Philippe V s'engagea dans ce projet grandiose en 1720, mais l'aménagement ne fut terminé qu'en 1740. Des plantations moins formelles, bien que suivant un plan géométrique, sont bordées d'avenues de marronniers d'Inde, de pins d'Écosse et de chênes des Pyrénées.

☞ Le Nôtre, Philippe II, Seinsheim, Vanvitelli

# Phillips Henry Alexander

## Les jardins d'Irwin

À la fin du XIXe siècle et au début du XXe siècle, un regain d'intérêt pour l'art et l'architecture de la Grèce antique, de Rome et de la Renaissance italienne balaya l'Amérique et transforma la manière dont les paysagistes conçurent les jardins. Les jardins d'Irwin, dessinés et mis en œuvre par Henry Alexander Phillips en 1910 pour le riche banquier William G. Irwin, n'échappèrent pas à cet engouement. Phillips fut très influencé par l'architecte paysagiste américain Charles A. Platt qui écrivit et illustra un ouvrage intitulé *Italian Gardens*, en 1894. Il conçut des parterres surbaissés, des pergolas, des niches aveugles et disposa des bustes de philosophes grecs, des colonnades classiques et des pavillons à trois arches pour façonner ce jardin de la Rome antique du Nouveau Monde, qui n'est en fait qu'un assemblage d'antiquités profondément romantique. Cette photographie dévoile une cour intérieure intime avec des plates-bandes surbaissées et, au milieu, un puits romain en pierre sculptée.

☛ Bosworth, Harrild, Kiley, Lennox-Boyd, London, Rose

Henry Alexander Phillips. n. Springfield, Massachusetts (EU), 1875. m. (EU), 1950.
Les jardins d'Irwin, Columbus, Indiana (EU), 1910.

# Phillips Lady Florence

## Vergelegen

Un chemin d'entrée pavé de briques constitue l'axe principal du jardin octogonal de Vergelegen, près du Cap. Cette noble demeure, au pignon typique du style hollandais d'Afrique du Sud, fut construite en 1700 par l'un des premiers gouverneurs du Cap, le très controversé Willem Adriaan van der Stel. Il dessina des allées radiales plantées d'amandiers, de chênes et de marronniers, et réinterpréta le corral traditionnel – destiné à maintenir les animaux sauvages à distance – sous forme d'une vaste orangeraie octogonale entourée de murs. Elle fut replantée en 1921 par Lady Florence Phillips et son jardinier, qui avait déjà travaillé pour sa propriété de Tylney dans le Hampshire. Des bordures jumelles de plantes herbacées, typiquement anglaises, longent le sentier, mais la pergola circulaire couverte de bougainvillées et les jacarandas indiquent que nous sommes bien loin des vertes prairies anglaises. « Florie » Phillips, Sud-Africaine de souche, dont le mari était un magnat des mines de diamant, fut une mécène très active dans le domaine des arts. Elle créa un autre jardin à Johannesburg : Arcadia.

☛ **Barlow, Farrand, Jakobsen, Johnston, Walling**

**Lady Florence Phillips. n.** Le Cap (AS), 1863. **m.** Vergelegen, Province du Cap (AS), 1940.
**Vergelegen**, Province du Cap (AS), à partir de 1921.

# Pinsent Cecil

## Villa I Tatti

À la villa I Tatti, les lignes puissantes des haies, des parterres, des escaliers et des allées créent une architecture de verdure très marquée, qui semble dicter plutôt que suivre les perspectives et les différents niveaux déjà existants. Même si tous les éléments constitutifs des jardins toscans de la Renaissance sont perceptibles, la hardiesse du dessin est, elle, tout à fait moderne. Au cours des années 1920 et 1930, le paysagiste anglais expatrié Cecil Pinsent se spécialisa dans une réinterprétation du style Renaissance pour de nombreux clients anglo-américains qui avaient acheté des villas délabrées dans les environs de Florence, à la fin du XIXᵉ siècle. Assisté de Geoffrey Scott, il créa plus de vingt jardins dans cet esprit, et restaura de nombreux sites historiques en Toscane et à Rome. Il n'avait que vingt-six ans quand Bernard Berenson, le grand historien d'art américain à qui l'on doit la redécouverte de la peinture italienne du XVᵉ siècle, l'engagea pour remettre en état I Tatti, qu'il avait acquise, en ruines, en 1905. À sa mort, Berenson légua cette propriété à l'université Harvard.

☛ **Acton, Bacciocchi, Boy, Mansi, Porcinai, Trezza**

**Cecil Ross Pinsent. n.** 1884. Actif (IT), début XXᵉ siècle. **m.** 1964. **Villa I Tatti**, Fiesole (IT), 1910.

# Piper Fredrik

## Haga

En 1785, le roi de Suède Gustave II confia à l'architecte Fredrik Piper, qui revenait d'Angleterre, l'aménagement du parc de sa demeure de Stockholm. Un an plus tôt, Gustave II avait visité le Désert de Retz, dans les environs de Paris. Le parc royal de Haga, près de la côte baltique, est l'un des premiers jardins suédois paysagers à l'anglaise. La pelouse, les champs ouverts et les bouquets d'arbres ménagent de vastes perspectives. La Maison de plaisance, qui se reflète ici élégamment dans les eaux du lac inférieur, fut édifiée plus tard par Olof Templeman. À l'origine, Piper avait prévu d'ériger tout un ensemble de fabriques de jardin à travers le parc, mais son projet ne fut jamais achevé et seul le kiosque turc vit le jour. Plus tard, l'architecte français Louis Duprez dessina pour Haga un palais de style néoclassique qui ne fut, lui non plus, jamais achevé. Au XIXe siècle, l'architecte suédois C. C. Gjorwell conçut et réalisa pour le domaine de Haga un pavillon chinois et des tentes recouvertes de cuivre.

☛ Brown, Emes, Hirschfeld, Monville, Repton, Tessin

Fredrik Magnus Piper. n. 1746. Actif (SUE), fin XVIIIe siècle. m. 1824. **Haga**, Stockholm (SUE), 1785.

# Platon

## L'Académie

Sous les colonnes d'un portique, à l'ombre des arbres, les disciples écoutent leur maître avec attention. Il arrivait que le maître et ses élèves partent se promener et discutent de faune et de flore, de mathématique et de politique. Platon fonda cette extraordinaire école, un modèle pour les siècles à venir, en 387 av. J.-C., après avoir longuement voyagé en Égypte, en Italie et en Sicile. Elle se trouvait au milieu d'un magnifique parc ombragé, dans le faubourg le plus élégant d'Athènes. Dédiée au héros de l'Attique, Akademos, cette enceinte sacrée était aussi un lieu de sépulture.

On pense que Platon, outre son enseignement public dans le parc d'Akademos, dispensait ses connaissances dans son jardin privé, non loin de là. Dans ce centre de recherches philosophiques et scientifiques, aujourd'hui appelé l'Académie, on abordait aussi des questions de jurisprudence et de mathématiques. Platon la considérait comme l'aboutissement de toute sa vie et la plaçait bien au-dessus de ses écrits.

☞ **Darwin, Michelozzi, Palladio, Raphaël, Ruskin**

**Platon. n.** Athènes (GR), 428 av. J.-C. **m.** Athènes (GR), 348 av. J.-C.
**L'Académie**, « une scène de l'école de Platon », dans la maison de T. Siminius, Pompéi, I<sup>er</sup> siècle av. J.-C.

# Pline le Jeune

## Villa toscane

Ce plan établi au début du XVIIIᵉ siècle pour la reconstruction de la résidence d'été préférée de Pline le Jeune, au cœur de la Toscane, livre plus d'informations sur l'émergence du style paysager anglais que sur ses origines romaines. Ostensiblement inspiré par les lettres de Pline le Jeune écrites vers l'an 100, le plan indique trois types de jardins différents : des parcs flanqués d'étangs, des jardins formels « tracés au cordeau » et un troisième style (visible en haut, dans les ronds) composé de prés, de rochers, d'eau, d'arbres et d'édifices dispersés dans un désordre naturel « à la manière

de tant de beaux paysages ». Pline dessinait ses villas avec l'intention de réunir la maison et le jardin ; à l'intérieur, il peignait des fresques montrant des feuillages et des oiseaux et créait de délicieux pavillons à l'extérieur. En publiant ce plan, en 1728, dans *The Villas of the Ancients Illustrated*, dédié à lord Burlington, Robert Castell donna ses lettres de noblesse au « nouveau » style de paysage qui émergeait à Chiswick et ailleurs. Il y eut peu d'exemplaires publiés et Castell, incarcéré pour dettes, mourut peu après en prison.

☞ **Burlington, Hadrien, Sulla, Switzer, Tibernitus**

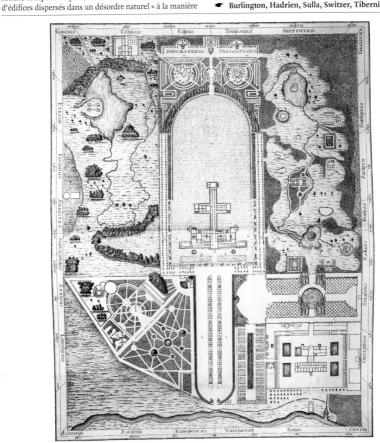

**Pline le Jeune (Gaius Plinius Caecilius Secundus). n.** Novum Comun (IT), vers 61. **m.** Bithynia ou Rome, 113.
**Villa toscane**, Casello, Toscane (IT), vers 100.

# Poitiers Diane de

## Château de Chenonceaux

Cette broderie de santolines compose un élégant parterre, dédié à Diane de Poitiers, sur une terrasse, dominant le Cher, de l'un des plus beaux châteaux de France. Bien que sous une forme différente, ce jardin était célèbre au XVIᵉ siècle quand il fut créé par Diane de Poitiers, la puissante maîtresse d'Henri II. Le roi lui avait fait cadeau de Chenonceaux, en 1551, après son accession au trône. Elle ordonna des parterres à la française plantés d'arbres fruitiers rares, de quelques légumes et de ses fleurs préférées : des roses, des lis et des milliers de violettes que l'on transplanta des bois avoisinants. Diane, qui avait tenu une véritable cour parallèle durant toute la vie d'Henri II, se vit confisquer tous ses biens à la mort de ce dernier par Catherine de Médicis, la reine légitime. Chenonceaux ne fit pas exception. Catherine s'y installa et dessina ses propres jardins à l'italienne. Des interprétations modernes de ces deux ensembles sont visibles de part et d'autre du château et rivalisent toujours pour exercer leur suprématie.

☞ Du Cerceau, l'Orme, Mercogliano, Mollet, Serlio

**Diane de Poitiers (duchesse de Valentinois). n.** Poitiers (F), 1499. **m.** Anet (F), 1566.
**Château de Chenonceaux**, environs de Tours (F), 1551.

# Pope Alexander

## Jardin de Twickenham

Ce temple ouvert orné de coquillages était le clou du jardin d'Alexander Pope, un vaste rectangle de 2 hectares où le poète expérimentait toutes sortes de choses, comme appliquer la technique picturale du clair-obscur à ses plantations d'arbres et d'arbustes ou ornementer les allées rectilignes, les sentiers sinueux et les clairières d'urnes et de statues classiques. La variété était la clé de ce jardin que l'on pouvait admirer dans son intégralité depuis un tertre. De la maison, on ne pouvait accéder au jardin qu'en empruntant un tunnel sous la route, que Pope transforma en une grotte tapissée de minéraux, de

coquillages, de verre et de stalactites qu'il fit venir de Wookey Hole. Une fois dans le jardin, on pouvait jouir d'une perspective en *camera obscura* sur la Tamise, en se retournant vers la maison, perspective que l'on aperçoit justement dans l'encadrement de la petite porte derrière le temple, sur ce dessin de Kent. Un dessin qui nous montre aussi Kent, Pope et son chien, ainsi que des ajouts fantaisistes, comme le groupe de sculptures sur la gauche.

☛ Bridgeman, Grenville-Temple, Kent, Orrery, Vanbrugh

Alexander Pope. n. Londres (RU), 1688. m. Twickenham, Londres (RU), 1744.
Jardin de Twickenham, Londres (RU), 1718-1744.

367

# Porcinai Pietro

## Villa Il Roseto

Un élégant parterre moderne descend en pente douce depuis la maison vers la ville d'Erector. En dessous, une pièce aux proportions imposantes, baignée dans la lumière tamisée du jour, sert d'entrée principale au domaine et de parking souterrain. Avec ses colonnes et ses coupoles en béton, son sol et ses murs à décors géométriques, c'est une réinterprétation contemporaine des grottes des XVIᵉ et XVIIᵉ siècles. Cette innovation illustre le talent de Pietro Porcinai, qui réussit à apporter des solutions efficaces à des situations modernes en transposant avec maestria dans un contexte actuel les principales caractéristiques de la tradition italienne. Il a exercé ses talents dans de nombreux jardins d'Europe, du Moyen-Orient, d'Amérique du Nord et du Sud, et participe aujourd'hui à des projets plus vastes comme celui de l'autoroute du Brenner. Porcinai a passé son enfance à la villa La Gamberaia, où son père était jardinier en chef. Ce qui explique sans doute son aisance et la qualité de son intuition.

☞ **Capponi, Nasoni, Pinsent, Scarpa, Trezza**

**Pietro Porcinai**. n. Florence (IT), 1910. m. 1986. **Villa Il Roseto**, environs d'Arcetri, Toscane (IT), milieu du XXᵉ siècle.

# Post Pieter

## Huis ten Bosch

Cette vue intime et séduisante du Jardin de Huis ten Bosch illustre parfaitement la façon dont Pieter Post, qui s'inspirait de la Renaissance italienne, utilisait la symétrie ordonnée et la statuaire classique. Avec Jacob van Campen, Constantijn Huygens et Johan Maurits van Nassau – tous membres d'un groupe connu sous le nom de « Cercle de La Haye » – , Post développa un style de jardin formel typiquement hollandais. Huis ten Bosch est un petit jardin intime délimité par des canaux rectilignes et des rangées d'arbres. Le plan carré a été divisé en simples compartiments.

Au milieu se dressaient quatre statues en pierre flanquées de deux volées de marches conduisant, de part et d'autre, à un pavillon couvert de végétation. Post dessina le jardin de Huis ten Bosch (« Maison dans le bois ») près de La Haye, entre 1645 et 1652, pour Amalia Von Solms, l'épouse de Frederik Hendrik, stathouder et prince d'Orange. Les parterres dessinaient les initiales F. H. et A. V. S.

☛ **Colchester, Frederik Hendrik, Huygens, Van Campen**

---

**Pieter Post**. n. Haarlem (PB), 1608. m. La Haye (PB), 1669. **Huis ten Bosch**, Haagse Bos, La Haye (PB), 1645-1652.

# Potter Beatrix

## Hill Top

À moitié dissimulés derrière les oignons et les carottes d'un potager, on aperçoit une bêche, un tamis et un arrosoir en fer galvanisé anciens, que connaissent bien les enfants du monde élevés avec *Pierre le lapin* et tous les autres animaux des contes de Beatrix Potter dans le jardin de monsieur Mc Gregor. Au-delà se trouve Hill Top, la ferme que Beatrix Potter acheta en 1905 dans la région des lacs et où elle écrivit bon nombre de ses histoires qu'elle illustra elle-même de dessins à l'aquarelle ou à l'encre. Plus tard, sa passion pour le dessin céda la place à l'élevage desmoutons(de la race locale des Herdwick) et au jardinage. Elle aimait avant tout les plantes traditionnelles des jardins de cottages comme celles qui bordent son allée d'entrée : azalées, phlox, roses, roses trémières, saxifrages, lis, plantes de rocaille et arbres fruitiers, parfois mêlés à des légumes. Son influence perdure grâce à ses illustrations finement observées qui restent gravées dans toutes les mémoires. À sa mort, elle légua au National Trust plus de 1 500 hectares de terres (fermes, cottages) dans le Lake District.

☛ **Burnett, Landsberg, Ruskin, Shurcliff, Wordsworth**

**Helen Beatrix Potter. n.** Londres (RU), 1866. **m.** Cumberland (RU), 1943.
**Hill Top**, environs de Sawrey, Ambleside, Cumberland (RU), 1905.

# Powerscourt 7ᵉ vicomte

Le 7ᵉ vicomte Powerscourt hérita d'un jardin à l'italienne inachevé dessiné par Daniel Robertson. En 1858, il demanda à six architectes et paysagistes de faire des propositions pour compléter ce jardin. Il choisit ensuite avec sa famille des éléments parmi les idées proposées par Daniel Robertson, William Brodrick, James Howe, sir George Hodson, Edward Milner et Francis Penrose. Le résultat est une étonnante démonstration du goût hybride de la fin du XIXᵉ siècle. Le jardin fut noyé sous un déploiement de détails architecturaux et sculpturaux, les copies des statues classiques étant d'une qualité remarquable. Les structures du jardin sont mises en valeur par un ensemble extrêmement varié de conifères, par de très nombreuses essences forestières et par une vue sur la Sugar Loaf Mountain qui illustre parfaitement le principe de l'architecte de la Renaissance, Alberti, selon lequel « les montagnes familières » devraient toujours être visibles « au-delà de la délicatesse des jardins ».

☞ Bomarzo, Goldney, Hill, Lane, Pulham, Wilhelmina

# Pückler-Muskau Prince Hermann  Château de Branitz

Ce tertre conique (que le prince Pückler appelait une pyramide) fut bâti sur une île d'un des lacs de la propriété de Branitz et terminé en 1856 : il contient les tombes du prince et de son épouse et, à son sommet, on peut lire cette citation extraite du Coran : « Les tombes sont les pics de montagnes d'un monde nouveau et lointain. » Cette pyramide s'enflamme au début de l'automne, quand la vigne vierge qui la recouvre devient écarlate et vermillon. Pückler, le prince superbe, fut le plus grand amateur de paysages de l'Allemagne du XIXᵉ siècle. Il exerça son talent à une échelle majestueuse : son domaine principal de Muskau possède un parc de 550 hectares, qui s'étend à la fois en Allemagne et en Pologne. Son inspiration initiale résultait de ses voyages en Angleterre et de sa rencontre avec Humphry Repton. Plus tard, il introduisit des plates-bandes ornementales plus marquées par le style de l'Angleterre victorienne. Par ses écrits et ses conseils, il contribua à une meilleure connaissance du « jardin anglais ».

☞ Asplund, Girardin, Medinacelli, Repton, Scarpa

**Prince Hermann Pückler-Muskau. n.** Muskau (ALL), 1785. **m.** Branitz (ALL), 1871.
**Château de Branitz**, environs de Cottbus (ALL), vers 1850.

# Pulham James

## Highnam Court

De prime abord, cette pièce de jardin a tout l'air d'être une scène naturelle composée d'affleurements rocheux et abritant la plus victorienne des obsessions : la collection de conifères. Il s'agit en fait de la première rocaille créée par James Pulham (fils de James Sr., un pionnier de la fabrication du ciment de Portland) en 1849, à partir d'un mélange de pierre et de « pulhamite ». La pulhamite était une roche artificielle obtenue en versant une certaine catégorie de ciment de Portland sur une structure grossière composée de brique et de mâchefer que l'on sculptait ensuite pour lui donner une apparence naturelle. Pulham réussit tellement bien à imiter les roches naturelles que l'on finit par ne plus différencier les vraies des fausses. L'œuvre de Pulham eut une influence considérable sur la mode victorienne qui s'entichait alors de toutes les reproductions habiles de la nature. Il travailla aussi à Sandringham Park, dans le Norfolk, et à Battersea Park, à Londres. Malheureusement, il emporta le secret de la pulhamite dans sa tombe.

☞ I. Caus, Crisp, Isham, Lainé, Lane, Pope

**James Pulham. n.** (RU), vers 1820. **m.** (RU), 1898. **Highnam Court**, Gloucestershire (RU), 1849.

# Qian Long **Empereur de Chine** Yuan Ming Yuan

Cette aquarelle du XVIIIᵉ siècle montre le paysage du Yuan Ming Yuan, les jardins du vieux palais d'Été qui font partie du jardin de la Clarté parfaite, juste à l'extérieur de Pékin. Yuan Ming Yuan fut commencé au début du XVIIIᵉ siècle, et considérablement agrandi par l'empereur Qian Long entre 1736 et 1795. Yuan Ming Yuan était célèbre pour les nombreuses scènes variées qu'il contenait, et qui s'inspiraient de certaines inscriptions. À la fin du règne de Qian Long, environ 40 scènes existaient déjà, mais, au milieu du XIXᵉ siècle, on en comptait 150. Bien souvent, elles représentaient des paysages naturels très appréciés en Chine ou des édifices. On y trouvait des rues avec des boutiques, des théâtres et des temples au milieu des jardins, et Qian Long commanda même au Père Giuseppe Castiglione une série de bâtiments en marbre dans le style occidental – précisément à l'époque où William Chambers célébrait le bon goût asiatique avec sa pagode de Kew.

☛ **Chambers, Kang Xi, Pan En, Wang Xian Chen**

**Qian Long, empereur de Chine. n.** (CH), 1711. **m.** (CH), 1799. **Yuan Ming Yuan**, environs de Pékin (CH), 1736-1795.

# Radziwill **Princesse Helena** Arkadia

L'aqueduc romain et sa cascade figurent parmi les « nouvelles » ruines classiques créées au titre d'édifices de jardin dans ce parc de 15 hectares, sur le domaine de Radziwill, à 80 km de Varsovie. Ce site fut dessiné en 1778 par Szymon Bogumil Zug, le plus ardent défenseur en Pologne à cette époque du mouvement pittoresque anglais. La princesse Helena Radziwill commandita ces jardins, qui furent réalisés entre 1778 et 1785. Leur nom, Arkadia, lui fut inspiré par le mythe arcadien, ici thème dominant, comme l'indique l'inscription latine Et in

*Arcadia ego* figurant sur une pierre tombale placée, comme le monument funéraire de Rousseau à Ermenonville, sur une île au milieu d'un lac bordé de peupliers. Cette inscription nous rappelle que la mort existe parallèlement à l'amour et au bonheur, même dans l'environnement idéal de l'Arcadie. Arkadia est le plus beau jardin du XVIII<sup>e</sup> siècle en Pologne, et a été parfaitement restauré.

☛ Boy, Czartoryska, Girardin, Palladio, Stanislas II, Zug

**Princesse Helena Radziwill (née Czartoryska)**. Active (POL), fin XVIII<sup>e</sup> siècle. **m.** (POL), vers 1802.
**Arkadia**, Lowicz (POL), 1778-1785.

# Raffles Sir Stamford

## Jardins botaniques de Singapour

Ces magnifiques orchidées poussent dans le jardin des Orchidées, au sein des jardins botaniques de Singapour. Elles furent créées au début des années 1980, en l'honneur des recherches menées par R. E. Holttum sur l'hybridation des orchidées, qui ont permis à Singapour de devenir le plus grand producteur d'orchidées du monde. Les jardins botaniques, devenus parc public et site expérimental, furent fondés en 1822 par sir Stamford Raffles pour y cultiver des plantes destinées à jouer un rôle économique dans les colonies de l'Empire britannique en expansion.

On les ferma en 1829 et, trente ans plus tard, ils furent réouverts par la Société agro-horticole qui, en 1866, les agrandit de 10 hectares. Ces jardins furent aussi un facteur déterminant dans le développement de l'industrie du caoutchouc en Malaisie à la fin du XIXᵉ siècle, quand H. N. Riley, le directeur, réussit à extraire du latex d'arbres à gomme expédiés des jardins de Kew, en Grande-Bretagne.

☛ Bawa, Cook, Otruba, Rhodes, Thwaites, van Riebeeck

**Sir Stamford Raffles. n.** près de la Jamaïque (JAM), 1781. **m.** Singapour (SING), 1826.
**Jardins botaniques de Singapour** (SING), 1822.

# Raphaël

## Villa Madama

Selon ce plan, la villa Renaissance du cardinal Jules de Médicis, orientée vers Rome, fut conçue comme une série de paysages à la française rayonnant à partir d'une cour centrale et ouverte. Les invités pénétraient dans la première cour par un escalier monumental (à l'extrême gauche du plan). On remarquait aussi un amphithéâtre creusé à flanc de colline, une loggia au nord donnant sur des terrasses sophistiquées, le jardin secret (*giardino segreto*) et la façade principale de la villa avec ses perspectives spectaculaires sur l'autre rive du Tibre. On attribue en général cette villa et ses jardins, commencés en 1516, à l'artiste Raphaël, assisté de son élève Jules Romain, d'Antonio Sangallo le Jeune et de Giovanni da Udine. Avant même d'être achevé, ce domaine fut incendié pendant le Sac de Rome en 1527, et il doit son nom actuel à Margaret d'Autriche qui en fit plus tard l'acquisition. Uniquement dépassée par la cour du Belvédère de Bramante quant à l'influence qu'elle eut sur les jardins italiens, la villa Madama brisa la frontière qui séparait maison et jardin.

☛ **Bramante, Michelozzi, Moroni, Orsini, Palladio**

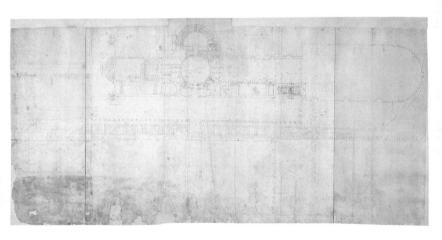

**Raphaël (Raffaello Sanzio ou Santi). n.** Urbino (IT), 1483. **m.** Rome (IT), 1520. **Villa Madama**, Rome (IT), 1516.

# Raven Peter

## Jardin botanique du Missouri

Le but du jardin botanique du Missouri est de représenter des types de jardins aussi bien locaux qu'internationaux. Les hautes herbes de ce jardin planté autour d'un pavillon construit comme une cabane traditionnelle en rondins de bois nous rappellent que le Missouri se trouve dans la « prairie » du Midwest américain. Ouvert au public en 1853 par son fondateur, Henry Shaw, ce jardin est devenu, grâce à la présence de son actuel directeur, Peter Raven, et au travail du paysagiste Geoffrey Rausch, de Marshall Tyler Rausch, un modèle de jardin botanique moderne à grande échelle.

En plus des facilités généralement offertes aux botanistes, il propose de nombreuses expositions thématiques à but pédagogique. Le Climatron, une serre en forme de dôme géodésique, abrite, entre autres, des plantes tropicales faisant partie d'un programme qui cherche à remplacer les pesticides par des insectes prédateurs. L'herbarium comprend 3,5 millions de pièces identifiées, la bibliothèque compte 110 000 volumes, et la recherche sur le milieu tropical est l'une des plus avancées du monde.

☞ **Burley Griffin, McNab, Moroni, Rhodes, Sloane**

Peter Raven. n. (CH), 1936. **Jardin botanique du Missouri**, Saint Louis, Missouri (EU), fin du XXᵉ siècle.

# Repton Humphry

## Parc de Sheringham

Humphry Repton a dessiné la maison et le jardin de Sheringham Park, situés dans une vallée boisée à portée de vue de la mer. Après la mort de Capability Brown, une carrière s'ouvrit pour Repton, qui devint le meilleur paysagiste d'Angleterre. De multiples manières, il hérita aussi du style de Brown, bien qu'à un degré moindre, et il créa d'adroites compositions qui exploitaient la topographie naturelle des lieux et traduisaient les visions romantiques d'un bonheur bucolique. La principale innovation de Repton consista à réintroduire des éléments sophistiqués aux alentours des maisons (tandis que Brown faisait monter les pâtures jusqu'à leur seuil), dont des terrasses, des arbustes, des marches, des balustrades et des enclos de fleurs (comme à Sheringham). À l'instar de Brown, Repton avait un sens commercial aigu, et ses *Red Books*, qui proposaient des illustrations des domaines de ses éventuels clients, avant et après ses interventions, étaient fort bien conçus : des dépliants illustraient les ajouts possibles de lacs ou de bosquets, qui incitaient à tout refaire « globalement ».

☛ **Brown, Crowe, Nash, Pückler-Muskau, Southcote**

---

**Humphry Repton. n.** Bury St Edmonds (RU), 1752. **m.** Romford (RU), 1818.
**Parc de Sheringham**, Norfolk (RU), 1812-1819.

# Rhodes Sir Cecil

## Jardin botanique de Kirstenbosch

Où que vous regardiez à Kirstenbosch, vous verrez des fleurs sauvages qui prospèrent, avec la Table Mountain en toile de fond, et, comme toutes les autres plantes du jardin botanique, ce sont des espèces locales de la province du Cap. L'Afrique du Sud possède l'une des flores les plus riches et les plus fragiles du monde, et l'on doit sa survie à Cecil Rhodes. Rhodes fit l'acquisition de Kirstenbosch en 1895, et planta des avenues de figuiers de Moreton Bay et de camphriers. Puis il légua l'ensemble du jardin botanique, qui faisait partie de son domaine de Groote Schuur, au

peuple d'Afrique du Sud pour qu'il soit préservé. L'idée d'un jardin consacré à la « protection de notre végétation » remonte à 1915. Aujourd'hui, Kirstenbosch abrite 7 000 espèces différentes d'ifs, toutes originaires du Cap. Un jardin naturel de 36 hectares entouré d'environ 500 hectares de *fynbos* sauvages et de forêt les maintient dans un environnement idéal.

☛ Barlow, Chambers, F. Phillips, Raffles, Thwaites

**Sir Cecil Rhodes. n.** Bishop's Stortford (RU), 1853. **m.** Le Cap (AS), 1902.
**Jardin botanique de Kirstenbosch**, Le Cap (AS), 1895.

# Rikkyu Sen no

## École d'Omote Senke

Un modeste sentier pavé de pierres irrégulières et de mousse serpente parmi des arbustes d'espèces indistinctes. C'est le « sentier de rosée », qui signifie en japonais jardin de thé, ou *roji*, et qui conduit à une tonnelle après avoir traversé plusieurs grilles et abris. Ce court voyage jusqu'au jardin de thé est un rite en soi, au cours duquel on oublie les « distractions » terrestres, avant d'accéder à un état de simplicité et d'harmonie. Humble dans son essence, sans roches particulières, sans étangs ni édifices élaborés, aucun *roji* n'a conservé son état d'origine. La consommation du thé a été régie par un cérémonial complexe dès que ce breuvage fut importé de Chine par des moines bouddhistes. Au cours des siècles, la cérémonie du thé et l'esprit qui l'anime ont subi des changements mineurs mais significatifs, en fonction de l'influence exercée par les « maîtres de thé » successifs. Tenue à l'origine par des moines zen, cette fonction fut peu à peu confiée à des laïcs en quête d'une illumination spirituelle.

☛ **Enshu, Kokushi, Mandokora, Ogawa, Toshihito**

**Sen no Rikkyu. n.** Sakei, environs d'Osaka (JAP), 1522. **m.** Kyoto (JAP), 1591.
**École d'Omote Senke**, Kyoto (JAP), XVIᵉ siècle.

# Rinaldi Antonio

## Palais d'Oranienbaum

Cette vue du XIXᵉ siècle montre l'aile orientale du palais d'Oranienbaum depuis le bassin inférieur. Celui-ci fut établi en créant un barrage sur la Karost au moment de la construction du palais pour le prince Menshikov, par les architectes Fontana et Schädel, entre 1710 et 1725. À cette époque, une flottille de petits bateaux servait de divertissement pour les hôtes du prince. Sur la terrasse qui domine la mer, en face du palais, les architectes ajoutèrent des jardins à la française embellis de fontaines et de sculptures. Mais la contribution la plus importante et

la plus originale est certainement celle d'Antonio Rinaldi. Entre 1757 et 1762, il conçut pour Pierre III, qui ne s'intéressait qu'aux stratégies militaires, un petit palais, des casernes, un corps de garde, des bâtiments pour les officiers, un arsenal et une poudrière souterraine. Pour son épouse, il édifia un palais chinois. Il traça aussi les plans de jardins à la française et fit quelques tentatives de paysagisme à l'anglaise avant l'heure. Le plus bel édifice de ce parc reste le pavillon des Montagnes russes.
☛ **Cameron, Catherine II, Chambers, Fontana, Pierre Iᵉʳ**

**Antonio Rinaldi**. n. (IT), 1709. **m.** Rome (IT), 1794.
**Palais d'Oranienbaum**, Saint-Pétersbourg (RUS), 1710-1725, d'après une peinture de Yegor Maier (1822-1867).

# Robert **Hubert**

## Laiterie de Rambouillet

Une nymphe de marbre blanc et sa chèvre émergent de grossières formes rocheuses dans la caverne d'une fantaisie, à l'intérieur de l'élégant pavillon connu sous le nom de laiterie de la Reine. Ce bâtiment néoclassique, dû à Thévenin, et le « parc à moutons » environnant furent commandés par Louis XVI qui espérait ainsi plaire à Marie-Antoinette, et l'encourager à rester à Rambouillet, qu'elle détestait. La reine éprouva un certain bonheur à jouer à la laitière, et le grand peintre paysagiste Hubert Robert, engagé comme dessinateur des Jardins du Roi en 1778, réussit en partie à donner corps à ses rêves. Disciple de Claude Lorrain et ami intime de Fragonard, Robert, qui revenait en France après un séjour de dix ans en Italie, commençait à s'intéresser au paysagisme. Il était prêt à franchir le pas entre la peinture de paysage et les aménagements de style romantique inspirés d'exemples anglais. Même s'il n'existe plus aucun jardin que l'on puisse lui attribuer avec certitude, on sait qu'il inspira et contribua à l'aménagement de parcs comme Ermenonville, Méréville, Compiègne et le Trianon de Versailles.

☞ **Bélanger et Blaikie, Carmontelle, Girardin, Laborde**

# Robeson Graham et Gray Alan

Ce jardin encaissé du Old Vicarage fait partie d'un jardin de style Arts and Crafts de création récente digne de Lutyens et de l'époque édouardienne. Ses propriétaires, qui commencèrent à y travailler à la fin des années 1980, continuent leur œuvre avec énergie. C'est un exemple anglais représentatif de l'association d'une architecture austère à une végétation luxuriante : même si les murs de brique, les édifices de jardin et les barrières sont de belle facture, ce sont les plantations qui sont à l'honneur. Avec ses bordures de plantes herbacées classiques (enrichies d'herbes folles), ses parterres de buis et ses grandes haies d'ifs, ce lieu regorge de plantes délicates et rares et offre aussi une section méditerranéenne, ainsi qu'une bordure tropicale influencée par Christopher Llyod. Les haies d'ifs arrêtent les vents venant de la mer, distante d'à peine 3 km. Des ouvertures percées çà et là dégagent des perspectives sur les champs cultivés et sur deux clochers d'église. L'énergie des propriétaires de cet ancien presbytère en fera un Sissinghurst ou un Hidcote du XXIᵉ siècle.

☞ **Farrand, Jekyll, Johnston, Lloyd, Lutyens, Sackville-West**

**Graham Robeson**, Actif (RU), fin XXᵉ siècle. **Alan Gray**, Actif (RU), fin XXᵉ siècle.
**Old Vicarage**, East Ruston, Norfolk (RU), vers 1980.

# Robins Thomas

## Jardin rococo de Painswick

Cette bordure rococo très élaborée, décorée de feuillages et de coquillages, donne un avant-goût des attraits que propose le jardin représenté dans cette peinture. Une statue de Pan accueille les visiteurs de ce lieu où l'on trouve de vastes perspectives rectilignes et des sentiers tortueux qui conduisent à une étrange variété de constructions, puis la maison ou la vallée en contrebas. Comme les jardins de style rococo, cette peinture de Robins exploite le contraste entre le réalisme et l'artifice poussé à l'extrême. Le jardin se déploie dans une vallée cachée par la maison, mais la perspective du tableau a été volontairement faussée de façon à en donner une vue claire et précise. On pense que Robins, peintre de maisons et de jardins au milieu du XVIIIe siècle, aurait dessiné Painswick pour son propriétaire Benjamin Hyett. Il reste le plus bel exemple de jardin rococo en Grande-Bretagne et s'enorgueillit de perce-neige exceptionnels.

☛ Bushell, I. Caus, Lane, Orrery, Pope

**Thomas Robins.** n. 1716. Actif (RU), XVIIIe siècle. **m.** (RU), 1770.
**Jardin rococo de Painswick**, Stroud, Gloucestershire (RU), 1738-1770.

# Robinson William

## Gravetye Manor

Loin d'être dissimulée, l'architecture austère de ce manoir élisabéthain est mise en valeur par cette profusion de plantes vivaces, locales ou exotiques. Ce triomphe de la liberté sur l'architecture est un parfait exemple des réalisations de William Robinson. Auteur prolifique, adepte du jardin naturel et des plantes robustes et défenseur des plantations spontanées, Robinson s'éleva violemment contre le style victorien et ses massifs irréprochables et critiqua vivement les parterres et les plates-bandes géométriques incrustées dans les pelouses,

qu'il comparait à des « pâtisseries ». Robinson affirmait également que la conception des jardins devait être l'affaire des seuls jardiniers, une prise de position qui lui valut d'entrer en conflit avec certains architectes, dont sir Reginald Blomfield. Ce dernier, qui préférait le style Renaissance, considérait que le dessin des jardins revenait aux architectes. L'association de Jekyll et Lutyens prouva que ces deux activités étaient parfaitement compatibles.

☛ **Blomfield, Jekyll, Lutyens, MacDonald-Buchanan**

**William Robinson. n.** (IRL), 1838. **m.** West Sussex (RU), 1935. **Gravetye Manor**, East Grinstead, West Sussex (RU), 1885.

# Rochford Comte de

## Château de Powis

Tels des édredons bien garnis, les ifs du château de Powis, aujourd'hui célèbres, semblent cascader paresseusement le long des terrasses du château. On imagine mal que ces arbres qui s'étagent sur trois niveaux étaient autrefois plantés à intervalles réguliers et taillés en topiaires irréprochables, comme en témoigne une gravure de 1742. Le château en pierre rose est situé sur une colline en frome de C qui offre des perspectives saisissantes sur Offa's Dyke et la frontière entre l'Angleterre et le Pays de Galles. Ce domaine a appartenu aux princes et (plus tard) aux comtes de Powis depuis environ 1200 jusqu'au milieu du XXᵉ siècle, mais les jardins furent dessinés par le comte de Rochford entre 1696 et 1708. Les trois terrasses à l'italienne, orientées au sud-est et longues de 152 mètres, forment de larges marches qui relient le château aux pelouses de la vallée en contrebas. Le somptueux déploiement de statues, d'arbres taillés et de bassins imaginé par Rochford a depuis longtemps disparu, mais les arrangements floraux des terrasses restent une véritable merveille.

☞ Barron, Beaumont, Boy, Salisbury, Verey, Wirtz

**Willem van Nassau, comte de Rochford**. Actif à la fin du XVIIᵉ siècle. **m.** Zuylenstein (PB), 1708.
**Château de Powis**, Powys (RU), 1696-1722.

387

# Roper Lanning

## Château de Glenveagh

Les jardins de Glenveagh, qui regorgent de fleurs aux couleurs vives, ont été conçus pour resplendir pendant les mois d'été. L'architecte américain Lanning Roper, qui vécut et travailla en Angleterre, dessina ce merveilleux jardin potager pour Henry MacIlhenny de Rittenhouse Square, résidant à Philadelphie, vers 1920. Ce jardin faisait partie du domaine de MacIlhenny à Glenveagh Castle, sa résidence d'été irlandaise. La serre et la véranda étaient remplies de fruits destinés à la table, et de plantes exotiques pour la maison. Cet ensemble fut conçu pour être admiré par les visiteurs lorsqu'ils se rendaient sur les rives du lac et de la mer d'Irlande, un peu plus loin. Roper avait le génie de comprendre exactement ce que désiraient ses clients. Ainsi, les jardins de Glenveagh reflétaient à la perfection un mode de vie opulent dans lequel tout était mis en œuvre pour assurer la splendeur du spectacle estival. Au milieu du XXᵉ siècle, Roper fut un ardent défenseur du style romantique anglais qui prônait la plantation d'herbacées.

☛ Carvallo, Jefferson, La Quintinie, Vanderbilt, Washington

Lanning Roper. n. (EU), 1912. m. (RU), 1983.
Château de Glenveagh, Glenveagh National Park, comté de Donegal (IRL), années 1920.

# Rose James

## Centre James Rose

Les planchers de bois naturel surélevés et les panneaux *shoji* ne sont que deux des influences japonaises qui ont marqué les aménagements de James Rose pour sa maison et son jardin de Ridgewood, dans le New Jersey, en 1954. Ce style lui fut inspiré par son séjour dans le Pacifique durant la Seconde Guerre mondiale. Les espaces de son jardin sont conçus comme des volumes communicants que séparent des écrans transparents. Des haies de bois tressé permettent de jeter un coup d'œil dans les compartiments voisins. Rose a baptisé son jardin « la porte sans porte du bouddhisme zen ». La disposition des lieux est fonction du caractère changeant et de la nature éphémère des effets de la lumière, de l'ombre, du son, de l'espace et de la texture des matériaux. Rose adopta ce style mêlant la tradition orientale et la modernité du Bauhaus à Harvard, à la fin des années 1930, quand il se rebella avec Garrett Eckbo et Dan Kiley contre le style Beaux-Arts. Une approche qui révolutionna la philosophie des paysagistes en Amérique et dans le monde entier.

☛ **Ashikaga Takauji, Eckbo, Enshu, Hornel, Kiley**

James C. Rose. n. Pennsylvanie (EU). m. Ridgewood, New Jersey (EU), 1991.
Centre James Rose, Ridgewood, New Jersey (EU), 1954.

# Rothschild Béatrix de

## Villa Ephrussi-Rothschild

Le temple de l'Amour, élément central de cette vue classique de la villa Ephrussi-Rothschild, est beaucoup plus proche qu'il n'y paraît : Béatrix Ephrussi insista pour que tous les tracés qui y menaient convergent de façon à créer une illusion d'optique faisant croire à une grande distance. Des palmiers, des cycas, des dragonniers et des parterres originaux contribuent à faire naître un sentiment d'exotisme dans cet extravagant jardin proche de Nice, créé au début du XXᵉ siècle par Aaron Messiah, qui fut le partenaire français de Harold Peto. À droite de cette vue se trouve une suite de jardins clos, dans les styles japonais, espagnol, anglais, mauresque et italien, ainsi qu'un jardin de cactus à l'atmosphère particulière, et un somptueux ensemble de plantes exotiques. Ici, l'intention dominante est de ravir, d'impressionner, d'instruire le visiteur, et de ne laisser planer aucun doute sur la puissance et la fortune des Rothschild. Mais la fantaisie et le rêve l'emportent sur toute prétention.

☛ **Barry, Joséphine, Lainé, Peto, Walska**

**Madame Maurice Ephrussi** (née baronne Charlotte Béatrix de Rothschild). n. 1864. m. 1934.
**Villa Ephrussi-Rothschild**, Saint-Jean-Cap-Ferrat (F), 1905.

# Rothschild Miriam de

## Ashton Wold

Miriam de Rothschild a planté des clématites, des glycines, du lierre, des mûriers et des roses pour recouvrir sa maison. Elle les laisse pousser en toute liberté, si bien qu'ils finissent par masquer portes et fenêtres. La famille Rothschild vit à Ashton Wold depuis presque cent ans. Au cours des années 1970, Miriam élimina les bordures originelles de plantes herbacées pour les remplacer par une prairie de fleurs sauvages entourant la maison. Les graines indispensables furent prélevées sur des terrains d'aviation désaffectés des environs. C'est donc Miriam de Rothschild qui lança la

mode du mélange de semences baptisé « le cauchemar du fermier ». Il se compose de marguerites des champs, de pieds d'Alexandre, de bleuets, de soucis, de nielles des blés et de deux espèces de coquelicots. La saison venue, cette prairie, qui couvre près de 60 hectares, semble parfaitement naturelle. Pour réussir cet exploit, il faut cependant beaucoup d'énergie et une vigilance permanente, afin que chaque fleur sauvage s'épanouisse et se reproduise à profusion.

☛ Brookes, Harrison, Kingsbury, Linden, Oudolf, Peto, Toll

**Miriam de Rothschild**. n. 1908. Active (RU), XXᵉ siècle.
**Ashton Wold**, Peterborough, Cambridgeshire (RU), années 1970.

# Ruskin John

## Brantwood

Le siège de Ruskin, en ardoise locale (spécialement réalisé par le jardinier d'un de ses amis), est orienté vers la rivière et non vers le paysage grandiose de Coniston. Ruskin déclara qu'en observant attentivement les sursauts et les accalmies de ce cours d'eau, il pouvait apprendre autant de choses sur les lois de la nature qu'en regardant les vulgaires chutes du Niagara. En faisant l'acquisition de Brantwood en 1871, le grand penseur victorien s'offrait « un laboratoire vivant » pour l'exploration de ses idées sur le bonheur de l'humanité, l'État providence, l'esthétique et les problèmes agraires.

Frôlant la folie, il transforma cette modeste maison et ses 8,4 hectares de rochers escarpés et de taillis en une villa-cottage où il trouvait un sentiment de rigueur et de paix. Le bonheur viendrait, croyait-il, « non de l'accumulation des biens matériels, mais du cœur ». Artiste, homme de science, philosophe, écrivain, radical en politique et critique d'art éminent, Ruskin enfourcha l'ère victorienne, en préfigurant surtout l'émergence de l'écologie.

☛ Larssen, Lutyens, Morris, Ruskin, Wordsworth

John Ruskin. n. Londres (RU), 1819. m. Brantwood, Coniston, Cumberland (RU), 1900.
Brantwood, Coniston, Cumberland (RU), 1871.

# Ruys Mien

## Mien Ruys Tuinen

Mien Ruys commença sa carrière en dessinant des bordures pour les zones paysagères des pépinières de son père, à Moerheimstraat près de Dedemsvaart. En 1925, elle se mit à réaliser des maquettes de jardins, dont le jardin sauvage et le vieux jardin expérimental, dans lequel elle incorpora des dalles de béton mêlé de gravillons lavés, aujourd'hui très répandues. En 1929, Mien Ruys entreprit des études d'architecture paysagère, et entra dans un groupe d'architectes progressistes, qui croyaient dans le fonctionnalisme. Puis elle enseigna, et vingt-cinq ans plus tard elle agrandit les jardins

de Dedemsvaart, en y incorporant un jardin d'eau en 1954 – que l'on voit ici – et un jardin d'herbes, en 1957. Depuis les années 1960, époque où son travail connut un énorme succès, jusqu'à 1990, le nombre de jardins ne cessa d'augmenter à Mien Ruys Tuinen, constituant une sorte de fil conducteur de l'évolution de ses idées concernant l'art paysager.

☛ Brookes, Childs, Linden, D. Pearson, M. Rothschild

**Mien Ruys. n.** (PB), 1904. **Mien Ruys Tuinen**, Overijssel (PB), 1925-1990.

393

# Saarinen Eliel

## Académie des Arts de Cranbrook

La brume qui enveloppe les lignes épurées du bâtiment moderniste se trouvant à l'extrémité d'un bassin rehausse le romantisme du site de l'Académie de Cranbrook. Cranbrook fut imaginée et conçue comme une communauté pour des artistes créatifs, désireux d'inventer un monde contemporain agréable et harmonieux. Les constructions sont de style moderne, mais les matériaux et les surfaces rappellent l'architecture locale traditionnelle. L'architecte finnois Eliel Saarinen, qui fut président de Cranbrook de 1932 à 1948, fut l'un des principaux architectes de sa génération en Finlande, avant son départ pour les États-Unis en 1923. À Cranbrook, il s'inspira de projets d'urbanisme qu'il avait conçus à l'occasion de concours en Finlande – non réalisés pour la plupart – pour fonder « son œuvre maîtresse, esthétique et intellectuelle », un urbanisme exemplaire qui incorporait des éléments paysagers et architecturaux. Il publia *The Cranbrook Development* en 1931.

☛ **Brancusi, Fairhaven, Kiley, Neutra, Palladio, Scarpa**

**Eliel Saarinen (Gottlieb Eliel Saarinen). n.** Rantasalmir (FIN), 1873. **m.** Bloomfield Hills, Michigan (EU), 1950.
**Académie des Arts de Cranbrook,** Bloomfield Hills, Michigan (EU), 1928-1941.

# Sackville-West Vita — Jardin de Sissinghurst

Roses blanches, clématites et chèvrefeuille s'associent pour créer un ensemble d'une blancheur remarquable, harmonieusement équilibré par la verdure en toile de fond. Le White Garden ou « jardin blanc » de Sissinghurst, dans le Kent, est l'un des lopins de terre (12 m²) qui a eu le plus d'influence dans la récente histoire des jardins. Planté en 1948, environ douze ans après l'arrivée de Vita Sackville-West et de son époux, le diplomate Harold Nicolson, sur ce domaine abandonné, le jardin blanc est devenu une référence culte chez les amateurs de jardins, dont l'influence est toujours perceptible depuis Le Cap jusqu'à Sydney. Il ne constitue qu'une infime partie d'un vaste ensemble divisé en plusieurs « petits jardins » aux structures rigoureuses mais à la végétation très libre. Ce concept, pourtant fort ancien, connut dès lors un succès planétaire et l'on peut dire que Vita Sackville-West eut une influence considérable sur la mode des jardins durant la deuxième moitié du XXᵉ siècle, notamment grâce à son jardin de Sissinghurst et à ses chroniques dans les colonnes de l'*Observer*.

☞ **Barron, Hoare, Messel, Noel, Seinsheim**

**Vita Sackville-West. n.** Knole, Kent (RU), 1892. **m.** Sissinghurst, Kent (RU), 1962.
**Jardin de Sissinghurst,** Sissinghurst, Kent (RU), 1948.

# Saint-Phalle Niki de

## Le jardin du Tarot

Luisant sous le soleil de la Toscane, au sommet d'une colline près de la côte d'Argentario, les immenses sculptures du jardin du Tarot sont visibles à des kilomètres à la ronde. Couvertes de mosaïques éclatantes, de verre coloré et d'éclats de miroir, elles représentent différentes figures des cartes du « jeu sacré » et composent un paysage ésotérique et mythique. L'artiste Niki de Saint-Phalle décrit ainsi le rêve qu'elle a eu : tandis qu'elle marchait dans un jardin enchanté, elle rencontra une multitude de figures magiques et bienveillantes, gigantesques et couvertes de pierres précieuses. Des années

plus tard, elle fit de son rêve une réalité en créant ce jardin de l'esprit, hautement personnel. Veuve du sculpteur Jean Tinguely, elle scandalisa le monde de l'art au cours des années 1970 avec ses énormes « Nanas », des sculptures monumentales de femmes dotée d'une porte entre leurs jambes écartées permettant d'entrer complètement dans leur corps. Elle a passé quarante ans à travailler au jardin du Tarot, et a longtemps vécu à l'intérieur de l'énorme sculpture *Empress*.

☞ **Arakawa et Gins, Chand Saini, Gaudí, Miró, Orsini**

**Niki de Saint-Phalle. n.** Neuilly-sur-Seine (F), 1930. **m.** San Diego, Californie (EU), 2002.
**Le jardin du Tarot,** Capalbio, Toscane (IT), 1960.

# Salisbury Marquise de

## Hatfield House

Un alignement de chênes verts taillés en boule sur des troncs de 2 m de haut ferment l'East Garden de Hatfield House. Les massifs sont des carrés bordés de buis, chacun planté en son milieu d'un grand buis taillé en topiaire. C'est la rigueur du dessin qui fait de ce jardin à la végétation libre et variée un site harmonieux. Hatfield fut construit pour Robert Cecil en 1607, et les plantations supervisées par John Tradescant le Vieux. Aujourd'hui, Hatfield possède les plus ambitieux jardins de l'époque de Jacques Ier jamais dessinés. Les plans de Lady Salisbury furent si judicieusement conçus

que l'on est surpris d'apprendre qu'elle n'a pas commencé à travailler à l'East Garden avant 1977. Lady Salisbury a écrit : « Ces dernières années, j'ai essayé de restaurer les jardins tels qu'ils étaient et de rétablir leur harmonie avec la splendide maison qui n'a pas changé. Je rêve qu'un jour ils redeviennent des lieux où règnent les fantaisies et les jeux, et où l'on trouve non seulement le plaisir et le calme, mais aussi la surprise et le mystère. »

☛ **Johnston, Kennedy, Strong et Oman, Wirtz, Wise**

**Molly Gascoigne-Cecil, marquise de Salisbury. n.** 1922. Active (RU), XXe siècle.
**Hatfield House,** Hatfield, Hertfordshire (RU), à partir de 1977.

# Sanchez et Maddux · Meister Garden

Les clichés du jardin anglais de style Arts and Crafts (bordures mixtes de plantes herbacées démodées, emploi réduit de la couleur – surtout des roses blanches grimpantes comme la variété *Iceberg* –, haies de buis, jardins blancs, pergolas et arches couvertes de glycines ou de cytises) sont trop souvent importés « tout faits » dans des lieux situés à l'autre bout du monde. Ici, Jorge Sanchez a fort judicieusement associé la flore indigène de la Floride à un concept classique, pour le charger d'une signification nouvelle. Dans ce contexte, l'immense ficus, avec l'enchevêtrement complexe de ses branches et de ses racines, est un merveilleux intermède, un contrepoint exotique face aux urnes classiques et aux bordures de plantes herbacées protégées par des haies de chaque côté de la pelouse. Tandis que le gazon irréprochable semble presque déplacé sous ce climat, les bordures traditionnelles ont un petit air exotique grâce à la présence d'espèces locales.

☛ Bannochie, Johnston, Rhodes, Silva, Suarez, Thwaites

Sanchez et Maddux. **Philip M. Maddux. n.** Hopkinsville, Kentucky (EU), 1942.
**Jorge A. Sanchez de Ortigosa. n.** La Havane (CU), 1948. **Meister Garden**, Palm Beach, Floride (EU), 1996.

# Sangram Singh Maharani d'Udaipur Saheliyon Ki Bari

Le jardin des Demoiselles d'honneur, à Udaipur, aménagé par Sangram Singh (1710-1734), associe des éléments des jardins européens et de la haute époque moghole pour créer le style moghol tardif, très particulier. Dès le XVIIᵉ siècle, les négociants européens commencèrent à établir des résidences en Inde, qu'ils aménagèrent tout naturellement selon leur goût propre. Les Anglais apportèrent les paysages de Brown, avec leurs gazons en pente douce et leurs bosquets d'arbres, tandis que les Français restèrent fidèles au tracé rigoureux des parterres géométriques et aux fontaines. Les jardins des princes indiens, comme celui du maharani Sangram Singh, s'inspirèrent des modes européennes. Les vastes pelouses et les grands arbres témoignent de l'intervention rigoureuse de l'homme dans le paysage. Les jeux d'eau, présents dans tout le jardin, émerveillent le visiteur : jets d'eau et canaux qui bordent l'allée pavée de motifs à larges chevrons, eau qui cascade sur la toiture d'un pavillon central circulaire de style moghol ou fontaine à trois étages.

☛ André, Babur, Brown, Jahangir, Forestier

**Sangram Singh, maharani d'Udaipur** (IND). Règne 1710-1734.
**Saheliyon Ki Bari ou « jardin des Demoiselles d'honneur »**, lac Fateh Sagar, Udaipur (IND), 1734.

# Sargent Charles Sprague     Arboretum d'Arnold

Cette clairière boisée fait partie d'un site de 160 hectares légué à l'université Harvard par Benjamin Bussey en 1842 pour qu'y soit créée une école d'horticulture et d'agriculture. C'est en 1872 que l'éminent botaniste Asa Gray, avec l'aide d'un legs de Hames Arnold, réussit à transformer ce terrain en arboretum. Sargent, ancien membre de l'Union Army et élève de Gray, fut nommé professeur et persuada le paysagiste Frederick Law Olmsted de participer à l'aménagement de ce domaine qui faisait partie du « collier d'émeraude » formé par les parcs municipaux entourant Boston. Sargent, très persuasif, se transforma aussi en « chasseur de têtes » pour engager le célèbre « chasseur de plantes » Ernest Wilson, qui travaillait à la pépinière de Veitch en Angleterre en 1906. Wilson, qui explora la Chine et le Japon (Sargent était allé au Japon en 1892) pour le compte de l'arboretum, prit la succession de Sargent comme deuxième professeur ou, selon ses propres termes, comme « gardien » de l'arboretum.

☛ Holford, Olmsted, Raffles, Veitch, Vilmorin, Williams

**Charles Sprague Sargent. n.** Boston, Massachusetts (EU), 1841. **m.** Boston, Massachusetts (EU), 1927.
**Arboretum d'Arnold**, Boston, Massachusetts (EU), 1872.

# Saunders Douglas

## Amanzimnyama

D'importants massifs de plantes indigènes créent un arrangement abstrait et audacieux dans ce jardin aux environs de Durban, en Afrique du Sud. Amanzimnyama fut aménagé dans les années 1930 sur le terrain entourant la maison du planteur de canne à sucre Saunders, au sommet d'une colline. Sa grand-mère, Katharine Saunders, était une artiste reconnue, spécialisée dans les orchidées et la botanique. Douglas hérita de son œil pour les couleurs et de son amour des plantes. Le peintre Gwelo Goodman fut aussi invité à donner son avis. Amanzimnyama associe des massifs d'espèces exotiques (cannas, brunfelsias, bougainvillées, aloès) plantés au milieu de vastes pelouses à de grands arbres et une série d'étangs, de ruisseaux et de cascades (Amanzimnyama signifie « eau noire » en zoulou). On y trouve aussi un jardin humide, un jardin japonais, une serre pour les orchidées, une allée plantée et une suite de cours intérieures modernes qui entourent la nouvelle maison, quartier général de la sucrerie dont la devise est : « La beauté permet de bien agir. »

☛ **Burle Marx, Cook, Jungles, Walling**

Douglas Saunders. Actif (AS), XXᵉ siècle. **Amanzimnyama**, Durban (AS), 1935-1963.

# Savill Sir Eric

## Jardin de Savill

Bruyères, rhododendrons, azalées, camélias et autres plantes de terre acide prospèrent sur les 14 hectares de Savill Garden. Ce jardin est celui d'un botaniste qui, s'étant improvisé paysagiste, présente les espèces de son choix dans un contexte naturel. Eric Savill était garde forestier adjoint du grand parc de Windsor quand, en 1932, il commence à cultiver sous les frondaisons de chênes ancestraux, de hêtres et de pins, un jardin de sous-bois riche en couleurs. Aujourd'hui, le jardin de Savill est l'un des plus beaux jardins de sous-bois du monde. Il héberge une vaste gamme d'essences, dont de nombreuses plantes de marais (fougères, primevères, lysimaques) qui poussent le long du cours d'eau traversant le jardin, et un célèbre champ de narcisses. Le jardin sec fut le premier – de ce style et à cette échelle – créé au Royaume-Uni. Le Valley Garden adjacent, qui date de 1947, est beaucoup plus vaste. On y remarque un champ d'azalées et un somptueux ensemble de magnolias et de rodhodendrons.

☞ **Chatto, Cook, McNab, Robinson**

**Sir Eric Savill. n.** (RU), 1895. **m.** (RU), 1980. **Jardin de Savill**, Surrey (RU), 1932.

# Scarpa Carlo

## Jardin du Repos, tombeau de Brion-Vega

Ce jardin du Repos, moderne et sans compromis, est enfermé dans un environnement strict et clairement délimité et pourtant, il s'en dégage un sentiment poétique puissant qui rompt avec son fonctionnalisme austère. Quand il dessina le tombeau de sa famille dans le cimetière de San Vito d'Ativole, en 1970, l'architecte italien Carlo Scarpa déclara qu'il essayait « de saisir la signification de la mort et le côté éphémère de la vie ». Scarpa est surtout connu pour ses nombreuses restaurations historiques. Vénitien de naissance et d'éducation, il était sans doute prédisposé à réagir en fonction du passé inhérent à chaque site. Il possédait ce don naturel de combiner les éléments historiques d'un lieu avec des formes nouvelles, une approche qu'il a merveilleusement mise en œuvre dans plusieurs jardins privés et dans la cour du musée de Castelvecchio à Vérone. La réalisation du tombeau de Brion-Vega fut cependant très importante pour Scarpa, qui demanda à y être aussi enterré. « Le lieu des morts, c'est le jardin », disait-il.

☞ **Asplund, Brongniart, Girardin, Le Corbusier**

**Carlo Scarpa. n.** Venise (IT), 1906. **m.** Sendai (JAP), 1978.
**Jardin du Repos, tombeau de Brion-Vega**, cimetière de San Vito d'Ativole, Trévise (IT), 1969-1978.

403

# Schaal Hans Dieter

## Villa Moser-Liebfried

Des allées de bois conduisent à une arche accueillante, en forme de tonneau, mais sa structure à claire-voie, qui évoque une grotte ou une tonnelle, ne permet qu'une vue partielle du jardin à la végétation foisonnante. Plus loin, un belvédère circulaire, accessible par une passerelle, est ponctué d'une douzaine de petites ouvertures, qui n'autorisent que des perspectives réduites. Cette structure de bois élégante se poursuit ainsi à travers la « jungle » des anciens jardins de la villa Moser-Liebfried, qui fut gravement endommagée durant la Seconde Guerre

mondiale. Hans Dieter Schaal, artiste, architecte et paysagiste, souhaitait laisser en l'état ce lieu intriguant bien que nullement remarquable, tout en orientant très précisément le regard du visiteur pour mieux l'inviter à faire une promenade contemplative. Pour Schaal, ce projet est l'illustration de l'une des « deux seules manières d'aborder le monde et les paysages : l'action ou la contemplation ». Il illustrera l'autre alternative par un « champ d'urnes », très architecturé et lourd de sens, dans le cimetière de Singen.

☛ **Asplund, Dow, Geuze, Lassus, Tschumi**

**Hans Dieter Schaal. n.** Ulm (ALL), 1943. **Villa Moser-Liebfried**, Stuttgart (ALL), 1993.

# Schwartz Martha

## Jardin Dickenson

La cour d'entrée du jardin Dickenson à Santa Fe, au Nouveau-Mexique, est une interprétation moderne du jardin islamique géométrique traditionnel. Quatre tables de brique surélevées contenant de petites fontaines sont reliées par des caniveaux carrelés, aux couleurs vives. Neuf pommiers sauvages en fleurs, plantés dans des blocs de marbre blanc du Colorado, complètent cet effet de quadrillage particulièrement efficace le soir, avec le jeu des illuminations. De l'autre côté de cette maison en adobe (briques d'argile mêlées de paille), une terrasse offre une vue grandiose sur d'immenses espaces désertiques. « C'est un truc à la Frank Lloyd Wright », dit Schwartz. « Vous créez un espace sous pression, et ensuite vous êtes libéré par l'immensité du paysage. » Schwartz figure parmi les artistes actuels les plus novateurs et iconoclastes. Parmi ses dernières réalisations, on remarque la Jacob Javits Plaza à New York et le Marina Linear Park de San Diego, mais son œuvre la plus célèbre est le Bagel Garden (1979). Elle décora son minuscule jardin d'entrée à Boston avec de véritables *bagels* vernis.

☞ Barragán, Cao, Delaney, Muhammad V, F. L. Wright

# Sckell Friedrich Ludwig von

## Englischer Garten

Le Monopteros, temple ionique blanc qui couronne un tertre artificiel de l'Englischer Garten de Munich, est un don du roi Louis Iᵉʳ de Bavière en 1837. C'est l'édifice le plus harmonieux se trouvant dans ce parc de 370 hectares, qui commence au centre de Munich et s'étend sur 5 km en suivant la vallée de l'Isar. Il fut d'abord dessiné en 1789 par Friedrich Ludwig von Sckell, disciple de Capability Brown et admirateur du néoclassicisme. Uniquement destiné au divertissement de la population munichoise, ce site peut être considéré comme le plus ancien parc public d'Allemagne. Il n'est rattaché à aucun palais ou bâtiment officiel et c'est son seul dessin qui lui confère ses principales qualités. Modelé dans le style anglais, avec des bouquets d'arbres essentiellement composés de hêtres, il remonte la vallée sur toute sa longueur, et connaît un remarquable succès depuis sa création.

☛ Brown, Chambers, Grenville-Temple, Hirschfeld

**Friedrich Ludwig von Sckell. n.** Weilburg (ALL), 1750. **m.** Munich (ALL), 1823.
**Englischer Garten**, Munich (ALL), à partir de 1789.

# Seinsheim Adam Friedrich von

Plusieurs étapes de la création de ce jardin baroque figurent sur cette vue de la fontaine de Pégase dans la Große See du jardin de l'Évêque, à Veitshöchheim. Le lac fut très précisément dessiné en 1703. Au-delà se trouvent de grandes haies d'aubépine et des allées plantées de bouleaux, datant des années 1720. L'immense cheval ailé de Pégase se cambre en direction des cieux et il est entouré par des statues d'Apollon. Les sculptures et les neuf Muses sur le Parnasse, ajoutées en 1765, sont l'œuvre de Ferdinand Dietz, dont les ateliers ont produit environ 300 statues de jardin, à la fois novatrices et divertissantes. Dietz travailla en collaboration avec le jardinier en chef Johann Prokop Mayer. Mais c'est grâce au prince-évêque Adam Friedrich von Seinsheim, qui le commandita, que ce parc devint l'un des plus célèbres et des plus enchanteurs des jardins rococo en Allemagne.

☞ **Le Blond, Pierre Iᵉʳ, Robins, Sackville-West, Sophia**

**Adam Friedrich von Seinsheim (prince-évêque de Wurzbourg).** n. Ratisbonne (ALL), 1708. m. (ALL), 1779.
**Veitshöchheim Hofgarten**, environs de Wurzbourg, Bavière (ALL), 1703-1765.

# Sennachérib

## Jardins suspendus de Babylone

De récentes recherches ont montré que c'est Sennachérib d'Assyrie, et non Nabuchodonosor II de Babylone, qui fit construire les jardins suspendus de Babylone pour son palais de Ninive, dans l'ancienne Mésopotamie (actuel nord de l'Irak). Cette aquarelle est une évocation romantique des descriptions de ces jardins faites par les écrivains et témoins oculaires romains, dont Strabon et Diodorus Siculus. Tous leurs écrits mentionnent des arbres de dimensions impressionnantes, et plusieurs signalent le système d'irrigation mécanisé qui, grâce à une série de terrasses artificielles, permettait à l'eau de descendre en ruisselets. On pense aujourd'hui que ces jardins se trouvaient aux abords de la ville et dominaient la Khosr. Sennachérib fit installer le système compliqué et indispensable à l'arrivée de l'eau, planta des arbres exotiques rapportés de ses conquêtes, dédia ces jardins à son épouse et les décrivit comme « des merveilles aux yeux de tous ».

☞ Allah, Assurbanipal, Dieu judéo-chrétien, Tibernitus

**Sennachérib, roi d'Assyrie (en akkadien, Sin-akhkheeriba)**. Règne, Assyrie, 705-681 av. J.-C. **m.** Ninive, 681 av. J.-C.
**Jardins suspendus de Babylone**, Ninive, Mésopotamie ancienne, vers 700 av. J.-C.

# Serlio Sebastiano

## Ancy-le-Franc

À l'époque, on considérait les plans et l'aménagement d'Ancy-le-Franc comme très novateurs car, pour la première fois en France, une maison et son jardin avaient été conçus comme un tout. Cette vue cavalière montre que, de toute évidence, la demeure et son parc étaient alignés sur un même axe ouvrant une perspective centrale. Cette unité et cette symétrie étaient spécifiques d'Ancy-le-Franc. Cet exemple fut abondamment copié dans toute l'Europe, en grande partie grâce à l'ouvrage en huit volumes de Serlio sur l'architecture classique, *Tutte l'opere d'architettura*, qui fut traduit dans les principales langues européennes et réimprimé à plusieurs reprises. L'auteur y exposait les principes de Vitruve et donnait des indications très précises pour la construction des bâtiments et l'agencement des jardins. Sebastiano Serlio quitta l'Italie vers 1540 à la demande de François Iᵉʳ, mais ne commença à travailler à Ancy-le-Franc qu'en 1546 pour Antoine de Clermont, le beau-frère de la maîtresse d'Henri II, Diane de Poitiers. Jusque très avant dans le XVIIᵉ siècle, on s'inspira de ses parterres.

☛ **Bramante, Carvallo, Gallard, de l'Orme, Wise**

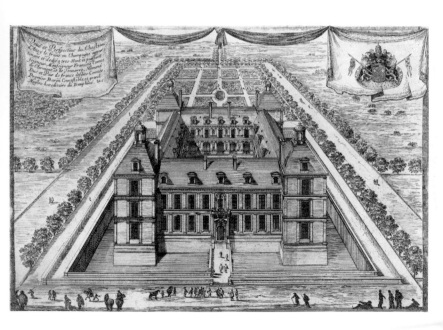

**Sebastiano Serlio. n**. Bologne (IT), 1475. **m**. Fontainebleau (F), 1554.
**Ancy-le-Franc**, environs de Tonnerre (F), 1546, gravure d'Israël Sylvestre, vers 1650.

409

# Shah Jahan

## Taj Mahal

Le tombeau de Mumtaz Mahal, qui se reflète dans les eaux paisibles du bassin de la cour, a été décrit comme une vision éthérée et spirituellement exaltante. Au-dessous de l'arche centrale, on peut lire cette inscription en arabe sur du marbre noir : « Seuls ceux dont le cœur est pur sont invités à pénétrer dans ce jardin du Paradis. » Cependant, il ne faut pas oublier qu'au-delà de la beauté rayonnante de cette sépulture, le domaine qui l'entoure ainsi que les bâtiments extérieurs forment un tout, complexe et hautement symbolique. Le plan d'ensemble est simple : c'est un *chahar-bagh* inspiré de l'époque de Babur. Pourtant, le Taj Mahal se distingue de tous les autres tombeaux moghols par l'emplacement du bassin de marbre blanc, juste au milieu du jardin divisé en quatre parties, emplacement jusqu'alors réservé au tombeau dans les jardins funéraires. Shah Jahan a pu être influencé par les croyances hindoues de sa mère rajpoute. Vus depuis les rives de la Jumna, qui encadrent ce site paradisiaque, les lotus du dieu Vishnu se reflétant dans les bassins offrent un spectacle inoubliable.

☛ **Almohade, Babur, Girardin, Jahangir, Scarpa**

---

**Shah Jahan. n.** Agra (IND), 1592. **m.** Agra (IND), 1666. **Taj Mahal**, Agra (IND), 1632-1654.

# Shenstone William

## The Leasowes

Cette aquarelle, réalisée par le poète et propriétaire terrien William Shenstone, montre l'ermitage se trouvant dans son jardin, The Leasowes, à Halesowen. La silhouette visible au premier plan semble être l'ermite en personne, un ajout fantaisiste rimant avec l'atmosphère récréative du lieu. De 1740 jusqu'à sa mort, en 1763, Shenstone s'employa à agrémenter à peu de frais les champs cultivés qui entouraient sa ferme. Ce domaine se composait d'une allée circulaire pleine d'imprévus, longeant deux petites vallées boisées qu'interrompaient des pâturages ouverts et de petits édifices.

Il s'agissait d'une véritable matérialisation de l'œuvre poétique et fantaisiste de Shenstone, évoquant une idylle pastorale classique. Il afficha ses propres vers, écrits sur des planches de pin, à des points stratégiques de l'itinéraire qui traversait son jardin. La construction la plus importante, le prieuré en ruines, fut démolie en 1965. En raison de son originalité (et de l'excentricité de son propriétaire), The Leasowes connut un grand succès en son temps.

☛ **Girardin, Hamilton Finlay, Hoare, Lotti, Southcote**

# Shigemori Mirei

## Tofuku-ji

Une mer de sable blanc, soigneusement ratissé selon un schéma en quadrillage, emplit un espace de transition entre les différents jardins de Tofuku-ji. Des quatre jardins modernes redessinés en 1940 après un incendie qui ravagea ce monastère zen, le plus célèbre est le jardin du Sud. Là, sur un sol de gravier blanc à motifs, quatre groupes de gros rochers forment une étonnante composition verticale-horizontale, tandis que cinq petits tertres moussus semblent tapis dans le coin opposé. Bien que le style classique des jardins japonais ait été respecté presque à la lettre, une forte impression de modernité et d'individualité se dégage de ce chef-d'œuvre de Mirei Shigemori. Son immense influence se doubla de son autorité d'historien et de théoricien de l'art. Shigemori pensait qu'après avoir été maîtrisé et magnifiquement inspiré pendant des siècles, le dessin des jardins japonais avait décliné le jour où les paysagistes professionnels s'en étaient emparés. Il revint donc au principe d'origine : un jardin original, jamais répété ou copié, une véritable œuvre d'art.

☛ **Enshu, Mandokora, Noguchi, Ogawa, Rikkyu, Soami**

**Mirei Shigemori**. Actif (JAP), XXᵉ siècle. **Tofuku-ji**, Kyoto (JAP), 1940.

# Shipman Ellen Biddle

## Longue Vue House

La grande allée qui vient de la maison se termine par un bassin circulaire appartenant à un jardin d'eau inspiré par le Generalife de Grenade. Les bordures de buis taillé qui flanquent cet axe principal encerclent des massifs de plantes vivaces, notamment des rosiers. Longue Vue House fut construite en 1941 par Mrs Stern, qui voulait renouveler l'esprit des maisons de campagne anglaises du XVIII<sup>e</sup> siècle. Ellen Biddle Shipman commença le dessin des jardins au milieu des années 1920, peu après l'arrivée de Mrs Stern. Ils offraient une variété de styles européens qui contrastaient avec la flore indigène de La Nouvelle-Orléans. Le jardin sauvage est ainsi une référence au *bosco* italien. Il se prolonge par un potager à la française, un jardin formel planté uniquement de légumes. Ellen Shipman respecta la passion de Mrs Stern pour l'Europe, comme en témoigne l'allée qui circonscrit les 2,8 hectares de Longue Vue.

☞ **Emma, Manning, Nazarite, Steele, Vignole**

# Shoden-ji Sensai de

Un sentier bordé d'érables et de pins conduit au pavillon de l'entrée du jardin de Shoden-ji. À l'intérieur des murs, près du *hojo*, ou résidence abbatiale, se trouve le jardin sec du temple zen, ou *sensai*. On le compare souvent au célèbre Ryôan-ji puisqu'il ne contient, lui aussi, que quinze objets placés sur un rectangle de gravier blanc et dessiné pour être vu sous un angle unique, fixe et idéal. Mais, dans le Shoden-ji, les éléments qui forment une composition ne sont pas des pierres mais des buttes plantées de buissons d'azalées taillés (*karokomi*) qui donnent à ce jardin relativement petit

(300 m²) une note de sensualité. Mises en valeur par la blancheur du mur du fond, la hauteur et la forme des arbustes offrent un contrepoint à la puissante image du mont Hiei, que l'on devine dans le lointain. Bien qu'il exprime parfaitement le *shakkei*, Shoden-ji, comme le tout proche Enshu-ji, ne peut être attribué à aucun paysagiste en particulier, mais il date certainement du début de la période Edo, vers 1680.

☞ **Egerton, Enshu, Hornel, Ogawa, Rikkyu, Toshihito**

**Sensai de Shoden-ji**. Actif (JAP), XVIIᵉ siècle. **Shoden-ji**, Kyoto (JAP), vers 1680.

# Shurcliff Arthur A.

## Le Williamsburg colonial

Les jardins individuels de Williamsburg, avec leurs allées étroites pavées de briques, leurs plates-bandes bordées de buis et leur variété d'arbres en topiaires, de fleurs, de fruits et de légumes, constituèrent une source d'inspiration pour les petits jardins du XXᵉ siècle. La restauration de la capitale coloniale de la Virginie du XVIIIᵉ siècle, financée par John D. Rockefeller Junior, concernait environ 90 jardins, mais aussi des rues entières, des places et des parcs publics ; ce fut l'une des plus vastes entreprises de ce type réalisées à cette époque. Commencée en 1930, elle fut la première à se fonder sur l'archéologie des jardins et à se référer à l'histoire pour la répartition de la végétation. Malgré des résultats souvent fort éloignés de l'authenticité, l'ensemble du réaménagement de cette ville reste un succès. L'architecte paysagiste chargé de cette restauration, Arthur Shurcliff, travaillait pour la ville de Boston avant d'être engagé pour ce projet en 1928. Alden Hopkins lui succéda au cours des années 1940.

☛ Hosack, Jefferson, Landsberg, Post, Sloane, Washington

Arthur A. Shurcliff (ou Shurtleff). n. Boston, Massachusetts (EU), 1870. m. 1957.
**Le Williamsburg colonial**, Williamsburg, Virginie (EU), 1930.

# Silva Roberto

## Jardin Forsters

Ce jardin londonien fut le premier contrat important du designer brésilien Roberto Silva. Un mur sinueux en pierre sèche contourne un cerisier et une fontaine suivant une courbe gracieuse, avant d'encercler un pont en bois de charpente. Le jaune orangé du gravier contraste avec le vert de la pelouse. Les plantations de Silva se composent surtout d'arbres et d'arbustes choisis pour leurs effets de feuillage : eucalyptus, érables et fougères arborescentes. Le mur d'ardoise et la fontaine faite de trois sortes de galets empilés lui furent inspirés par l'œuvre de Andy Goldsworthy. Des lames de pierre plate sont dispersées çà et là sur le gravier. Un équipement de haute-fidélité est dissimulé derrière le pont car le jardin accueille régulièrement des concerts familiaux. Silva a étudié au Brésil et a tout naturellement été influencé par l'œuvre de Roberto Burle Marx. Il a, par la suite, travaillé à la restauration de jardins publics à Sao Paulo. Venu faire un stage à Londres en 1992, il y jardina « surtout à l'anglaise », comme il le dit, à la demande de clients citadins.

☛ Church, Goldsworthy, Jensen, Oehme et Van Sweden

**Roberto Silva. n.** Recife (BR), 1964. **Jardin Forsters**, Londres (RU), 1999.

# Sitta Vladimir

## Résidence Smith

Du bambou noir (*Phyllostachys nigra*) et des touffes d'herbe mondo bordent un simple bassin rectangulaire qui se termine par une sculpture en relief. Pour ce jardin privé de Sydney, Vladimir Sitta a créé un espace géométrique très marqué par l'esprit des jardins japonais. Ce paysagiste né en Tchécoslovaquie et travaillant la plupart du temps en Australie s'est révélé l'un des plus grands designers avant-gardistes des dix dernières années. Ses créations comprennent souvent des éléments d'inspiration géologique, comme des fissures fendant des pierres irréprochables, de la brume artificielle et des plaques monolithiques. Dans le jardin de la résidence Smith, deux lances de pierre sectionnent de leur pointe les reflets du bassin et lui donnent une qualité minérale qui met en échec ce que l'on pourrait prendre pour un parfait exemple de pur modernisme. Dans la meilleure tradition japonaise, Sitta explore cette tension entre l'ordre et la nature sauvage. Sans aucun doute, les plans des jardins de Sitta donneront le ton pour les dix années à venir.

☛ Herman, Latz, Lutsko, Toll

---

**Vladimir Sitta. n.** (TCH). Actif (AUS), fin xxᵉ siècle. **Résidence Smith**, Sydney (AUS), 1991.

# Sitwell Sir George

## Renishaw Hall

Les jardins de Renishaw nous enseignent que la structure est plus importante que les fleurs, lesquelles n'étaient pas prévues dans le plan d'origine de sir George Sitwell. Sitwell était un remarquable érudit et un dilettante dont l'essai, *The Making of Gardens* (1909), fut écrit en écho à celui de Francis Bacon, *Of Gardens* (1625). Sa grande connaissance des jardins italiens restait inégalée, puisqu'il en visita plus de 200 au cours de ses voyages. On comprend aisément pourquoi Sitwell choisit, dans les années 1890, de remodeler son domaine ancestral de Renishaw à l'italienne. Il déplorait que « le jardin typiquement anglais fasse si peu cas des sublimes exemples de la Renaissance italienne, qu'il ignore la plupart du temps le paysage environnant, et qu'il manque si souvent de sérénité et presque toujours d'imagination ». Sitwell insistait sur l'importance du merveilleux et de la surprise, de l'harmonie et du contraste, sur la présence rafraîchissante de l'eau, autant d'éléments dont il a donné des exemples éblouissants à Renishaw.

☞ Acton, Blomfield, Peto, Pinsent, Tilden

**Sir George Sitwell. n.** Renishaw, Derbyshire (RU), 1860. **m.** Locarno, Ticino (IT), 1943.
**Renishaw Hall**, Derbyshire (RU), vers 1890.

# Sloane Sir Hans

## Chelsea Physic Garden

Ce plan montre des plates-bandes rectangulaires élégamment disposées qui devaient contenir des collections d'espèces réunies pour leurs propriétés médicinales, ou pour servir à un système de classification antérieur à celui de Linné. Ce jardin fut créé en 1673 par la Société des apothicaires afin d'enseigner les vertus pharmacologiques des plantes, d'où son nom de « Physic ». En 1722, le jardin fut sauvé du désastre financier grâce au généreux mécénat de sir Hans Sloane, médecin de George Ier et collectionneur de plantes, qui avait acheté le manoir de Chelsea à lord Cheyne en 1712.

Sloane désigna comme conservateur Philip Miller, dont le dévouement fit du Chelsea Physic Garden le jardin botanique possédant le plus de variétés au monde. L'une d'elles, *Sophora microphylla*, descend directement de la première graine rapportée de Nouvelle-Zélande par sir Joseph Banks, autre grand protecteur des jardins. L'aménagement actuel fut établi à la fin du XIXe siècle.

☛ Carvallo, Landsberg, La Quintinie, Moroni, Roper

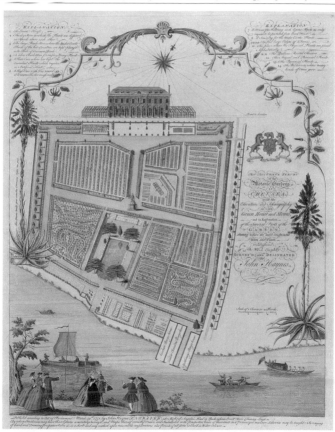

Sir Hans Sloane. **n.** (IRL), 1660. **m.** (RU), 1753. **Chelsea Physic Garden**, Londres (RU), créé en 1673, restauré en 1722.     419

# Smit Tim

## Les jardins perdus de Heligan

Les troncs d'arbres abattus qui jonchent le sol font régner une atmosphère préhistorique dans le Jungle Garden, un paysage luxuriant et subtropical, composé de bambous géants, de fougères arborescentes et de bassins mystérieux. Le temps semble s'être arrêté à Heligan, en Cornouailles. Dessiné par la famille Tremayne aux XVIIIᵉ et XIXᵉ siècles, l'endroit fut négligé pendant la plus grande partie du siècle dernier. Puis, en 1990, Tim Smit, l'archéologue devenu producteur de disques, s'attaqua à la machette à des ronces de 5 m de haut et commença à mettre au jour un jardin enfoui depuis presque cent ans. Smit et son équipe ont fait de Heligan l'un des parcs privés les plus visités de Grande-Bretagne, grâce à leur compétence en matière de marketing, mais aussi et surtout pour avoir su lui conserver son côté « abandonné ». Ce site de 32 hectares recèle aussi un ravin vertigineux, un charmant jardin italien, une grotte et de magnifiques rhododendrons. La partie cultivée comprend un potager clos de murs et une fosse à ananas chauffée au fumier.

☛ Dunmore, Grimshaw, McKenzie, Sturdza, Williams

Tim Smit. n. (PB), 1954. **Les jardins perdus de Heligan**, Pentewan, Cornouailles (RU), 1990.

# Smith Augustus

## Jardins de l'abbaye de Tresco

À l'abri des bourrasques de l'Atlantique derrière un rideau d'arbres, des essences exotiques et délicates embaument ce jardin d'une luxuriance tropicale. Augustus Smith, qui commença de le dessiner en 1834, fractionna en terrasses ce site escarpé et y traça des sentiers qui serpentent en suivant des contours naturels, ou en plongeant en à-pic. Les plantes, provenant de l'hémisphère Sud et surtout d'Australasie, se sont parfaitement adaptées à ces pentes rocheuses. Le goût de Smith pour la collection était typique de l'époque victorienne. En effet, la manie des fleurs s'empara de la classe aisée quand les chasseurs de plantes introduisirent des milliers de nouvelles espèces en provenance du monde entier. Tandis que Smith rassemblait des plantes capables de prospérer dans le microclimat de Tresco, d'autres collectionnaient des plantes originaires de régions particulières ou des espèces botaniques spécifiques. Mais la faveur allait toujours aux rhododendrons, aux conifères, aux fougères et aux orchidées. Smith mourut en 1872. Depuis, ses descendants entretiennent son œuvre.

☛ **Burley Griffin, Mackenzie, Middleton, Williams**

# Smithers Sir Peter

## Villa Smithers

De nouveaux hybrides de magnolias fleurissent dans le jardin de Vico Morcote, qui jouit d'un emplacement spectaculaire sur une pente escarpée dominant le lac de Lugano. Une maison de style japonais contemporain se compose de deux ailes réunies par un pont enjambant un torrent de montagne. Outre sa réussite dans l'hybridation des magnolias, Peter Smithers a joué un rôle de pionnier en introduisant de nombreuses autres plantes en Europe. Parmi les plus significatives en provenance d'Asie, on note les extraordinaires pivoines japonaises, les glycines, les hostas et les iris. Smithers a lui-même fait pousser une grande variété de nerines. L'emploi de nouvelles espèces, avec leurs couleurs, formes et textures, permet à un jardinier de composer des « tableaux » avec une palette jusque-là inconnue et ne ressemblant en rien aux arrangements traditionnels. Les principes régissant le jardinage sont décrits dans l'ouvrage de Peter Smithers, *The Adventures of a Gardener*.

☛ Hanbury, Middleton, Miller, Savill

Sir Peter Smithers. n. 1913. Actif (SUI), fin XX<sup>e</sup> siècle. **Villa Smithers**, Vico Morcote, Lugano (SUI), fin du XX<sup>e</sup> siècle.

# Smyth Ted

## Le jardin Sanders

Dans ce jardin de Nouvelle-Zélande, une piscine aux contours géométriques, organisée autour d'une sculpture tubulaire en acier inoxydable, agrémente une maison moderniste d'une blancheur parfaite, des années 1980. La douceur et l'élégance du mur de soutènement qui s'adosse à une plate-bande de plantes subtropicales (cycas, aloès, dragonniers) créent un agréable contraste dans cet immense jardin. Le paysagiste Ted Smyth est peu connu hors de Nouvelle-Zélande, et ne manifeste aucun intérêt pour le monde du design. Il a réussi un espace tranquille, en choisissant de l'acier inoxydable, du marbre, de la pierre et des plantes à larges feuilles. « J'aime l'anonymat et la modernité de ces matériaux », dit-il. « Il ne faut pas qu'ils soient trop vivants, comme la terre cuite, le cuivre ou l'or, qui ressemblent à des animaux agités et bruyants. Pour arriver à la sérénité et à une certaine qualité spatiale, on doit minimiser la personnalité des matériaux. » Le soir, ce jardin est éclairé d'une étrange lumière bleue, qui fait naître des reflets dans l'eau paisible de la piscine.

☛ Bradley-Hole, Le Corbusier, Noguchi, Pearson, Watson

Ted Smyth. Actif (NZ), fin XXᵉ siècle. Le jardin Sanders, Auckland (NZ), 1996.

# Sôami

## Ryôan-ji

Quinze rochers posés sur une mer de sable soigneusement ratissé et un mur brun : Ryôan-ji, peut-être le jardin minéral paysager le plus parfait, n'a pas changé en cinq siècles et garde son mystère entier. Aucune plante, aucun tracé, une absence totale d'eau, rien ne vient détourner le regard de sa simplicité rigoureuse. On peut y voir des îles sur une mer symbolique, des animaux sauvages traversant une étendue d'eau mais aussi se contenter la beauté unique de ce jardin. Assemblés en cinq groupes, les rochers sont disposés et équilibrés avec une extrême précision. Une atmosphère de spiritualité et de profond recueillement touche même le visiteur qui ignore tout des mystères du zen. Créé en 1473 par le puissant seigneur Hosokawa Masamoto, ce jardin du temple fut dessiné par des « hommes de la rivière », les *kawara-mono*, qui allaient devenir des professionnels de l'art des jardins au Japon. La tradition veut que le peintre Sôami ait trouvé ici l'inspiration définitive pour son art.

☛ Enshu, Kokushi, Ogawa, Shigemori, Tadayoshi

**Sôami**. Actif (JAP), seconde moitié du XV<sup>e</sup> siècle. **m.** (JAP), 1525. **Ryôan-ji**, Kyoto (JAP), 1473.

# Song Zenhuang

## Wang Shi Yuan

Autour du bord rocheux de cette pièce d'eau, une profusion d'édifices, de ponts et de cours d'eau semble inviter le visiteur à franchir une distance, apparemment très courte. Mais le « jardin du Maître des filets de pêche » est un enchevêtrement d'allées en zigzags, de bosquets de bambous et de cours secrètes. Le visiteur, quelque peu désorienté, est amené à découvrir en chemin des perspectives insoupçonnées. L'un des jardins les plus subtils et les plus élaborés de Suzhou, le Wang Shi Yuan a une histoire compliquée. Construit en 1140 par un fonctionnaire érudit pour abriter son immense bibliothèque privée, qui comprenait plus de 10 000 rouleaux, il fut abandonné à sa mort pour ne revivre qu'en 1760, au moment où Song Zenhuang, vice-directeur des Divertissements impériaux à la cour de Qian Long, décida de le remodeler selon son goût. Après lui, ce lieu fut de nouveau négligé, puis il subit plusieurs vagues de reconstructions et d'améliorations, sans rien perdre de son charme.

☛ Wang Xian Chen, Xu Shi-tai, Yi Song Gye, Zhang Yue

**Song Zenhuang.** Actif (CH), XVIIIᵉ siècle. **Wang Shi Yuan**, Suzhou (CH), créé en 1140, restauré en 1760.

# Sophia Électrice de Hanovre

## Herrenhausen

Voici un détail du Grand Parterre de Herrenhausen, dessiné et réalisé au cours des années 1680 par Sophia, Électrice de Hanovre et mère de George Ier d'Angleterre. Les vases et les statues élaborés représentent des dieux, saisons, vertus et continents. Ils sont tous peints d'un blanc brillant qui protège le grès tendre de la rigueur des hivers de l'Allemagne du Nord et leur permet de se détacher sur un fond de verdure. Les plates-bandes sont magnifiquement ornées de plantes saisonnières, dans un style moderne. Le Grand Parterre s'étend sur quelque 200 m². À la demande de l'épouse du prince le plus militaire d'Allemagne, le jardin tout entier fut conçu à une échelle gigantesque pour mieux marquer sa puissance. Sophia décrivit d'ailleurs ces jardins comme l'œuvre de sa vie. Elle y mourut d'une crise cardiaque en juin 1714. Si elle avait vécu deux mois de plus, elle serait devenue reine d'Angleterre.

☞ **Frédéric Ier, Heinrich, Marot et Roman, Pierre Ier, Wise**

**Sophia, princesse palatine (Électrice de Hanovre). n.** La Haye (PB), 1630. **m.** Herrenhausen (ALL), 1714.
**Herrenhausen,** Hanovre (ALL), vers 1680.

# **Sørensen** Carl Theodor

## Université d'Aarhus

Cet amphithéâtre est la solution que Sørensen trouva pour résoudre un problème de dénivelé sur le site du campus de l'université d'Aarhus, au Danemark. L'écran végétal séparant l'amphithéâtre et l'université en elle-même est planté de chênes. Le rêve de Sørensen était de créer une université au cœur d'un bois de chênes. Au cours de sa carrière, qui lui valut plus de 2 000 commandes, il eut l'occasion de dessiner six amphithéâtres de verdure au Danemark, tous légèrement différents. On observe que les cercles concentriques sont l'une des formes géométriques qu'il affectionnait et utilisait de façon répétitive. Outre des lieux publics, comme ce campus, il conçut de nombreux petits jardins particuliers. Sa grande compétence de paysagiste, sa qualité de professeur et ses écrits lui valurent la réputation de père de l'architecture paysagiste moderne au Danemark, et une grande influence dans toute la Scandinavie. On lui doit aussi l'invention des aires de jeux, qu'il explora dans son ouvrage *Park Politics in Parish and Borough*, écrit en 1931.

☞ **Cane, Jakobsen, Jencks, Larsson, Wilkie**

**Carl Theodor Sørensen. n.** (ALL), 1893. **m.** 1979. **Université d'Aarhus**, Aarhus (DK), vers 1960.

# Southcote Philip

## Woburn Farm

En 1712, Joseph Addison avait recommandé aux propriétaires terriens d'embellir leurs domaines, « afin qu'un homme puisse faire un beau paysage avec ses propres biens ».
Au cours des années 1730, Philip Southcote ne manqua pas de suivre ce conseil à la lettre. Un heureux équilibre entre l'exploitation des fermes et le jardinage décoratif fut l'un des principes fondateurs du premier mouvement en faveur de la ferme paysagère. Dans sa « ferme ornée », qui eut de larges retombées, Southcote traça une allée bordée de fleurs autour de sa propriété « pour le côté pratique aussi bien que pour le plaisir, car depuis le jardin je pouvais voir ce qui se passait sur mes terres ». Il créa un ruisseau et ajouta de petits édifices de jardin, dont une grotte (à droite). L'exemple de Southcote encouragea plusieurs *gentlemen farmers* (notamment Shenstone) à se lancer dans cette aventure, bien que plus modestement. À la fin du XVIIIe siècle, l'idée de la « ferme ornée » s'était étiolée, et les seuls aspects champêtres que Capability Brown avait retenus se limitaient au bétail broutant dans une pâture bien nette.

☛ **Bridgeman, Burlington, Kent, Pope, Shenstone**

**Philip Southcote**. n. (RU), 1698. m. (RU), 1758. **Woburn Farm**, Surrey (RU), 1735.

# Stanislas II Roi de Pologne

Le palais de Lazienki fut édifié sur une île. Les deux plans d'eau au tracé rigoureux devinrent des étangs aux contours irréguliers quand Poniatowski transforma les terrains de chasse d'Ujazdów en un somptueux parc d'agrément en 1796. Depuis l'amphithéâtre orné de belles sculptures qui jouxte l'un des étangs, un public comptant jusqu'à mille personnes pouvait voir la scène installée sur une petite île de l'autre côté d'un étroit cours d'eau. Parmi les édifices romantiques disséminés dans la verdure, la Maison turque surprenait les visiteurs par le contraste entre son aspect extérieur, très simple, et son somptueux aménagement intérieur. Deux pavillons étaient destinés aux maîtresses du roi, tandis qu'un autre abritait un sérail réservé à ses visiteurs. Le jardinier Jan Christian Schuch et les architectes Jan Chrystian Kamsetzer et Dominik Merlini participèrent à la création de ce parc, qui illustra ce que l'on appela plus tard le style Stanislas-Auguste. Même après son exil à Saint-Pétersbourg, en 1796, Poniatowski continua de transmettre ses directives concernant Lazienki.

☛ **Brandt, Hirschfeld, Joséphine, Radziwill, Tyers**

# Steele Fletcher

## Naumkeag

Mabel Choate souhaitait quelques marches toutes simples pour l'aider à monter la côte jusqu'à son potager de Naumkeag, dans le Massachusetts. Le résultat est un chef-d'œuvre de l'art paysager du XXᵉ siècle. Avec les Marches bleues, créées dans les années 1920, Steele a donné une interprétation étonnamment moderne d'une forme classique de la Renaissance. Une série d'arches en béton peintes en bleu, flanquées par une double volée d'escaliers et des rampes de style Art déco, s'élève entre les troncs luisants de bouleaux argentés, qui offrent un contraste superbe avec l'irréprochable symétrie de l'architecture. De l'eau coule en cascade à travers les arches à la manière d'un escalier d'eau italien. De formation classique, Steel admirait les dessinateurs français de jardins contemporains, dont Guevrékian, Legrain et Vera. Il travailla à Naumkeag (« Havre de paix » en indien) à partir de 1925 et jusqu'à la fin des années 1950, et y ajouta une gamme éclectique d'édifices de jardin, dont une pagode chinoise, une porte de la lune, un jardin de verdure et une roseraie aux plates-bandes festonnées.

☛ **Gaudí, Guevrékian, Legrain, Vera, Vignole**

Fletcher Steele. n. (EU), 1885. m. (EU), 1971. **Naumkeag**, Stockbridge, Massachusetts (EU), 1925.

# Steven Christian

## Jardin botanique de Nikitsky

Un pavillon au style très particulier, entouré de yuccas et de cactus, se dresse à l'ombre d'un pin d'Alep près d'une grande allée de cyprès. Situé non loin de la mer Noire, sous un climat quasi méditerranéen, le jardin botanique de Nikitsky est à la fois une institution scientifique importante, riche d'une grande variété de plantes, et un jardin d'une grande beauté. Parmi les nombreuses essences d'arbres, on remarque des cyprès, des séquoias, des pins d'Amérique du Nord et des cèdres. On trouve aussi environ 2 000 espèces et variétés de roses, des bassins couverts de nénuphars et un escalier d'eau. Le botaniste suédois Christian Steven établit les fondations de ce jardin entre 1812 et 1827. N. A. Hartvis, qui lui succéda comme directeur, continua à développer ce parc jusqu'à sa mort, en 1860. Ce jardin fut une source vitale d'approvisionnement en plantes pour les parcs grandioses qui se créèrent à l'époque en Crimée, comme ceux d'Alupka, de Livadia, de Massandra ou de Gurzuf.

☞ Chambers, Kebach, Moroni, Otruba

**Christian Steven. n.** (SUE). Actif (RUS), début XVIII<sup>e</sup> siècle. **m.** Yalta (RUS), 1827.
**Jardin botanique de Nikitsky**, environs de Yalta (RUS), 1812-1827.

# Strong Sir Roy et Oman Dr Julia Trevelyan — The Laskett

Un cerf aux andouillers dorés figure parmi les surprises que réserve le jardin personnel et autobiographique de sir Roy Strong et de son épouse, la décoratrice de théâtre Julia Trevelyan Oman. Leur jardin s'étend sur 1,8 hectare et se compose de 32 pièces, corridors et antichambres, délimités par de grandes haies d'ifs et de hêtres qui isolent très efficacement du reste du monde. Ce lieu a été élaboré progressivement depuis les années 1960. Les jalons qui le ponctuent commémorent des moments de l'existence du couple : un temple rappelle le poste de directeur que Roy Strong occupait au Victoria & Albert Museum, tandis que le jardin de broderie, à l'arrière de la maison, est un testament de son œuvre de pionnier dans le domaine de l'histoire des jardins et de sa défense de la rigueur dans les petits espaces au cours des années 1980. Ces éléments personnels mettent en valeur, plutôt qu'ils ne compromettent, les lignes de force du dessin de ce paysage qui reposent sur l'évocation de certaines atmosphères et sur la manipulation de la perspective.

☛ **Carter, Hamilton Finlay, Lloyd**

Sir Roy Strong. n. Londres (RU), 1935. **Dr Julia Trevelyan Oman. The Laskett**, Hertfordshire (RU), à partir de 1960 environ.

# Sturdza Princesse Greta

## La Vasterival

Véritable paradis des plantes, où des milliers d'espèces prospèrent dans une atmosphère bienveillante, le jardin de La Vasterival, près de la côte normande, est un monde à part. Protégé par des collines et des bois très denses, il jouit d'un climat fort doux. Chaque saison apporte son lot de richesses parmi les remarquables arrangements de plantes vivaces qui couvrent les 7 hectares du parc. Il est difficile de déterminer si la végétation dicte l'agencement du lieu, ou si c'est l'inverse. L'âme de ce paradis horticole est la princesse norvégienne Sturdza qui, depuis 1957, consacre sa vie à ce projet. La seule manière d'admirer La Vasterival est de participer à la visite de son royaume, qu'elle organise elle-même. Par son immense connaissance et sa passion des plantes, elle touche le cœur de nombreux amoureux des jardins. Elle est aujourd'hui célèbre non seulement en France mais également dans le monde entier.

☛ Bawa, Copeland et Lighty, Mallet, Wolkonsky

**Princesse Greta Sturdza.** Active à la fin du XXᵉ siècle. **La Vasterival**, environs de Dieppe (F), à partir de 1957.

# Suarez Diego

## Vizcaya

Le style de la Renaissance italienne a joué un rôle prépondérant dans l'élaboration du domaine et de la flamboyante villa de l'industriel James Deering, à Miami. Quatre hommes – Deering, le propriétaire, Diego Suarez, l'architecte paysagiste, Paul Chalfin, l'architecte d'intérieur, et Francis Burral Hoffman Jr, l'architecte – partageaient la même passion pour cette époque et pour les maisons et les jardins italiens. Ensemble, ils réalisèrent un projet tout à fait cohérent quoiqu'un peu incongru. Le site s'étend sur 72,8 hectares, mais la superficie réellement exploitée est

d'environ 12 hectares. Un grand jardin formel en forme d'éventail s'étend au sud de la maison, avec des haies basses taillées et des terrasses soutenues par des murets. Un escalier d'eau, des grottes tapissées de coquillages, des sculptures, des urnes et des bassins composent ce pastiche de jardin de la Renaissance italienne. Le parc abrite également des essences tropicales spécifiques aux États-Unis. Diego Suarez a travaillé avec Arthur Acton à la restauration de la villa La Pietra à Florence.

☛ **Acton, Ligorio, Mizner, Vignole, Washington-Smith**

**Diego Suarez. n.** 1888. **m.** 1974. **Vizcaya**, Miami, Floride (EU), 1914-1921.

# Sulla

### Préneste

En 82 avant notre ère, sur l'emplacement à flanc de colline d'un temple antérieur à l'époque romaine, le général romain Sulla établit les jardins et le temple de Fortuna Virilis : Préneste. Ce plan annoté de la reconstruction de ce site par Andrea Palladio, au cours des années 1560, illustre l'échelle grandiose de ce temple et de ses dix terrasses. Ces terrasses impressionnantes, dont la plus basse mesurait près de 400 mètres de long, étaient reliées entre elles par des rampes d'accès et des escaliers qui grimpaient jusqu'au sommet du temple, à 160 mètres d'altitude. Les amples portiques et

l'ordre architectonique inspirèrent les créateurs de jardins italiens, notamment Hadrien pour sa villa de Tivoli, et plus tard les grandes figures de la Renaissance italienne comme Bramante, avec sa cour du Belvédère. Ce temple ayant presque complètement disparu, on ne peut qu'émettre des hypothèses sur la disposition des plantations par comparaison avec d'autres jardins romains, comme ceux de Pompéi. Il est probable que les portiques étaient décorés de fresques, de reliefs, de mosaïques et d'une statuaire classique.

☞ **Bramante, Hadrien, Kent, Palladio, Raphaël, Tibernitus**

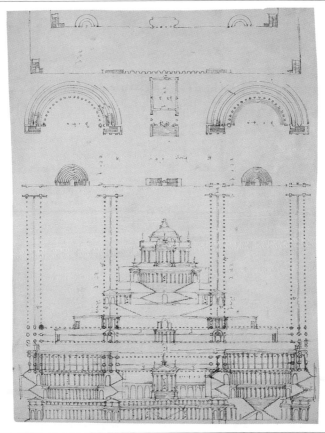

**Sulla (Lucius Cornelius Sulla). n.** (IT), 138 av. J.-C. **m.** (IT), 78 av. J.-C.
**Préneste** (actuelle Palestrina), Latium (IT), 82 av. J.-C, d'après un dessin de Palladio.

435

# Suraj Mal Raja de Bharatpur

## Les jardins du Clair de lune [...]

Le principal palais de Dig dévoile sa grande terrasse dominant un vaste parterre divisé en quartiers et un réservoir souterrain surmonté de fontaines élégamment sculptées. Après le déclin des Grands Moghols, les bâtisseurs de palais hindous des XVIIe et XVIIIe siècles ravivèrent la tradition des jardins indiens. Parmi eux, Suraj Mal, le raja de Bharatpur, qui commença la construction de son palais-jardin de Dig en 1725. Édifié sur un site de niveaux, il adopta le plan quadripartite du *chahar-bagh* moghol, qu'il agrémenta de fontaines et de piscines, pour créer un jardin d'eau plein de fantaisie. De nombreux éléments décoratifs provenaient du pillage d'anciens palais moghols, dont le charmant portique de marbre blanc. Les jardins du Clair de lune furent dessinés pour les loisirs nocturnes. On utilisait les terrasses situées sur les toits pour les promenades du soir, tandis que les dames de la cour profitaient de la fraîcheur du crépuscule dans leurs pavillons ou nageaient dans les bassins à l'abri des arbres.

☛ Akbar, Almohade, Jahangir, Sangram Singh

**Suraj Mal, raja de Bharatpur.** Actif (IND), début XVIIIe siècle. **m.** 1768.
**Les jardins du Clair de lune du palais de Dig** (IND), vers 1725.

# Su Zimei

## Cang Lang Ting

Une élégante fenêtre *lou chuang* ouvre sur un couloir intérieur des jardins du pavillon « de la Vague qui surgit ». Ces fenêtres jouaient un rôle décoratif important dans les jardins chinois. Le Cang Lang Ting est l'un des plus anciens jardins de Suzhou. Miraculeusement préservé, il ressemble toujours au dessin qu'en fit son créateur, l'érudit et poète Su Zimei, en 1044. Gravé sur une pierre noire placée à l'entrée du jardin, ce plan montre une vue cavalière d'un réseau complexe de murs, de bâtiments et de corridors, au centre duquel se trouve une grosse montagne artificielle. Ici,

comme dans la majorité des jardins de Suzhou, les pierres caractéristiques proviennent du lac Taihu, tout proche. Ces rochers ont par nature des formes extraordinaires, et sont perforés de quantité de trous, qui ajoutent légèreté et transparence à leur solidité et leur puissance. Cang Lang Ting n'est pas clos de murs, mais entouré par un canal, devenu partie intégrante du jardin.

☞ Wang Xian Chen, Xu Shi-tai, Yi Song Gye, Zhang Shi

**Su Zimei**. Actif (CH), début XIᵉ siècle. **Cang Lang Ting**, Suzhou (CH), 1044.

# Suzuki Shodo

## Jardin privé de Chichibu

Asymétrique et rectiligne, ce ruisseau de pierre occupe la plus grande partie du jardin d'une résidence privée de Chichibu. Ce tracé net, et d'une magnifique simplicité, joue sur des différences de niveau presque imperceptibles mais très efficaces, les puissantes lignes horizontales étant renforcées par la surface plane des pierres. Dans cette composition parfaitement équilibrée, le placement et le traitement des pierres dénote une connaissance approfondie de ce matériau, auquel se combinent de l'eau et quelques plantes judicieusement choisies. Cet ensemble réunit tous les éléments, vieux de plusieurs siècles, des jardins japonais traditionnels, que Shodo Suzuki estime suffisants pour ce petit espace. Mais, à l'intérieur de ces paramètres, il réussit à faire apparaître de nouvelles formes et un langage radicalement nouveau. Très influent au Japon, il a dessiné de nombreux parcs publics, dans lesquels il a parfois utilisé des matériaux inattendus, sans jamais se départir de techniques d'une extrême simplicité et de ses principes esthétiques fondateurs.

☞ **Ando, Enshu, Lutsko, Noguchi, Shigemori**

**Shodo Suzuki**. Actif (JAP), fin XXᵉ siècle. **Jardin privé**, Chichibu (JAP), vers 1980.

# Sventenius Eric

## Jardin Canario

Le jardin Canario est un jardin contemporain de plantes indigènes agrémenté de statues. On y a reconstitué en miniature les milieux naturels de la végétation des îles Canaries, afin qu'un ensemble représentatif de la flore unique de cette région y prospère, tant dans un but pédagogique que de conservation. Dans ce domaine, la théorie moderne suppose que l'on conserve les cultures sur le site d'origine et hors du site. Au cas où certaines plantes viendraient à disparaître à l'état sauvage, on pourrait ainsi procéder à leur réintroduction à partir des spécimens cultivés. Mais une collection de plantes ne suffit pas à composer un jardin. Les plantes doivent être disposées de façon à produire certains effets esthétiques, comme au jardin Canario. Ce lieu, conçu par le botaniste suédois Eric Sventenius, se trouve actuellement sous la direction du botaniste anglais David Bramwell.

☛ Gildemeister, Hepworth, Manrique, Raffles

Eric Sventenius. n. (SUE), 1910. m. 1973. **Jardin Canario**, Las Palmas de Gran Canaria (C), 1952.

# Switzer Stephen

## Illustration de *Ichnographia Rustica*

Cette illustration de l'ouvrage de Switzer, *Ichnographia Rustica* (1718), prouve de manière éclatante que son auteur cherchait à établir une relation entre le jardin et le paysage environnant, tout en respectant la tradition classique de l'art paysager. Il baptisa cette attitude le « jardinage rural ». Switzer ne croyait pas à la nécessité des murs de clôture et pensait que « toute la campagne alentour devait rester visible ». Dans ce plan, on remarque nettement l'axe principal sur lequel se trouvent la maison – une idée remontant à la Renaissance italienne – et un long canal, inspiré de la Renaissance française. L'axe transversal est lui aussi centré sur le canal. Switzer considérait ces grandes orientations comme indispensables à l'existence d'une relation entre une maison et son jardin. Contre toute attente, les allées rectilignes au centre du plan se mettent à serpenter. Switzer fit son apprentissage chez George London et Henry Wise, puis travailla aux côtés de Charles Bridgeman en tant que directeur de Blenheim.

☛ **Bridgeman, London, Loudon, Guillaume III, Wise**

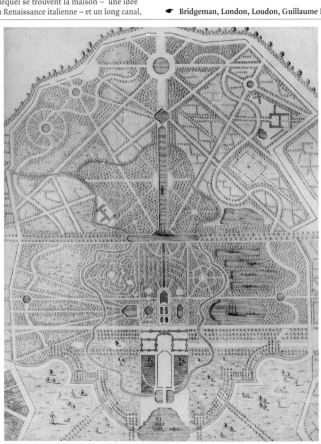

**Stephen Switzer. n.** (RU), 1682. **m.** (RU), 1745. Illustration de *Ichnographia Rustica*, Somerset (RU), 1718.

# Taverna Marquise Lavinia    Jardin de Landriana

Descendant vers le lac, le Viale Bianco (avenue blanche) est une allée composée de marches taillées dans le tuf local, bordée d'une composition de fleurs blanches et de plantes aux feuilles argentées. Ce jardin, disposé sur différents niveaux, associe à merveille la rigueur caractéristique du style italien et l'exubérance de la végétation « à l'anglaise ». Ce parc de 4 hectares abrite un lac entouré d'iris, des roseraies et de nombreux sentiers qui serpentent à travers arbres et arbustes. Quand, en 1956, Lavinia Taverna décida de créer un jardin méditerranéen dans son domaine de la plaine d'Adrea, près de Rome, ses chances de succès étaient bien minces, à cause du sol argileux et de l'air marin fortement chargé de sel. Mais, avec persévérance, elle expérimenta des centaines de plantes. En 1968, elle fit appel à Russell Page, qui travaillait alors dans le voisinage, et lui demanda de l'aider à mieux concevoir son projet. Il lui fournit un schéma qui devint un véritable guide. Depuis 1985, la marquise a introduit de nombreuses plantes australiennes pour compléter les essences méditerranéennes.

☛ Gildemeister, Johnston, McEarcharn, Page

# Tessin Nicodemus, le Jeune     Drottningholm

Les parterres d'eau sont rares dans les pays du nord de l'Europe, et l'imposant exemple de Drottningholm, en Suède, est certainement le plus septentrional. Il est particulièrement remarquable par la manière dont il reflète le ciel de la Baltique en automne. On a bien souvent considéré Drottningholm comme le « Versailles du Nord » et, malgré sa situation sur une île sans prétention du lac Mälar, près de Stockholm, il offre une splendeur baroque égale à celle du palais de Louis XIV. La reine Hedvig Eleanora, mère de Charles XI de Suède, est la reine (« Drottning ») qui lui donna son nom ; c'est elle qui fit appel à Nicodemus Tessin pour dessiner son palais au cours des années 1680. Plus tard, pendant les années 1720, Nicodemus Tessin le Jeune traça le plan des jardins, y compris les parterres d'eau. L'enfilade de bassins peu profonds et de fontaines élancées s'inspirait des célèbres jardins de Chantilly et fut ornée de belles statues. Ces jardins, remaniés dans les années 1960, offrent toujours l'occasion d'admirer un jardin d'eau baroque dans toute sa splendeur.

☞ Bouché, Clément et Provost, Jekyll, Oudolf, Piper

**Nicodemus Tessin le Jeune. n.** Nyköping (SUE), 1654. **m.** Stockholm (SUE), 1728.
**Drottningholm**, Stockholm (SUE), vers 1720.

# Thays Charles

## Parcs municipaux de Buenos Aires

La création des parcs publics de Buenos Aires, entre 1891 et 1914, est l'œuvre de Charles Thays, un étudiant français de Jean-Charles Alphand et d'Édouard André, paysagistes qui rénovèrent les jardins publics parisiens pendant la seconde moitié du XIXᵉ siècle. Le modèle des parcs et jardins publics parisiens fut adopté sans grandes variations dans le monde entier. Leur style particulier dérivait de modèles antérieurs : la rigueur des jardins à la française, associée à la liberté des jardins anglais. La plus grande réalisation de Thays fut celle du jardin botanique municipal de Buenos Aires, qui ouvrit ses portes en 1908. Par la suite, on lui confia l'aménagement de parcs publics dans d'autres villes d'Argentine, et il reçut de nombreuses commandes pour des grandes propriétés privées ou *estancias*. Son influence s'étendit rapidement à toute l'Amérique du Sud grâce à des travaux commandités au Chili, en Uruguay et au Brésil.

☞ André, Clément et Provost, London, Switzer

**Charles Thays. n**. Paris (F), 1849. **m**. Buenos Aires (ARG), 1934. **Parcs municipaux de Buenos Aires**, Buenos Aires (ARG), 1891-1914, perspective à l'aquarelle montrant la plaza Major et le parc Colón.

# Thijsse Jacob P.

## Parc Thijsse

Le parc Thijsse occupe une étroite bande de terre de 2 hectares entre l'Amsterdam Bos et les maisons de la périphérie de la ville. Ce parc, créé en 1940 par J. P. Thijsse, est un *heemtuin* ou « jardin de maison ». Des sentiers, chacun baptisé du nom d'une fleur sauvage différente, serpentent à travers le site. Bien que certains suivent un cours parallèle, ils restent cependant invisibles, ce qui fait paraître ce lieu bien plus vaste qu'il ne l'est en réalité. Les plantations reflètent l'habileté écologique dont Thijsse avait déjà fait preuve lors de l'aménagement du « jardin naturel » de Blomendaal, en 1925, en collaboration avec Leonard Springer. Thijsse, estimant que le progrès détruisait l'environnement aux Pays-Bas, s'attaqua à deux nouvelles sciences : la géographie botanique et l'écologie des plantes. Dans ce parc, il a fait appel à ses nouvelles connaissances autant qu'à ses talents d'artiste. Les allées sont bordées de minuscules fleurs sauvages qui poussent sous les frondaisons. La section des chênes et des aulnes est plantée de fougères et d'ancolies.

☛ Bijhouwer, Harrison, Oehme et Van Sweden, Oudolf

# Thomas Graham Stuart

## Mottisfont Abbey

En pénétrant dans ce jardin protégé par des murs de brique, le visiteur est séduit par les couleurs et les parfums de plus de 300 variétés de roses anciennes et de magnifiques bordures de plantes herbacées. C'est ici, dans le sol fertile du vieux potager, que Thomas a installé sa collection de roses historique, devenue la National Rose Collection. Beaucoup proviennent du jardin de l'impératrice Joséphine à la Malmaison. Le jaillissement de l'eau d'une fontaine donne la mesure de la tranquillité de ce parc, planté d'arbres centenaires (chênes, châtaigniers et cèdres) qui rappellent l'époque où des moines arpentaient les pelouses. Ce jardin, créé en 1971, comprend quatre parterres de gazon entourés de larges plates-bandes qui débordent sur les deux allées principales qui se croisent, ou ceinturés par des haies de buis, entrelacées de *gallica* et de roses mousseuses. On remarque aussi une charmille victorienne et une allée de citronniers de Jellicoe. Graham Stuart Thomas eut une grande influence comme conseiller du National Trust pour les jardins.

☛ André, Forestier, Jellicoe, Joséphine, Lindsay

Graham Stuart Thomas. n. (RU), 1909. **Mottisfont Abbey**, Mottisfont, environs de Romsey, Hampshire (RU), 1971.

# Thomas Inigo

## Athelhampton Manor

Cette vue du jardin de la Grande Cour, à Athelhampton, une reconstitution victorienne, évoque le style du jardinage de la vieille Angleterre tel qu'on se l'imagine. Les hautes pyramides d'ifs taillés entourent une fontaine à l'italienne, tandis que la forme des pinacles du jardin en terrasse leur fait écho. Autrefois, toute la partie située autour du bassin était ornée de parterres remplis de fleurs éclatantes en été et en automne. Inigo Thomas dessina ce jardin avec un tel souci d'authenticité qu'on le prend souvent pour un véritable jardin du XVIIᵉ siècle et non pour une reconstitution des années 1890. Thomas, fervent partisan du jardin formel, illustra l'ouvrage de sir Reginald Blomfield, *The Formal Garden in England* (1892), qui contribua à diffuser l'idée de la nécessité d'assortir des jardins historiques aux maisons de l'époque de Jacques Iᵉʳ.

☛ **Barnsley, Blomfield, Mawson, Pinsent, Sitwell**

**Inigo Thomas. n.** Yorkshire (RU), 1865. **m.** Londres (RU), 1950. **Athelhampton Manor**, Dorset (RU), vers 1890.

# Thoutmosis III Roi

## Jardin botanique de Karnak

Ornant les murs des chambres du « jardin secret », ou salles du soleil, construites vers 1440 av. J.-C. en annexe du temple des Fêtes, ce relief montre des plantes, des animaux et des oiseaux que Thoutmosis rapporta de ses expéditions. Des textes clarifient les importations étrangères que ce chasseur de plantes avant l'heure introduisit en Égypte : « Des plantes que Sa Majesté trouva sur la Terre de Retenu [Syrie]. Toutes plantes qui poussent, toutes fleurs qui sont dans la Terre de Dieu. » Ces salles, uniquement accessibles par un petit portail, servaient en quelque sorte de « jardin botanique »

éternel dédié au dieu Amon, où l'on déposait des offrandes. On suppose qu'elles étaient dépourvues de plafond, ce qui implique qu'une végétation naturelle pouvait s'y développer. Les couleurs jadis éclatantes ont passé, et l'échelle des plantes et des fruits figurant sur les reliefs rend les identifications périlleuses. Ce jardin « intérieur », réel ou décoratif, était sans doute annonciateur des jardins encaissés du palais de Tell el-Amarna.

☛ **Cyrus II le Grand, Darius Iᵉʳ, Ineni, Sennachérib**

**Roi Thoutmosis III. n.** Karnak (EGY), 1501 av. J.-C. **m.** (EGY), 1448 av. J.-C.
**Jardin botanique de Karnak**, Karnak (EGY), 1440 av. J.-C.

447

# Thwaites G. H. K.

## Jardin botanique de Peradeniya

Des figuiers tropicaux symbolisent la pousse bourgeonnante caractéristique de ce climat. Le jardin botanique de Peradeniya, au Sri Lanka, est, d'après Thistleton Dyer, directeur des jardins botaniques de Kew, « le plus beau jardin tropical du monde ». Il fut l'un des quatre grands jardins botaniques de l'Empire britannique et appartenait à un réseau impérial dépendant des Royal Botanic Gardens de Kew, qui permettait des échanges d'informations et de plantes avec d'autres jardins partout dans le monde. Bien que Peradeniya fût créé en 1821, son dessin remonte à 1849,

quand son directeur, G. H. K. Thwaites, décida de transposer les principes du jardin paysager anglais dans un environnement tropical. Mais Thwaites créa aussi dans le parc une section qui reproduisait la jungle locale : on ne taillait pas les arbres et on ne ramassait pas ceux qui tombaient, un concept de « sauvagerie domptée » qui évoque un certain état d'esprit de la fin du XIXᵉ siècle.

☛ **Chambers, Clusius, Moroni, Raffles, Rhodes**

G. H. K. Thwaites. n. 1812. m. Sri Lanka (IND), 1882. **Jardin botanique de Peradeniya**, Sri Lanka (IND), 1821-1849.

# Tibernitus Loreius

## Maison de Loreius Tibernitus

Les restes de ce jardin, qui fut enfoui sous les cendres lors de l'éruption du Vésuve en 79 de notre ère, ont été préservés et restaurés à l'identique. Le péristyle est un espace rectangulaire et clos de murs. Ici, point de fontaine centrale, point de fleurs, mais un jardin entièrement ombragé par une série de pergolas en bois couvertes de vignes ; les archéologues ont retrouvé des pieds de vigne *in situ*, près des poteaux, au cours de fouilles. Entre ces supports se trouvent des treillages, un mode d'ornementation très répandu dans les jardins romains. De part et d'autre du sentier couvert d'une tonnelle de verdure s'étale une suite de petits bassins rectangulaires communicants de style simple, dénommé *eripus*, qui aboutissent à un long réservoir en forme de canal, qu'enjambent de petits ponts. Les Romains, grands amateurs de fontaines, imaginèrent bien souvent des systèmes savants pour les alimenter en utilisant la pesanteur.

☞ **Hadrien, Nazarite, Pline le Jeune, Sennachérib, Sulla**

# Tien Mu

## Shi Zi Lin

Cette étrange porte permet d'apercevoir une pierre qui semble se contorsionner en dansant dans la cour. Ce spectacle soigneusement composé est typique des jardins de Suzhou, où les ouvertures et les portes jouent un grand rôle. Toujours placées avec une extrême précision, elles symbolisent les accès au Souffle de la Vie et servent de séparations entre la Nature (le jardin) et l'Abri (l'habitation). Datant de la dynastie Yuan (1271-1368), Shi Zi Lin est célèbre pour ses étonnantes pierres, autour desquelles s'organise le jardin, dont la pièce maîtresse est le gros rocher qui se dresse au milieu de l'étang central. Shi Zi Lin fut commandité par le moine bouddhiste Tien Mu en 1336, et sans doute dessiné par au moins dix artistes et paysagistes différents. L'un d'eux, le grand peintre Ni Tsan, le célébra dans un rouleau très connu, exécuté en 1380, dans lequel il décrit un jardin beaucoup plus austère et plus simple que l'extravagance que l'on voit aujourd'hui. Certains ajouts récents ne sont malheureusement pas du meilleur goût.

☞ **Su Zimei, Wang Xian Chen, Xu Shi-tai, Yi Song Gye**

**Tien Mu.** Actif (CH), XIVᵉ siècle. **Shi Zi Lin** (Le jardin du Bosquet du lion), Suzhou (CH), 1336.

# Tilden Philip Armstrong

## Port Lympne

Cent vingt-cinq marches en pierre du Cumberland composent le Grand Escalier qui mène du jardin d'eau au parc qui le domine. Malgré les restrictions ayant suivi la Première Guerre mondiale, sir Philip Sassoon commanda à Tilden le dessin de son jardin et de sa maison de vacances. Décrit comme « un triomphe du merveilleux mauvais goût et du luxe babylonien », ce jardin comprenait une série de terrasses et une suite de compartiments presque victoriens dans leur diversité, dont le jardin à Rayures, le jardin du Jeu d'échecs, la cour Moghole et une pelouse-étang. Mais Port Lympne reste cependant le parc qui, en Angleterre, se rapproche le plus du jardin des villas italiennes en termes d'esthétique pure plutôt que de spiritualité. Il permet de mesurer l'immense influence de la Renaissance italienne entre 1900 et 1939. Tilden, qui savait parfaitement tirer parti de la plupart des styles, devint un architecte et un paysagiste très en vogue dans la haute société des années 1920, et travailla notamment pour Winston Churchill, David Lloyd George et Lady Warwick.

☞ **Acton, Johnston, Peto, Pinsent, Sitwell, Williams-Ellis**

**Philip Armstrong Tilden. n.** (RU), 1887. **m.** (RU), 1956. **Port Lympne**, Kent (RU), 1918-1921.

451

# Toll Julie

## « Mousses fumantes »

Lors d'une exposition sur les jardins à Stockholm, en 1998, Julie Toll disposa dans un petit étang des blocs de mousse qui crachaient une fumée blanche, créant ainsi une étrange ambiance de science-fiction. Le brouillard artificiel connaît aujourd'hui un certain succès auprès des architectes paysagistes, qui le mettent en œuvre dans des environnements généralement modernistes. Toll est originale en cela qu'elle apporte une sensibilité nouvelle dans le jardinage écologique et naturaliste (elle déteste le mot « sauvage », qui implique un manque de contrôle),

comme ici, où elle a réalisé en collaboration avec deux jeunes artistes suédois, Thomas Nordström et Annika Oskarsson, ces boules de grillage, de terreau et de mousse, reliées par des tuyaux à une machine à brume. Pionnière des prés couverts de fleurs sauvages, elle travaille toujours à partir de la flore locale et se démarque de ses pairs engagés dans la défense des plantes à feuilles persistantes (comme Oudolf et Kingsbury), en créant des ensembles inspirés de la nature, apparemment dépourvus de recherche artistique.

☛ **Jensen, Latz, Robinson, M. Rothschild, Sitta**

**Julie Toll. n.** Worcestershire (RU), 1953. **« Mousses fumantes »**, Stockholm (SUE), 1998.

# Tortella Benvenuto

## Maison de Pilatos

Les jardins de la « Casa de Pilatos », palais du XVIe siècle des ducs de Medinacelli, au centre de Séville, sont tout simplement délicieux parce qu'ils s'incorporent très naturellement à l'architecture. Le palais et ses jardins constituent une sorte de synthèse des idées de la Renaissance et de la tradition islamique. Ici, d'étroites colonnes classiques se détachent sur le carrelage de faïences brillantes aux motifs compliqués qui tapissent les murs d'une arcade couverte, zone de transition entre l'intérieur et l'extérieur ouvrant sur le grand jardin du palais dessiné par

Benvenuto Tortella vers 1640. Plusieurs orangers, un citronnier et un *Magnolia grandiflora* géant de cette époque ont survécu. L'aménagement du jardin fut remodelé au XIXe siècle : on planta onze massifs bordés de buis et construisit une fontaine et une gloriette en son milieu. Sur trois côtés du jardin se trouvent des loggias à deux étages, décorées de sculptures romaines antiques, et l'on peut jouir d'une belle vue d'ensemble depuis une alcôve située à mi-hauteur du grand escalier intérieur.

☛ **Allah, Medinacelli, Nazarite, Tien Mu**

**Benvenuto Tortella.** Actif (ESP), XVIe siècle. **Maison de Pilatos**, Séville (ESP), vers 1640.

# Toshihito Prince

## Le Palais détaché de Katsura

Une plage de galets stylisés et une luxuriante végétation composée d'érables, de pins et de fougères ornent le rivage torturé du lac du palais de Katsura. Malgré l'abondance d'édifices (quatre tonnelles pour le thé, trois pavillons, seize ponts, vingt-six lanternes, un lac de 0,8 hectare avec des quantités d'îles) et ses 44 hectares, on considère surtout ce parc comme un jardin de thé. Il fut inspiré par le culte de la cérémonie du thé et les enseignements du maître Sen-no-Rikkyu, qui prêchait les vertus de la simplicité (*wabi*), de la rusticité (*sabi*) et de la solitude (*yugien*). À l'origine, un jardin de thé était censé inclure une maison de thé à demi abandonnée, ou masure, entourée par une végétation sauvage et un petit « sentier de rosée », mais le prince Toshihito transposa ces principes à une échelle grandiose, en dessinant le site de sa résidence de campagne en 1620. S'entourant d'écrivains et d'artistes, dont le célèbre paysagiste Kobori Enshu, Thoshihito était considéré comme un homme pieux et raffiné.

☞ **Enshu, Gomizunoö, Kokushi, Rikkyu, Soami**

**Prince Hacho no Mya Toshihito. n.** Katsura (JAP), 1579. **m.** Katsura (JAP), 1629.
**Palais détaché de Katsura**, Katsura (JAP), 1620.

# Trezza Luigi

## Jardin Giusti

Avec en toile de fond la douceur des ocres de la façade de ce *palazzo*, ce parterre de buis et de gazon compose un relief d'un vert profond. Aux lignes verticales des cyprès répondent de gracieuses statues qui se dressent parmi des enroulements de buis. À ce niveau inférieur (et plan), le jardin est divisé par une magnifique allée de cyprès, puis partagé en plusieurs compartiments carrés et verdoyants par de petits sentiers. Au nord, le visiteur rencontre une falaise abrupte où un énorme visage grimaçant a été taillé dans le roc. En suivant la pente, un escalier en spirale conduit à une grotte autrefois magnifiquement décorée pour évoquer les éléments : corail pour le feu, nacre et coquillages pour l'eau, et minuscules fleurs alpines peintes pour représenter l'air. Des miroirs furent judicieusement placés afin de créer des illusions d'optique. Une impression d'harmonie, typique des jardins de la Renaissance en Toscane, émane de l'œuvre de Luigi Trezza bien que le jardin Giusti soit strictement un jardin de Vénétie.

☛ **Bomarzo, Monastère de San Lorenzo, Mozzoni, Orsini**

**Luigi Trezza. n.** Vérone (IT), 1725. **m.** (IT), 1823. **Jardin Giusti**, Vérone (IT), 1565-1580.

455

# Tribolo Niccolò

## Les jardins Boboli

Les jardins Boboli, situés derrière le palais Pitti à Florence, forment un ensemble complexe et varié, conçu par de nombreux paysagistes. Ce dauphin et cette fontaine en forme de conche qui ornent le bord d'un canal semi-circulaire sont l'œuvre de Giovanni da Bologna et font partie du système élaboré de jeux d'eaux, comme la fontaine des Océans, visible à l'arrière-plan. Cette dernière est l'un des éléments phares de ces jardins avec l'extraordinaire grotte de Bernardo Buontalenti – en fait trois grottes en une seule. Mais le plan d'ensemble de ce jardin, si souvent éclipsé par ces merveilles

tardives, fut complété en 1549 par Niccolò Tribolo pour Côme de Médicis, qui avait fait l'acquisition du palais inachevé et des terres alentour. Le plan au sol est semblable à celui établi antérieurement par Tribolo pour la villa Médicis à Castello : une série de jardins de verdure en pente divisés en compartiments et symétriquement disposés de part et d'autre d'un axe central. Le talent de Tribolo consiste à avoir exploité la topographie naturelle du site en forme d'amphithéâtre, en excluant tout ajout superflu.

☞ **Bramante, Buontalenti, Garzoni, Ligorio, Mardel, Vignole**

**Niccolò Tribolo (Niccolò di Raffaello de' Pericoli, dit Tribolo). n.** (IT), vers 1500. **m.** (IT), 1550.
**Les jardins Boboli**, palais Pitti, Florence (IT), 1549.

# Tschumi Bernard

## Parc de la Villette

Cette « folie » est semblable aux 25 autres structures qui se trouvent dans le parc urbain de la Villette. Elles sont fondées sur le principe de la « déconstruction systématique » et du réarrangement d'un cube de 10 m de haut. Disséminées dans cet espace multifonctionnel selon un schéma précis, à 120 m d'intervalle, elles représentent les pointes, à l'intérieur d'un système de pointes-lignes-surfaces où les allées et les passages couverts sont des lignes, tandis que les pelouses et la terre constituent les surfaces. L'architecte suisse Bernard Tschumi composa cet ensemble sans compromis pour la remise en état du site des anciens abattoirs de l'est parisien, au début des années 1980. Ce projet fut retenu après un concours controversé qui alimenta un débat public très constructif sur l'état de l'architecture publique, de l'urbanisme et de l'environnement. L'intégration du concept de déconstruction de Jacques Derrida à un niveau physique et fonctionnel était révolutionnaire. Ce projet architectural radicalement postmoderne, le premier du genre, traitait sans ambiguïté du problème de la nature « acculturée ».

☛ **Arakawa et Gins, Clément et Provost, Jencks, Pepper**

**Bernard Tschumi**. n. Lausanne (SUI), 1944. Actif (EU et FR), fin XXᵉ siècle et début XXIᵉ siècle.
**Parc de la Villette**, Paris (F), vers 1980.

# Tunnard Christopher

## Bentley Wood

Ce jardin, à Halland dans le Sussex, fait partie des commandes passées à Christopher Tunnard, le porte-drapeau du jardin moderniste en Grande-Bretagne, au cours des années 1930. Dans son manifeste de 1938, *Gardens in Modern Landscape*, il s'en prenait au manque de rigueur des insipides jardins de plantes herbacées : « Les jardins d'aujourd'hui, et les romans à l'eau de rose, sont les derniers bastions du romantisme. » Halland se composait d'une grande terrasse pavée entourant une maison moderniste de Serge Chermayeff, qui, côté sud, se prolongeait par un chemin étroit et rectiligne conduisant à une autre terrasse, d'où on apercevait le paysage à travers des formes rectangulaires. C'est là, sur la plate-forme à droite des marches, que Tunnard envisageait de placer une sculpture de Henry Moore. En fait, *Figure couchée* n'y fut que brièvement installée. Le travail de Tunnard resta ignoré du grand public. Dans les années 1940, il partit enseigner aux États-Unis, à Harvard et à Yale, où il continua de publier des textes sur le mouvement moderniste.

☛ Bradley-Hole, Crowe, Le Corbusier, Mies van der Rohe

**Christopher Tunnard. n.** (CAN), 1910. **m.** (EU), 1979. **Bentley Wood**, Halland, Sussex (RU), vers 1938.

# Tyers Jonathon

## Jardins d'agrément de Vauxhall

Cette scène fut construite au centre des New Spring Gardens de Vauxhall, à Londres. Elle était à la disposition des visiteurs des jardins d'agrément pour y boire, festoyer et regarder la foule se promener dans les allées. Ces jardins furent dessinés et aménagés entre le début et le milieu du XVIIᵉ siècle. Ils étaient caractérisés par une série d'allées, grandes et petites, qui traversaient un bois planté d'ormes et de sycomores, en se croisant à angle droit. Cette nature sauvage, abondamment boisée, où l'on pouvait choisir d'être vu ou de rester caché, constituait aux yeux du grand public l'attrait majeur de ces jardins. De la partie centrale, les visiteurs assistaient à des concerts au clair de lune, à des banquets sous des tonnelles, à des mascarades, ou encore à des feux d'artifice et autres spectacles en tous genres. Ce type de jardins d'agrément continua d'exister en Angleterre jusqu'à la fin du XIXᵉ siècle, mais aucun n'est resté intact. Les jardins de Tivoli, à Copenhague, furent inspirés par Vauxhall.

☛ **Brandt, Catherine II, Hirschfeld, Piper, Stanislas II**

# Tyrwhitt Jacqueline

## Sparoza

Jacqueline Tyrwhitt commença à créer son jardin grec de Sparoza en 1962. Elle le dessina de façon à ce qu'il semble avoir été fait des siècles auparavant par des fermiers de l'Attique. Elle donna aux terrasses la configuration d'oliveraies et de vignes. L'endroit fut planté d'essences locales, oliviers, cyprès et chênes verts, ou encore herbes, rhizomes et bulbes de petite taille, mais des plantes exotiques appropriées au climat furent aussi introduites. Ce style de dessin et de plantation, appelé néovernaculaire, qui reprend les particularités de l'environnement immédiat, est devenu très fréquent dans les régions méditerranéennes. Sparoza est le quartier général de la Société des jardins méditerranéens, qui réunit des jardiniers travaillant partout dans le monde sous ce type de climat : en Californie, en Afrique du Sud, en Australie et, cela va de soi, sur les rivages de la mer Méditerranée.

☛ **Gildemeister, Hanbury, Manrique, van Riebeeck**

**Jacqueline Tyrwhitt. n.** (AS), 1905. **m.** Sparoza, Attique (GR), 1983. **Sparoza**, Attique (GR), 1965.

# Vanbrugh Sir John

## Castle Howard

Le temple des Quatre Vents, de sir John Vanbrugh,
fut achevé après sa mort. Ce monument se dresse
héroïquement au cœur du paysage romantique et sauvage
du Yorkshire et offre une perspective lointaine sur le
mausolée de Nicholas Hawksmoor et sur le pont romain,
construit plus tardivement. L'harmonie de ce temple,
inspiré par la villa Capra d'Andrea Palladio, près de Vicence,
vient de l'association du cercle et du carré. Vanbrugh arriva
à Castle Howard en 1699 après un bref séjour à la Bastille
pour espionnage. En étroite collaboration avec son mécène
et ami, le 3ᵉ comte de Carlisle, et l'aide d'Hawksmoor,
Vanbrugh théâtralisa la nature environnante en y implantant
des édifices étonnants : faux murs d'enceinte médiévaux
avec tours et bastions, obélisques et pyramides. Bien qu'il
ne dessinât jamais de jardin lui-même, son immense talent
pour « composer » ses constructions dans le paysage,
à la manière d'un peintre, stimula l'imagination des
propriétaires et des paysagistes, tels le vicomte Cobham
à Stowe ou Charles Bridgeman à Claremont.

☛ **Bridgeman, Brown, Hoare, Kent, Palladio**

**Sir John Vanbrugh.** n. Londres (RU), 1664. **m.** Londres (RU), 1726.
**Castle Howard**, environs de York, Yorkshire (RU), 1699-1726.

# Van Campen Jacob

## Kleve

Dessiné entre 1647 et 1678, le projet de Kleve était une expérience municipale radicalement novatrice pour l'époque. Johan Maurits fut le cerveau de cette entreprise. Il imagina un site municipal comprenant des parcs, des jardins à la française, des allées piétonnes et des boulevards, tous reliés à ville de Nassau-Siegen par un réseau d'avenues. Ce domaine se répartit en cinq sections, dont l'une est l'amphithéâtre Springenberg (ci-dessous) conçu par Jacob Van Campen. Van Campen était un défenseur du style traditionnel hollandais et s'inspirait en majeure partie des écoles classiques et italianisantes. Son amphithéâtre à flanc de colline est couronné par une galerie semi-circulaire de style palladien, d'où descendent des cascades se déversant dans une série d'étangs étagés que ponctuent des jets d'eau et des sculptures classiques. À ses pieds, un long canal, flanqué de deux îles gazonnées, s'étend à perte de vue.

☛ **Colchester, Huygens, Olmsted, Palladio, Post**

**Jacob Van Campen. n.** Haarlem (PB), 1595. **m.** Randenbroek (PB), 1657.
**Kleve** (Cleves), Rhénanie-du-Nord-Westphalie (ALL), 1647-1678.

# Vanderbilt George W.     Manoir de Biltmore

Cette magnifique serre, réservée aux orchidées, est située dans un jardin vallonné s'étendant sur 1 hectare, au manoir de Biltmore . Elle est entourée de parterres de roses ; d'un côté se trouve un jardin anglais clos de murs et planté d'arbres en espaliers, et de l'autre des bassins réfléchissants et une tonnelle italianisante à treillages d'arbustes à feuilles persistantes. Frederick Law Olmsted, le créateur de Central Park et le plus grand architecte paysagiste américain, travailla à Biltmore de 1891 à 1895 pour George Vanderbilt, l'un des Américains les plus riches de son temps. Le spectaculaire paysage montagneux des Appalaches sert d'écrin au manoir de Biltmore. Olmsted fut embauché à l'origine pour aider Vanderbilt à acquérir cette propriété puis pour dessiner les jardins. Il s'intéressa de très près aux expériences que Vanderbilt voulait poursuivre dans le domaine de la sylviculture.

☞ **Downing et Vaux, Hearst, Olmsted, Roper, Washington**

# Van Hoey Smith Famille

## Arboretum de Trompenburg

« Le lieu où l'élite des arbres se retrouve. » Mis en valeur par la famille Van Hoey Smith depuis 1859, l'arboretum de Trompenburg, situé au centre de Rotterdam, est un remarquable musée de plantes triées sur le volet, disposées avec goût et soignées par des experts. Certains des arbres d'ornement les plus appréciés dans le domaine du jardinage contemporain ont poussé ici, ou en proviennent. Ainsi, les formes dorées et violettes du hêtre de Dawyck sont originaires de cet arboretum, et le *Microbiota decussata*, conifère sibérien rampant introduit à Trompenburg en 1968, est aujourd'hui abondamment utilisé dans les compositions paysagères. La collection est surtout riche en chênes, érables, houx et cèdres. Le dessin de ce jardin a été en grande partie conçu vers 1870 par l'architecte paysagiste hollandais J. D. Zocher, qui adapta le style du jardin anglais à ce site entouré de digues, à 4 mètres au-dessous du niveau de la mer.

☞ de Belder, Holford, Mackenzie, Veitch, Vilmorin

**Famille Van Hoey Smith.** De 1859 à nos jours. **Arboretum de Trompenburg**, Rotterdam (PB), 1859.

# Van Riebeeck Jan

## Jardins de la Compagnie [...]

Quand Jan van Riebeeck, de la Compagnie néerlandaise des Indes orientales, accosta à l'extrême pointe sud de l'Afrique, en 1652, il s'empressa de planter un potager afin d'approvisionner les nouveaux colons et tous les navires en route vers l'est qui y feraient escale. Pour le nouveau verger et le carré de légumes, il choisit un emplacement traversé par un ruisseau et situé au pied des monts Table. Les récoltes prospéraient dans des parterres rectangulaires, protégées des vents par des haies. En 1679, le gouverneur Simon van der Stel réaménagea ces jardins pour les transformer en conservatoire de toutes les richesses botaniques provenant d'Australie, de Nouvelle-Zélande et d'Orient qui transitaient par la ville du Cap. Il conserva la disposition formelle d'origine qu'il agrémenta de bassins, de bosquets et d'une avenue de chênes le long de Government Avenue, la principale artère du jardin. Aujourd'hui, les Company's Gardens, avec leurs fougères arborescentes et leurs aloès géants, offrent un havre de fraîcheur, loin de la chaleur étouffante de la ville.

☛ **Phillips, Raffles, Rhodes, Sargent, Smit**

**Jan van Riebeeck. n.** Culemborg (PB), 1619. **m.** Batana (actuelle Vakorta, Indonésie), 1677.
**Jardins de la Compagnie des Indes orientales,** Le Cap (AS), 1652.

# Vanvitelli Carlo

## La Reggia di Caserta

Conformément au dessein de ses créateurs, c'est l'échelle du jardin du palais royal de Caserta qui impressionne le plus le visiteur. Le palais est lui aussi immense, puisqu'il s'étend sur 3 km le long de trois canaux centraux et des escaliers d'eau. Ce domaine témoigne de la puissance du royaume de Naples et de ses souverains, les Bourbon Charles III et Ferdinand II. Carlo Vanvitelli commença à travailler sur les canaux en 1777. Leurs bords sont simples, mais des fontaines et des statues représentant des scènes des *Métamorphoses* d'Ovide embellissent leurs extrémités. L'eau reste l'élément dominant et le symbole de l'abondance dans l'été chaud et sec de la Campanie. À flanc de colline et au-delà des canaux, on trouve une autre cascade, abrupte et rectiligne, alimentée par un aqueduc venant de montagnes situées à 30 km de là. Comme très souvent à l'époque, ces jardins étaient viables grâce à la mise en œuvre de prouesses techniques et à la puissance militaire de ses propriétaires.

☛ **Gallard, Le Blond, Ligne, Tessin, Vignole**

**Carlo Vanvitelli. n.** Naples (IT), 1739. **m.** Caserta (IT), 1821. **La Reggia di Caserta**, environs de Naples (IT), 1777.

# Veitch Sir Harry

Ascott

Des parterres au dessin élaboré entourent une fontaine ouvragée et apportent une note de couleur au Madeira Walk, la promenade ombragée de grands arbres du parc d'Ascott conçu en 1874 pour Lionel de Rothschild par sir Harry Veitch, chef de la célèbre dynastie de pépiniéristes. Les Pépinières Veitch furent les plus célèbres d'Angleterre de 1840 à 1914 et envoyèrent jusqu'à vingt-deux chasseurs de plantes aux quatre coins du monde pour augmenter leur catalogue. Ils mirent au point le premier hybride d'orchidée en 1856. Les Rothschild passaient en général l'hiver à

Ascott, aussi Veitch choisit-il une majorité de plantes à feuilles persistantes. Au cours des années 1890, le jardin s'enorgueillissait de superbes topiaires d'ifs dorés en forme d'animaux, d'oiseaux et d'objets en tous genres : tables, chaises, églises... La pièce maîtresse était un énorme cadran solaire en buis taillé. Adjacent aux jardins à la française à la géométrie parfaite, se trouvait un paysage plus naturaliste où Veitch planta une importante variété de buissons et de grands arbres au feuillage coloré et panaché.

☛ Lainé, Nesfield, Paxton, B. Rothschild, Vilmorin

Sir Harry Veitch. n. (RU), 1840. m. (RU), 1924. **Ascott**, Buckinghamshire (RU), 1874.

467

# Vera André et Paul

## La Thébaïde

Ce jardin fleuri, avec ses bordures de buis, dessiné par les frères Vera pour leur paisible maison de campagne de Saint-Germain-en-Laye, est peut-être le meilleur exemple d'une réconciliation entre classicisme et modernité. André Vera acceptait en effet l'idée, datant du XVIIᵉ siècle, « qu'un jardin devait être une version raffinée de la nature... d'une nature aux formes intelligibles ». Mais il plaidait aussi en faveur d'une attitude visant à moderniser ce formalisme en autorisant une utilisation de couleurs éclatantes – à la manière d'un peintre – et de nouveaux matériaux, comme le béton. La Thébaïde fut en son temps une célébration patriotique de l'optimisme de la France d'après-guerre : les frères Vera suggérèrent l'emploi de plantes d'origine française, de préférence à des importations exotiques. Dans leurs créations – que ce soit un jardin public à Honfleur ou un jardin composé de parterres modernes pour la maison des Noailles à Paris –, les Vera ont souhaité rendre honneur à la tradition des jardins à la française, tout en l'adaptant à la modernité ambiante.

☛ Duchêne, Guevrékian, Legrain, Le Nôtre, Noailles

André Vera. n. (F), 1881. m. (F), 1971. **Paul Vera**. n. (F), 1882. m. (F), 1957.
**La Thébaïde**, Saint-Germain-en-Laye (F), vers 1920.

# Verey Rosemary

## Manoir de Barnsley

Ce jardin de broderies moderne composé de haies de buis entrelacées figure parmi les merveilles qu'offre le domaine du manoir de Barnsley, la maison de Rosemary Verey dans les Cotswolds. Elle s'avéra l'une des plus ferventes adeptes du jardin anglais Arts and Crafts classique au cours des dernières décennies du XXᵉ siècle. Ce jardin immaculé de 1,6 hectare est un véritable manifeste, avec ses bordures mixtes exubérantes, son potager irréprochable, son petit temple classique, sa jungle d'arbustes, sa tonnelle de cytises, ses ifs en topiaire et ses perspectives judicieuses et sans

prétention. La maison, datant de 1697, est située au milieu du jardin. Rosemary Verey a donné des conférences dans le monde entier et ses ouvrages ont été largement traduits. Même après la fin de l'époque coloniale, on retrouve des jardins anglais partout dans le monde, quels que soient le climat, la flore locale et l'environnement. Rosemary Verey a conseillé le prince de Galles pour son jardin de Highgrove, non loin de Barnsley House.

☞ Fish, Johnston, Peto, Sackville-West, Salisbury

**Rosemary Verey. n.** Gloucestershire (RU), 1918. **m.** 2001.
**Manoir de Barnsley**, Gloucestershire (RU), à partir de 1951.

# Vesian Nicole de

## Jardin de Bonnieux

Des boules de buis soigneusement taillées contrastent avec l'exubérance de la lavande non taillée et les quatre cyprès qui se dressent majestueusement à l'arrière-plan. C'est le jardin de Nicole de Vesian, à Bonnieux, dans le Lubéron. Semblables compositions sculpturales se répètent dans tout le domaine que Nicole de Vesian, qui fut pendant de longues années directrice artistique chez Hermès, commença à l'âge de soixante-dix ans. Les arbres à feuilles persistantes sont mis en valeur par les boules taillées, des plaques et des blocs de pierre, ainsi que par des éléments rustiques comme des meules de moulin, des ardoises ou une simple fontaine. Ces formes font écho à la topographie naturelle du paysage et au choix de plantes essentiellement locales – herbes aromatiques, lavande, thym, romarin, santoline, sauge – pouvant s'accommoder du sol rocailleux et de la sécheresse du climat. La gamme des couleurs se réduit en général à un camaïeu de vert, qui va des nuances éclatantes aux tonalités argentées, avec la présence occasionnelle de cistes ou de roses.

☞ **Baron Ash, Gildemeister, de l'Orme, Page, Tyrwhitt**

Nicole de Vesian. Active (F), fin xxᵉ siècle. **Jardin de Bonnieux**, Lubéron (F), fin du xxᵉ siècle.

# Vignole Giacomo Barozzi

## Villa Lante

Des haies bordent le célèbre escalier d'eau de la villa Lante. C'est l'un des jardins les plus parfaits et les plus séduisants de la Renaissance italienne, où l'eau sert d'ultime instrument philosophique pour évoquer l'histoire de l'ascension de l'homme depuis l'âge d'or jusqu'à celui de la civilisation, tel qu'Ovide l'a raconté dans ses *Métamorphoses*. Depuis la grotte primitive recouverte de mousse et de fougères, au sommet du jardin, les eaux s'écoulent en une série de fontaines extraordinaires, de ruisselets et de bassins, jusqu'au magnifique parterre inférieur. On doit ce chef-d'œuvre à l'architecte Vignole qui, alors qu'il travaillait non loin à la villa Caprarola en 1568, fut engagé par le fortuné et raffiné jeune cardinal Gambara. La villa elle-même est malheureusement coupée en deux bâtiments distincts pour les seuls besoins du plan général du jardin, preuve éclatante de l'adhésion de l'architecte et du cardinal à l'idéal du jardin Renaissance.

☛ **Buontalenti, Ligorio, Mardel, Shipman, Steele**

# Vilmorin Famille de

## Arboretum des Barres

Sans aucun doute le plus bel ensemble d'arbres en France, l'arboretum des Barres est un parc de 34 hectares magnifiquement paysagé. Plus de 8 500 plantes poussent dans les vallons et sur le flancs des collines, ce qui représente 2 700 essences. Aujourd'hui propriété de l'État français, cet arboretum a été créé en 1804 par Philippe-André de Vilmorin. Son père, éminent amateur de plantes et horticulteur, travaillait en partenariat avec le botaniste de Louis XVI. Ensemble, ils fondèrent une pépinière commerciale. Mais la préférence de Philippe-André allait aux arbres, en particulier les pins, qu'il commença à collectionner et à planter dans son domaine des Barres, récemment acquis. Une grande partie de l'arboretum fut vendue à l'État au XIXᵉ siècle, qui y installa une école des Eaux et Forêts. La famille de Vilmorin resta néanmoins étroitement liée aux Barres jusqu'en 1935. Maurice de Vilmorin augmenta considérablement la collection d'arbres au cours des années 1850, grâce à ses relations avec les missionnaires français d'Extrême-Orient, notamment ceux en poste en Chine.

☛ Holford, Spath, Thwaites, Veitch, Van Hoey Smith

**Famille de Vilmorin**. Active (F), première moitié du XXᵉ siècle. **Arboretum des Barres,** Nogent-sur-Vernisson (F), 1804.

# Vogue Comte et comtesse de Miromesnil

Le comte et la comtesse de Vogue achetèrent Miromesnil en 1938. Très vite, la comtesse commença un potager. Bien que cette idée soit née de la nécessité de nourrir sa famille, elle associa toujours des fleurs à ses légumes, à la manière française. Aujourd'hui, Miromesnil, où naquit Guy de Maupassant, est célèbre pour le classicisme de son potager, où de vieux arbres fruitiers, des bouquets somptueux de pivoines, des dahllas éclatants et de majestueux delphiniums côtoient une vaste gamme de fruits et de légumes cultivés selon la tradition. Les parterres géométriques sont séparés par des allées de briques. Petits pois, haricots et carottes poussent en rangs ordonnés. Une rangée entière est consacrée aux seules plantes aromatiques, mais les roses trémières ne sont pas loin. Ce potager, entouré de grandes forêts et de hêtres massifs, est clos par un ancien mur de brique de 640 m, qui compose une toile de fond idéale pour les massifs de fleurs, surtout les clématites, et les arbres fruitiers.

☛ Blanc, Carvallo, Jefferson, Landsberg, La Quintinie

**Comte et comtesse de Vogue. Miromesnil**, environs de Dieppe, Normandie (F), 1938.

# Waldner Baronne de

## Jas Crema

Une association classique, composée de fleurs aux couleurs tendres et de feuillages argentés, adoucit le plan géométrique de ce jardin. Le style provençal fut le premier des nombreux styles régionaux que l'on introduisit dans l'aménagement des paysages. La baronne de Waldner l'inventa, en mélangeant des herbes locales avec d'autres plantes odorantes ou aromatiques typiquement provençales. Elle en fit la base du dessin de sa propriété. Des parterres de lavande, de sauge et de santoline, des haies de romarin, des champs d'iris et des vergers de cerisiers d'ornement, des

allées de cyprès et des bosquets d'oliviers bordés par des guirlandes de roses grimpantes sont les atouts du jardin du Jas Crema, commencé en 1979, et qui a fait école. Bien que l'énergie créatrice de sa propriétaire permette à ce lieu d'être constamment réinventé, un choix réfléchi réunissant des plantes locales et d'autres, comme la lavande et les cerisiers cultivés chez les fermiers voisins, a garanti à ce jardin une unité visuelle avec son environnement.

☛ Hanbury, Sturdza, Vesian, Wolkonsky

**Lulu, baronne de Waldner**. n. 1914. Active (F), XXᵉ siècle. **Jas Crema** (F), 1979.

# Walker Peter

## IBM Solana

Une allée de peupliers circonscrit un canal parfaitement rectiligne pour l'une des plus importantes commandes de Peter Walker, un complexe de bureaux IBM, un hôtel et un « village » au Texas. Walker est le plus ardent défenseur contemporain du formalisme à grande échelle et, comme Le Nôtre avant lui, il sculpte l'espace à la manière d'une entité physique. Une variété d'effets modernes et formels embellit le site d'IBM Solana : des allées plantées, des parterres, des bancs pour la contemplation, des éléments sculpturaux comme ce grand tertre de pierre circulaire d'où s'échappe une brume artificielle et, à l'intérieur du complexe, des cours-jardins intimes. Le pourtour de ce site de 340 hectares a été planté de prairies, de champs de fleurs sauvages et de bois de jeunes chênes. Walker, par la répétition ou, au contraire, la variation subtile des motifs sur une grande échelle, et par sa capacité à créer des éléments étonnants, a contribué à l'amélioration d'espaces publics aux États-Unis et au Japon, comme le Center for Advanced Science and Technology à Hyogo et la plaza de Costa Mesa, en Californie.

☞ **Barragán, Colchester, Le Nôtre, Schwartz, Wirtz**

Peter Walker. n. 1932. Actif (EU). XXᵉ siècle. **IBM Solana**, Solana, Texas (EU), 1984-1993.

# Walling Edna

## Cruden Farm

Cette composition romantique de plantes vivaces herbacées orne le jardin de Cruden Farm. C'est l'une des premières créations d'Edna Walling, d'origine anglaise, devenue l'un des plus grands paysagistes du XXᵉ siècle. Cette réalisation est typique du travail de Walling qui s'inscrit dans la droite ligne de l'esprit Arts and Crafts, toujours fondé sur une structure architecturale puissante, mais plus rustique et plus arboré que les réalisations de Gertrude Jekyll, dont elle s'inspira beaucoup. Au début de sa carrière, Walling utilisait déjà des plantes australiennes indigènes (ici des eucalyptus citronnés le long de l'allée d'entrée) afin de réconcilier la maison, le jardin et le paysage. Cette préoccupation allait devenir croissante jusqu'à ce que, dans les années 1950, Walling dessine des jardins uniquement constitués de plantes locales regroupées par variétés. Établie à Melbourne, elle a honoré des centaines de commandes dans toute l'Australie, que ce soient de grandioses jardins de campagne ou de petits espaces urbains.

☞ Farrand, Jekyll, Jellicoe, Robinson, Shipman

**Edna Walling. n.** Yorkshire (RU), 1895. **m.** Queensland (AUS), 1973. **Cruden Farm**, Victoria (AUS), 1931.

# Walpole Horace

## Strawberry Hill

En 1747, Horace Walpole acheta une petite villa sur Strawberry Hill, à Twickenham, juste à l'extérieur de Londres. Il fut attiré par cette demeure, qu'il transforma en véritable château gothique en seulement quelques années. De là, on pouvait jouir de perspectives spectaculaires sur la Tamise et la campagne lointaine. Cette image montre à quel point il réussit à intégrer la maison dans le cadre « naturel » qu'il avait créé, en plantant notamment des bouquets de quatre ou cinq arbres un peu partout dans les prés alentour. Ce domaine était séparé des propriétés avoisinantes par une série de sauts-de-loup. Il comprenait une grande terrasse pavée tout autour de la maison et de nombreuses plantes en pots que Walpole faisait pousser dans sa propre pépinière, située sur ses terres. Son essai *On Modern Gardening*, écrit entre 1750 et 1770, salue en William Kent le fondateur de la tradition anglaise pittoresque et cite le peintre Claude Lorrain comme sa source d'inspiration. Mais Walpole se démarqua de Kent en privilégiant des avenues et un certain formalisme aux alentours de la maison.

☞ **Gilpin, Kent, Nash, Repton**

# Walska Ganna

## Lotusland

De gigantesques coquilles de palourdes des mers du Sud ornent les bords de l'Abalone Shell Pond, une ancienne piscine reconvertie à Lotusland, en Californie. Ce domaine fut transformé en 1941, lors de son acquisition par l'excentrique chanteuse d'opéra originaire de Pologne, Ganna Walska. Au plan original, qui associait les styles italianisant et espagnol, elle ajouta une végétation exubérante composée de cactées, de dragonniers, de broméliacées, d'aloès et d'une grande variété de raretés botaniques. Ganna Walska engagea une succession de paysagistes et de botanistes et, pleine d'énergie, créa une série de décors théâtraux personnalisés, allant d'un théâtre en plein air peuplé de grotesques antiques en pierre à une horloge florale entourée d'animaux taillés dans la verdure. Pendant les quarante-trois années qu'elle passa à Lotusland, Ganna Walska donna des soirées costumées et des concerts, devenus célèbres, dans ses jardins aujourd'hui renommés autant pour leur intérêt botanique que pour l'extrême fantaisie de leur conception.

☛ Bushell, Hertrich, Manrique, Washington-Smith

**Ganna Walska. n.** (POL), 1887. **m.** Santa Barbara, Californie (EU), 1984. **Lotusland**, Santa Barbara, Californie (EU), 1941-1984.

# Wang Xian Chen

## Zhou Zheng Yuan

Aperçu à travers une fenêtre en vitrail, un petit pavillon enveloppé de bambous et d'érables se dresse au-dessus des eaux paisibles d'un minuscule cours d'eau. Ce grand jardin datant de la dynastie Ming présente de nombreuses compositions tout aussi élaborées, dispersées dans un réseau complexe de sentiers tortueux, de cours cachées et d'élégants édifices. Composé d'autant d'eau que de terre, ce lieu évoque parfois un labyrinthe aquatique : une infinité d'îles communiquent par des ponts couverts ou des pavillons sur pilotis, des ruisseaux se dérobent au regard et des lacs se déploient à perte de vue. Wang Xian Chen fit aménager ce jardin entre 1506 et 1521, après avoir été démis de ses fonctions d'administrateur de la Haute Cour, et y consacra la fortune qu'il avait amassée. Il invita le grand peintre et poète Wen Cheng-ming à y séjourner car, selon la tradition chinoise, le mérite d'un jardin dépend autant de la qualité de ses visiteurs que de sa beauté intrinsèque. À sa mort, son fils joua et perdit le domaine en une nuit. Divisé puis revendu, il a subi de nombreuses transformations.

☞ **Kang Xi, Pan En, Qian Long, Tien Mu, Xu Shi-tai**

**Wang Xian Chen.** Actif (CH), XVIᵉ siècle.
**Zhou Zheng Yuan** (Chuo Yeng Yuan ou Jardin de l'humble homme politique), Don Bei Jie (CH), 1506-1521.

# Washington George

## Mount Vernon

Ce potager, avec ses allées de gravier parfaitement entretenues et ses parterres bordés de buis, où se côtoient légumes, herbes et fleurs, fut restauré en 1936 à partir des carnets personnels que George Washington rédigea entre 1748 à 1799, de lettres et d'ouvrages figurant dans sa bibliothèque. Washington éprouvait une passion pour les arbres fruitiers, qui rejoignait son intérêt pour l'agronomie. Il battait la campagne à la recherche d'essences d'arbres et d'arbustes locaux, et plantait ses trouvailles dans son jardin. Mount Vernon avait aussi un *bowling green*, le jeu de boules étant aussi apprécié aux États-Unis jusqu'à la guerre de Sécession qu'il l'avait été dans l'Angleterre élisabéthaine. N'oublions pas que sur ce domaine se trouvait aussi le quartier des esclaves. Washington était un maître jardinier, comme Thomas Jefferson, son voisin de Monticello et, considérés dans leur ensemble, leurs écrits fournissent les meilleures sources d'informations sur le jardinage postrévolutionnaire dans le sud des États-Unis.

☞ **Jefferson, Landsberg, La Quintinie, Shurcliff, Vogue**

**George Washington. n.** Comté de Westmoreland, Virginie (EU), 1732. **m.** Vernon, Virginie (EU), 1799.
**Mount Vernon**, Virginie (EU), 1761.

# Washington Smith George

## Casa del Herrero

Dessinée dans le style de la Renaissance espagnole et profondément influencée par les jardins des palais mauresques de Grenade, en Andalousie, la Casa del Herrero (maison du Forgeron) est typique de l'époque des « palais champêtres » aux États-Unis. De 1880 aux années 1920, les nababs américains dépensèrent leur fortune à construire des propriétés et des jardins, puisant souvent leur inspiration dans les jardins européens et en particulier méditerranéens traditionnels. La similitude du climat et du sol de la Californie du Sud avec ceux de l'Andalousie incita

Washington Smith à reprendre des éléments du jardin islamique classique, comme le *chahar-bagh* (jardin divisé en quartiers), la fontaine au milieu des cours et certaines plantes, dont les palmiers-dattiers et les haies de myrtes. Smith innova néanmoins en pavant de dalles irrégulières une cour par ailleurs symétrique et formelle, et en choisissant des bassins aux formes originales et des têtes de fontaines inhabituelles. On retrouve la rigoureuse symétrie islamique dans les plantations, les bordures et les allées.
☛ **Gill, Mizner, Muhammad V, Peto, Vanderbilt, Walska**

**George Washington Smith**. Actif à Santa Barbara, Californie (EU), début XXᵉ siècle.
**Casa del Herrero**, Los Angeles, Californie (EU), 1922-1925.

# Watson Patrick

## Résidence privée

Des blocs de granit d'un orange brûlé de provenance locale définissent ce jardin conçu par Patrick Watson dans une banlieue de Johannesburg. Son client appréciant les jardins japonais, il planta le décor : des carpes koï, des bambous, de l'eau paisible et des rochers soigneusement disposés pour favoriser la méditation. L'eau entoure la maison, suit les contours de la terre et passe même en dessous à travers un tunnel en forme de grotte. Le figuier des rochers (*Ficus ingens*) et la petite *Euclea crispa* à feuilles persistantes grimpent sur la rocaille des terrasses qui descendent depuis la maison. Comme d'autres paysagistes tournés vers l'avenir, Watson évite les pastiches du style Sissinghurst, pourtant très apprécié dans les pays de langue anglaise. Il choisit au contraire de mettre à profit la flore régionale dont il tire des effets surprenants. Ici, la végétation comprend des plantes bulbeuses locales, comme les zéphyranthes, les schizostylis et les liliacées.

☛ **Church, Gildemeister, Jungles, Smyth**

**Patrick Watson**. Actif (AS), fin XXᵉ siècle. **Résidence privée**, Sandton, Johannesburg (AS), vers 1980.

# Wilhelm de Hesse-Cassel Prince

Les pyramides créent en général une atmosphère exotique dans les jardins, mais à l'origine elles témoignaient aussi d'engagements politiques et symbolisaient le rationalisme et la libre pensée. Celle-ci est l'une des premières à être placée sur un îlot de verdure au milieu d'un lac paysager, dans l'un des plus anciens parcs allemands de style anglais. Wilhelm de Hesse-Cassel commença à tracer les plans de Wilhelmsbad, destinée à devenir une station thermale, en 1777. Il fit creuser un lac et construire un château gothique en ruines au milieu : ces fausses ruines extérieures dissimulaient de confortables appartements pour le prince. Tout près s'élève un corps de garde, également construit en ruines, qui abrite actuellement les cuisines. Grâce à des travaux de terrassement, d'agréables lignes modulent le paysage de ce parc. Le prince Wilhelm cessa les travaux quand il succéda à son père en tant que landgrave Wilhelm IX, et s'établit à Cassel en 1785. L'homogénéité du parc en fait un exemple unique des théories les plus avancées de l'époque dans le domaine du paysage.

☞ **W. Aislabie, Girardin, Pückler-Muskau, Vanbrugh**

# Wilhelmina de Bayreuth Margravine     Sanspareil

Cette fente entre deux parois rocheuses marque l'entrée du remarquable jardin de Sanspareil, situé en altitude dans le Franken Schweiz. Parfois considéré comme un pur produit du mouvement romantique allemand, Sanspareil doit beaucoup à la littérature : il regorge de références aux *Aventures de Télémaque*, de Fénelon, qui racontent ce qui arriva au jeune Télémaque et à son précepteur, Mentor, quand ils firent naufrage sur l'île de Calypso. Les blocs et les affleurements rocheux portent ici les noms de grotte de Calypso, siège de Pan, temple d'Éole et caverne de Vulcain, tandis que des petites plaques apposées çà et là invitent à la contemplation. Hormis ces quelques ajouts, les rochers n'ont été ni embellis ni ornés et sont restés à l'état naturel. Le sentier de Wilhelmina conduit au point le plus approprié pour apprécier l'histoire de ce lieu. « La Nature elle-même en fut l'auteur », écrivait Wilhelmina à son frère, Frédéric le Grand de Prusse, en 1745. On ne trouve aucune végétation au niveau du sol, mais des vieux bois de hêtres, du lierre, des mercuriales et des fraises des bois.

☞ **Bomarzo, Frédéric II, Powerscourt, Pückler-Muskau**

**Princesse Wilhelmina de Prusse, Margravine de Bayreuth**. Règne, 1735-1763. **Sanspareil**, environs de Bayreuth (ALL), vers 1745.

# Wilkie Kim

## Heveningham Hall

De larges terrasses de gazon en demi-cercle forment un amphithéâtre de verdure à l'arrière du manoir de Heveningham, vaste domaine conçu par Capability Brown au XVIII<sup>e</sup> siècle. Kim Wilkie reçut la tâche délicate de restaurer le plus fidèlement possible cet immense paysage brownien, mais on lui accorda toute liberté quant au jardin victorien formel situé à l'arrière de la maison, que l'on voit ici. Wilkie s'inspira de certaine créations du XVIII<sup>e</sup> siècle – comme l'amphithéâtre de gazon de Claremont de Charles Bridgeman – mais réalisa une œuvre éminemment

moderne. Wilkie est un spécialiste de l'intégration d'éléments contemporains dans des paysages historiques, une optique de travail parfaitement visible dans certains de ces projets en cours, comme la rénovation à long terme du Thames Landscape Strategy et le nouvel aménagement des espaces extérieurs du vieux port de Beyrouth.

☞ Bridgeman, Brown, Gustafson, Hall, Jencks, Kent

# Guillaume III

## Le Privy Garden de Hampton Court

En se promenant dans le Privy Garden, qui a récemment retrouvé sa splendeur baroque après avoir été envahi par les fourrés de l'époque victorienne, les visiteurs tomberont sous le charme de la création de Guillaume et Mary. Des allées surélevées, avec des ifs taillés en pyramide, ouvrent des perspectives sur des pelouses, des plates-bandes aux arbres à taille ornementale, des arbustes et des plantes bulbeuses, et des motifs en fleur-de-lys inscrits dans le gazon. L'arrière-plan est formé par les appartements d'apparat de Wren, une fontaine, des statues de marbre blanc, la charmille de Mary

et des écrans de verdure ornés. Cette restauration est la dernière d'une série visant à montrer les états antérieurs du jardin, notamment à l'époque Tudor, quand il était décoré d'animaux héraldiques dorés placés sur des mâts, et pendant l'ère victorienne, lorsqu'il faisait office de parc public. Bien que le dessin du Privy Garden soit dans le style de Daniel Marot, créateur du jardin de Guillaume III à Het Loo, on peut attribuer cette œuvre à Henry Wise et George London, qui dessinèrent nombre de propriétés de l'époque.

☞ **London, Marot et Roman, Sophia, Wise**

**Guillaume III, roi d'Angleterre. n. 1650. m. 1702. Le Privy Garden de Hampton Court**, East Molesey, Surrey (RU), vers 1689.

# Williams John Charles

## Château de Caerhays

À l'abri des vents dominants qui balaient la côte sud de la Cornouailles, ces jardins cachés offrent non seulement une vue spectaculaire, mais recèlent aussi une immense et rare collection d'arbres et d'arbustes, principalement des rhododendrons, des magnolias et des camélias. Ce jardin fut commencé au cours des années 1890, et son aménagement se poursuivit pendant toute la première partie du XXᵉ siècle. Williams appartenait à différentes associations qui sponsorisaient des chasseurs de plantes comme George Forrest, lequel explorait des zones reculées de Chine et entretenait des liens étroits avec les pépinières de Veitch, à Exeter. Ses jardins s'enorgueillissent ainsi de nombreuses introductions précoces grâce au chasseur de plantes des pépinières de Veitch, Ernest Wilson. Mais ce site est surtout célèbre pour être le berceau du camélia *Williamsii*, créé en 1925, à la suite d'une hybridation entre un camélia *japonica* et un camélia *saluenensis*, rapportés en Grande-Bretagne par Forrest un an auparavant. Les *Williamsii* sont sans doute les camélias les mieux adaptés au climat de ce pays.

☞ Mackenzie, Middleton, Veitch

# Williams-Ellis Clough    Plas Brondanw

Cette grille placée entre deux murs d'ardoise du pays de Galles encadre les superbes pics de la chaîne du Snowdon, qui forment un arrière-plan spectaculaire au jardin vallonné de Williams-Ellis. Commencé en 1908, ce jardin, qui fut l'œuvre de toute une vie, se compose d'une série de compartiments rigoureux délimités par de grandes haies d'ifs, de remarquables arbres à taille ornementale et des statues. On retrouve la couleur bleue des grilles dans tout le parc. Mais l'élément dominant consiste en perspectives calculées ouvrant sur le paysage « emprunté ». Au même titre que son équivalent anglais, l'Iford Manor de Harold Peto, Plas Brondanw est la tentative de l'époque édouardienne la plus réussie quant à la recherche d'une association entre le paysage britannique, l'amour des plantes et l'esprit de l'Italie du XVIᵉ siècle. Se déclarant lui-même un « architecte infidèle », Williams-Ellis fut un ardent défenseur de l'environnement et, au cours des années 1920 et 1930, il mena une campagne acharnée en faveur de la protection du paysage.

☛ Acton, Hamilton Finlay, Peto, Sitwell, Strong et Oman

**Sir Clough Williams-Ellis. n.** (RU), 1883. **m.** (RU), 1978. **Plas Brondanw**, Gwynedd, nord du pays de Galles (RU), 1908.

# Willmott Ellen Ann

## Warley Place

Ce charmant déploiement de digitales pourprées et de sceaux de Salomon appartient à l'ensemble soigneusement formé de plantes communes, rares et exotiques, qui emplissent Warley Place. Jardinière experte – de nombreuses variétés ou espèces ont été baptisées « Willmott » ou « Warley » –, Ellen Ann Willmott fut en 1897, avec Gertrude Jekyll, la première récipiendaire de la médaille d'honneur Victoria de la Société royale d'horticulture et figure parmi les premières femmes élues à la Linnean Society en 1904. Elle sponsorisa plusieurs chasseurs de plantes, dont Ernest Wilson, qu'elle encouragea à rejoindre Charles Sargent à l'arboretum d'Arnold. Si son œuvre majeure est *The Genus Rosa* (1910), on se souvient peut-être mieux d'elle pour son populaire *Warley Gardens in Spring and Summer* (1909). Le « fantôme de Miss Willmott », nom courant de l'*Eryngium giganteum*, fait probablement allusion à son habitude d'éparpiller subrepticement des graines dans tous les jardins qu'elle visitait, à moins que ce ne soit à son caractère plutôt « épineux ».

☛ **Jekyll, Parsons, Robinson, Sargent**

# Wilton et Cockayne

## Jardins botaniques [...] d'Otari

Les fougères tropicales et subtropicales des jardins botaniques d'Otari ne sont qu'une petite partie de l'immense collection, unique en son genre, de plantes endémiques de Nouvelle-Zélande. Les jardins d'Otari furent créés sur un terrain proche de Wellington, au nord du pays, ayant appartenu à Job Wilton, un colon de la première heure qui avait pris soin de préserver une grande partie de la végétation du bush originel. Dans les années 1920, l'éminent botaniste néo-zélandais Leonard Cockayne y fonda l'Otari Plant Museum. Son but était de créer un nouveau type de jardin consacré à la culture, la propagation et la conservation de la végétation endémique. Le site possédait déjà une grande partie de la flore indigène quand Leonard Cockayne commença à développer sa collection. Les sections les plus remarquables sont les jardins de rocailles, les filicinées tropicales et subtropicales et le petit jardin alpestre. Un belvédère offre une très belle vue sur les vastes étendues de bush sauvage qui entourent les jardins botaniques.

☛ **Burley Griffin, Manrique, Rhodes**

**Job Wilton.** Actif à la fin du XIXᵉ siècle. **Dr Leonard Cockayne.** Actif (NZ), XXᵉ siècle.
**Jardins botaniques néo-zélandais d'Otari**, Wilton, Wellington (NZ), créés vers 1920.

# Winkler Tori

## Jardin privé

Tous les jardins sont de nature éphémère, en perpétuel changement. Certains jardins exploitent cette qualité au maximum et sont de véritables installations extérieures temporaires qui ne survivent souvent que par la photographie, comme cette scène insolite que nous offre Tori Winkler. Les sculptures de Richard Long et les jardins de rosée de Chris Parsons fonctionnent ainsi tout comme les divertissements dans les bosquets du parc de Versailles, quand Louis XIV donnait des fêtes champêtres nocturnes. Ici, la peinture a transformé les plantes en sculptures vivantes, et la présence

du cheval blanc donne à cette scène une dimension surréaliste. L'allée, avec ses plantes colorées, permet au visiteur de passer d'un domaine clairement façonné par la main de l'homme aux terrains boisés naturels. Les feuilles mortes composent ainsi une allée éphémère qui relie deux mondes opposés. Des couleurs criardes et des formes inhabituelles garantissent la modernité de ce jardin apparemment classique.

☛ **Goldsworthy, Hardouin-Mansart, C. Parsons, Schwartz**

**Tori Winkler**. Actif (EU), fin xxᵉ siècle. **Jardin privé**, Alexandria, Virginie (EU), vers 1998.

# Wirtz Jacques, Peter et Martin  Jardin Schoten

Une haie en forme de nuages, inspirée des jardins japonais, constitue un relief de buis abstrait et ondulant dans le jardin de Jacques Wirtz en Belgique. Avec ses fils Peter et Martin, Wirtz crée des jardins étayés par un formalisme organique, où de nombreuses essences comme le hêtre, le charme, l'if et le buis, sont taillées et modelées pour composer des murs et des contreforts qui s'ajoutent à des sculptures, des tapis de gazon et des plans d'eau. Il autorise les espèces à feuilles persistantes qui composent la structure à prospérer en toute liberté, ce qui permet à son jardin de gagner beaucoup en fraîcheur et en spontanéité. Wirtz est un passionné d'horticulture, chez qui les luxuriantes bordures de plantes vivaces et les arbres fruitiers sont des motifs récurrents. En 1998, la duchesse de Northumberland commanda aux Wirtz le dessin d'un jardin d'eau à la française pour son ancien jardin clos de murs d'Alnwick Castle.

☛ Bradley-Hole, Jellicoe, Rochford

Jacques Wirtz. n. (B). Actif (B), xxᵉ siècle. **Jardin Schoten** (B), à partir de 1970.

# Wise Henry

## Hampton Court

Cette vue montre le palais de Hampton Court peu après que Henry Wise, jardinier du roi Guillaume III, eut pris ses fonctions, en 1699. Le Great Fountain Garden, au premier plan, avec ses trente fontaines et ses parterres de broderie compliqués, avait été dessiné par Daniel Marot, et le Privy Garden, en haut à gauche, venait tout juste d'être achevé, sans doute d'après un tracé de Wise et de George London, son associé à la pépinière de Brompton Road. Wise apporta plusieurs améliorations à Hampton Court, dont le célèbre labyrinthe, mais les changements les plus radicaux suivirent l'accession au trône de la reine Anne, en 1702 : elle fit supprimer les haies de buis, les parterres et la plupart des fontaines. Wise fut le plus grand dessinateur de jardins en Angleterre à la fin du XVIIᵉ siècle et accomplit une œuvre importante à Blenheim, Castle Howard et Longleat. Presque tous ses jardins ont disparu car, au milieu du XVIIIᵉ siècle, les vastes étendues de pelouse « prônées » par Capability Brown devinrent à la mode au détriment des parterres à la française.

☛ Brown, London, Marot et Roman, Guillaume III

# Wolkonsky **Prince Peter**    Kerdalo

D'extravagantes juxtapositions de plantes rares sont toujours réalisables à condition que le site du jardin soit bien choisi. La plupart du temps, on crée un jardin pour agrémenter un lieu déjà habité. Ce ne fut pas le cas à Kerdalo, le prince Peter Wolkonsky ayant décidé de vivre là où il pourrait créer un jardin à la mesure de ses ambitions. L'emplacement magnifique de Kerdalo jouit du doux climat océanique et suffisamment pluvieux de Bretagne. Depuis 1965, il abrite un jardin postmoderne, typique de la fin du XXᵉ siècle, avec des « citations » architecturales provenant de différents styles historiques, et des plantations caractéristiques de nombreux climats tempérés du monde. Le résultat ne se résume pas pour autant à une simple accumulation de ces divers éléments. Au contraire, différentes formes de végétation s'entremêlent en parfaite harmonie, grâce au talent de leur paysagiste, le prince Peter Wolkonsky.

☛ **Fairhaven, Gibberd, Sturdza, Tyrwhitt**

**Prince Peter Wolkonsky. n.** Saint-Pétersbourg (RUS). **m.** Kerdalo, Bretagne (F), 1997. **Kerdalo**, Bretagne (F), 1965.

# Wordsworth William

## Rydal Mount

Construite en ardoise locale et décorée à l'intérieur de panneaux rustiques, la résidence d'été de Wordsworth offre, depuis l'étroite terrasse, une vue inattendue sur Rydal Water, reflet de sa poésie. Après les effets très subtils de Dove Cottage, où William et sa sœur avaient planté des fleurs locales et des mousses, la dernière habitation de Wordsworth fut pour lui l'occasion d'intégrer son jardin dans le paysage. À partir de 1813, il inséra l'ancien potager dans son plan d'ensemble, réunit la maison avec la campagne par des terrasses, pelouses, massifs d'arbustes, champs et parcelles boisées, et planta de nombreuses espèces persistantes, dont un cèdre rouge japonais récemment introduit en Grande-Bretagne, le *Cryptomeria japonica*. Grand partisan de la protection de l'environnement, Wordsworth déplorait les plantations massives de mélèzes et de pins « étrangers », et vantait les humbles jardins des cottages. Son jardinage romantique annonçait William Morris, John Ruskin et William Robinson.

☛ **Morris, Robinson, Ruskin**

# Wright Frank Lloyd

## Fallingwater

Au cœur de la forêt de Pennsylvanie, surplombant la chute d'une puissante cascade, cette maison semble surgir tout droit du paysage environnant. Fallingwater est peut-être l'une des résidences privées les plus connues au monde, et certainement l'une des plus belles réalisations de Frank Lloyd Wright. Cette commande, en 1935, d'une maison de week-end pour le propriétaire d'un grand magasin de Philadelphie, E. J. Kaufman, marqua un tournant dans la carrière de Wright et permit même à son art de dépasser son œuvre précédente, la Prairie House, qui eut beaucoup d'influence. Ici, la maison fait à tel point partie intégrante des éléments et du paysage que la notion de jardin n'a plus cours. Fallingwater, maison incroyablement novatrice, fait référence primitive à la fois à l'homme et à la nature. Elle renvoie à une époque où l'idée de jardin n'avait plus aucun sens et où l'on ne ressentait plus le besoin d'une transition entre la zone d'habitation et la nature. La nature tout entière était le jardin de l'homme.

☞ **Aalto, Barragán, Burley Griffin, Le Corbusier**

**Frank Lloyd Wright. n.** Richland Center, Wisconsin (EU), 1867. **m.** Phoenix, Arizona (EU), 1959.
**Fallingwater**, Bear Run, Pennsylvanie (EU), 1935.

# Wright Thomas

## Shugborough

Sur les berges d'une rivière typiquement anglaise, les restes d'un druide en pierre artificielle sont perchés sur un rocher en passe de s'effondrer. Cet ensemble est attribué en partie à l'astronome excentrique, architecte et jardinier paysagiste fantasque, Thomas Wright. Érigées vers 1750, ces ruines étaient censées contenir des fragments du palais d'un évêque et se prolongeaient à l'origine en pigeonnier gothique.
Du paysage rococo de Thomas Anson à Shugborough ne subsistent que quelques édifices néoclassiques et une pagode chinoise construite pour abriter la collection de porcelaines

réunie par son frère cadet. On attribue à Wright un mystérieux monument dédié à un berger dans lequel le travail de la pierre rappelle son livre de modèles de tonnelles, publié en 1755, qu'il compléta plus tard par des dessins de grottes. Ce parfait individualiste connut une célébrité sans égale en dessinant mathématiquement des jardins de fleurs et de roses allant à l'encontre de la mode. Il matérialisa son goût du primitif dans une maison en racines pour le duc de Beaufort à Badminton.

☛ **Bushell, Goldney, Hamilton, Robins**

**Thomas Wright.** n. Byers Green, Durham (RU), 1711. m. 1786. **Shugborough**, Milford, Staffordshire (RU), vers 1750. 497

# Xu Shi-tai

## Liu Yuan

Les entrelacs délicats de cette fenêtre *lou chuang* permettent au visiteur de deviner la végétation d'un tout petit espace en plein air. Il existe des douzaines de fenêtres comme celle-ci – mais toutes différentes – dans le jardin du Délassement. Le visiteur découvre ces vues charmantes en traversant des halls et des cours et en parcourant les 700 m du corridor ouvert sur un côté qui mène au bassin central. Ce jardin se déroule comme un précieux rouleau de peinture. Sa complexité est telle que sa superficie, inférieure à 1 hectare, paraît infiniment plus grande. Il fut construit sous la dynastie Ming par Xu Shi-tai, un fonctionnaire à la retraite. Comme de nombreux autres jardins de Suzhou, très à la mode, Liu Yuan abrite une collection de poèmes calligraphiés sur des tablettes par des visiteurs célèbres. Suzhou, ville prospère située dans la belle région fertile du Yang-tseu, à l'ouest de Shanghai, a attiré, depuis la dynastie Song, des nobles et des fonctionnaires retraités qui, selon les enseignements de Confucius, n'aspiraient qu'à faire des jardins magnifiques et à se « divertir par les arts ».

☞ **Pan En, Su Zimei, Tien Mu**

**Xu Shi-tai**. Actif (CH), XV<sup>e</sup> siècle. **Liu Yuan**, Suzhou (CH), créé sous la dynastie Ming (1368-1644).

# Yi Song Gye

## Jardin secret de Changdokkung

Sous les frondaisons épaisses d'arbres d'essences locales se cache l'un des nombreux pavillons du Huwon, le jardin secret du palais royal de Changdokkung, à Séoul. Ce vaste parc de 32 hectares recèle tous les éléments traditionnels du jardin coréen : canaux et chutes d'eau, ponts et escaliers, arrangements de pierres et étangs de lotus. Le plan d'ensemble et les édifices s'agencent en fonction des contraintes de leur environnement boisé, selon le principe coréen d'harmonie avec la nature. Construits en 1405 par le roi Ta Jong, le palais de Changdokkung et le jardin secret furent détruits pendant l'invasion japonaise conduite par le grand shogun Hideyoshi, bâtisseur de Sambo-in, en 1592. Le roi Song Gye fit reconstruire les principales structures et rénover les jardins. Malgré des troubles politiques et des incendies, Changdokkung resta la résidence des rois Yi jusqu'en 1989, date de la mort du dernier survivant de la famille royale.

☞ **Egerton, Hideyoshi, Wang Xian Chen**

**Yi Song Gye. n. (COR), 1567. m. (COR), 1608. Jardin secret de Changdokkung**, Séoul (COR), vers 1590.

# Yturbe José de

## Résidence Miguel Gomez

Les murs éclatants de cette cour spectaculaire, dont les ajourements jouent le rôle de fenêtres et définissent la vue sur les collines tropicales en laissant passer la lumière, contrastent avec l'étonnant patio en recinto (éclats de roche volcanique noire) et en marbre, et avec la fontaine sculptée, elle aussi, dans une roche volcanique. Cet ensemble est typique du travail de José de Yturbe, qui réinterprète les constructions mexicaines locales. Il a également été fortement influencé par l'architecte mexicain Luis Barragán. Ses cours, où il tente de concrétiser la notion d'habitat plus que de bâtiment en laissant la végétation pénétrer à l'intérieur, révèlent cette double source d'inspiration. L'atmosphère intime et sereine de ses créations est renforcée par l'effet du bruit de l'eau en mouvement, dont la présence et le murmure reflètent les fortes influences islamiques de la péninsule ibérique après la conquête mauresque. Les couleurs puissantes choisies par Yturbe trouvent aussi un écho dans l'œuvre du peintre Jesus Reyes Ferreria.

☛ **Barragán, Herman, Pawson et Silvestrin, Schwarts**

**José de Yturbe**. Actif (MEX), fin XXᵉ siècle. **Résidence Miguel Gomez**, San José (CR), vers 1990.

# Zhang Shi

## Ji Chang Yuan

À travers une fenêtre arrondie *lou chuang*, on aperçoit de la rocaille dans une cour du jardin de l'Esprit libéré, parfois désigné sous le nom de jardin de l'Extase. On entrevoit aussi un mur dont la ligne de faîte ondule. Bien que ce jardin soit relativement petit, il est célèbre pour son emploi du *chie ching*, qui consiste à « emprunter » un élément du paysage, ou même un repère architectural dans le lointain. Ici, la colline de Métal et la pagode du Dragon deviennent parties intégrantes du jardin puisqu'elles se reflètent dans l'étang. On dit que l'empereur Qian Long, grand créateur de jardins, fit sept visites à Ji Chang Yuan. Le paysagiste Zhang Shi avait pour spécialité l'empilement des rochers. Ils s'élèvent ici suffisamment haut pour donner l'impression qu'une aiguille rocheuse naturelle se dresse près de l'étang. Ils ont été choisis avec beaucoup de soin, en particulier celui que l'on a baptisé « la Femme coiffant sa chevelure ».

☞ **Qian Long, Tien Mu, Xu Shi-tai**

# Zuccalli Enrico

## Château de Lustheim

Le château de Lustheim est entouré d'eau. Sous les ponts que l'on voit de chaque côté de cette peinture de la fin du XVIIIe siècle se trouve un large canal qui encercle complètement le château, si bien qu'il paraît construit sur une île. Il fut commencé en 1684 par l'électeur Maximilien Ier de Bavière, qui dessina aussi les jardins à la française de Nymphenburg. Bien que Dominique Girard fût associé à la conception du jardin, c'est Enrico Zuccalli, architecte du château de Lustheim, qui traça le canal dans le style hollandais à la mode à cette époque. Le grand canal que l'on voit au premier plan rejoignait le château de Schleissheim, plus grand, bâti en 1701 : ces deux jardins princiers se faisaient ainsi face, séparés par près d'un kilomètre de jardins à la française. Schleissheim et Lustheim, contemporains du château de Herrenhausen, dans le nord, sont les premiers jardins baroques importants en Allemagne du Sud.

☛ **Girard, Marot et Roman, Philippe II, Sophia**

**Enrico Zuccalli. n.** Roveredo (IT), 1642. **m.** Munich (ALL), 1724.
**Château de Lustheim**, parc du château de Schleissheim, Oberscheissheim, Bavière (ALL), à partir de 1684.

# Zug Szymon Bogumil

## Nieborów

Le plan de Zug, datant de 1775, à l'intention de Michal Hieronim Radziwill, qui avait engagé cet architecte remarquable pour superviser la reconstruction du palais et le remaniement de l'ancien jardin, s'inspirait de la tradition française, avec ses allées et ses parterres imbriqués et géométriques, divisés par une allée à trois bordures conduisant jusqu'à la maison. Le premier jardin, tracé au xviiᵉ siècle par Tylman van Gameren, reflétait l'origine hollandaise de son dessinateur. Au-delà du canal en forme de L, à droite du jardin à la française, Zug créa un parc paysager avec des cours d'eau sinueux et un grand bassin aux contours irréguliers, doté d'une île. Le jardin comprenait aussi un potager et une orangerie. Gerard Ciolek restaura ce jardin entre 1948 et 1951. Non loin de Nieborów, l'épouse de Radziwill, Helena, demanda à Zug de concevoir le célèbre parc paysager d'Arkadia.

☛ **Girardin, Le Nôtre, Radziwill, Switzer**

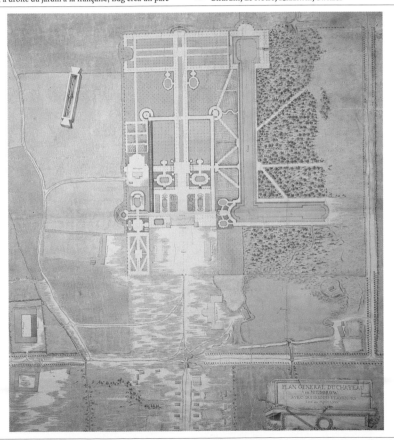

PLAN GENERAL DU CHATEAU
et de NIEBOROW
AVEC LES JARDINS ET AVENUES

# Glossaire des termes et des styles de jardins

### Agdal

Terme marocain désignant le jardin d'une propriété à la campagne. Appelé aussi *arsa*, l'agdal se composait d'une série de jardins en terrasses, disposés en quartiers pour faciliter l'irrigation. Les *agdal* traditionnels étaient généralement réservés aux loisirs, mais on y cultivait aussi des fruits et des légumes pour les membres de la famille ; l'excédent de récoltes était vendu.

### Arboretum

Jardin botanique destiné à l'exposition d'arbres et d'arbustes, le plus souvent des essences rares, des essences locales menacées de disparition ou des essences exotiques prisées.

### Arts and Crafts (mouvement )

Mouvement britannique de la fin du XIXᵉ siècle mené notamment par William Morris, John Ruskin, qui prônait un retour aux valeurs éprouvées de l'artisanat médiéval, en réaction à une industrialisation croissante. Dans le contexte des jardins, le style Arts and Crafts renvoie surtout à l'œuvre de Jekyll et de Lutyens et à leurs disciples, qui travaillèrent pendant les vingt premières années du XXᵉ siècle. Sur le plan international, ce mouvement ne se manifesta que pendant les dernières décennies de ce siècle, sous la forme d'un grand intérêt pour les plantes indigènes, aux États-Unis, en Australie, en Afrique du Sud, au Moyen-Orient et ailleurs.

### Azulejo

Carreau de céramique verni, souvent peint dans des tons bleus et jaunes, fréquemment utilisé dans les jardins espagnols et portugais.

### Baroque

Style européen des XVIIᵉ et XVIIIᵉ siècles en Europe, faisant un emploi exubérant de l'ornementation. Dans le contexte des jardins, les éléments baroques incluent des fontaines sculptées, des nymphées, des fontaines, des grottes et des statues.

### Belvédère

Lieu ou pavillon ornemental situé sur un affleurement ou un lieu élevé permettant une vue panoramique sur l'environnement.

### Bordures herbacées

Espaces entièrement composés de plantes vivaces qui restent en vie par leur racine en hiver et repoussent au printemps. En pratique, la plupart des bordures dites herbacées sont des bordures mixtes, c'est-à-dire contenant également des plantes à feuilles persistantes, des plantes bulbeuses et des annuelles.

### Bosco

Groupe d'arbres ou bois, naturel ou créé par l'homme, souvent intégré dans le dessin d'un jardin de la Renaissance. Plus sauvage que le bosquet [voir ci-dessous] et souvent placé sur un monticule.

### Bosquet

Petit groupe d'arbres, ou clairière décorée de statues, clos par une haie ou une barrière, appartenant en général à un jardin à la française du XVIIᵉ ou XVIIIᵉ siècle.

### Chadar (Chaddar)

Mot persan signifiant châle ou drap, utilisé pour décrire les chutes d'eau en escalier ou décoratives, dans les jardins indiens, persans et moghols. Les *chadar* sont des plaques de maçonnerie placées à 45° pour amener l'eau de la terrasse d'un jardin jusqu'à une autre. L'eau peut descendre le *chadar* en un seul mouvement, non interrompu, ou bien un effet de textures ou de rides peut être obtenu en relevant la surface de la chute, ce qui ajoute éclat et sonorité au jardin. On trouve cette technique à Achabal et dans les jardins de Shalimar, à Lahore, et de manière plus spectaculaire à Nishat Bagh, au Cachemire.

### Chahar-bagh

Terme signifiant « jardin en quatre parties ». Le mot *bagh*, ou jardin, commence à être usité en Asie centrale, à l'époque des souverains parlant le turc, dans les régions de Samarkand et de Bukhara, aux XIIIᵉ et XIVᵉ siècles. L'étymologie de *bagh* n'est pas claire, mais ce mot apparaît dans des textes en moyen persan, et l'on pense qu'il était du Achéménides et des Sassanides. Le préfixe *chahar* signifiant quatre en persan, *chahar-bagh* désigne communément des jardins clos divisés en quartiers par quatre cours d'eau. On retrouve ce plan dans la tradition perse et dans les jardins du monde musulman.

### Chinoiserie

Décoration de style chinois imaginée par les paysagistes et décorateurs européens à partir du XVIIᵉ siècle. Elle s'inspire surtout des descriptions de voyageurs et eut beaucoup d'influence dans l'Europe entière, principalement en Allemagne. L'architecte William Chambers excella dans ce style au cours du XVIIIᵉ siècle.

### Cimetières paysagers

Style de cimetière qui se développa au XIXᵉ siècle, dans lequel les paysages étaient dessinés avec autant de soin que pour des parcs campagnards. Plus tard, aux États-Unis et ailleurs, on créa des cimetières ressemblant à des forêts.

### Contextuel

Conçu pour établir un rapport avec un contexte ou pour imiter un environnement.

### Espalier

Mur le long duquel on plante des arbres fruitiers. L'espalier, ou mur d'espalier est généralement garni d'un treillage pour soutenir les branches des arbres.

### Ferme ornée

Précurseur du style du paysage anglais, une ferme ornée comporte des sièges, des temples, des points de vue et des allées. Les fermes ornées étaient en général de dimensions modestes et leur création peu onéreuse. William Shenstone et Philip Southcote en ont donné les meilleurs exemples.

## Fête champêtre

Grande réception en plein air, pour laquelle on demande souvent aux invités de venir costumés et masqués, ayant lieu, en général, sur le domaine d'une vaste maison de campagne, avec une importante variété de divertissements. Les fêtes champêtres de Louis XIV à Versailles furent sans doute les plus somptueuses jamais données.

## Folie

Structure construite dans un but décoratif et fantaisiste, plutôt que pratique. À l'occasion, bâtiment utilitaire sous une apparence historique, fantastique, ou parfois de ruines. Par exemple, l'ananas de Dunmore Park, en Écosse.

## Gazon coupé

Pelouse avec des formes découpées dans le gazon et remplies de terre ou de gravier de couleur. Utilisé principalement en Angleterre au XVIIᵉ siècle pour dessiner des parterres sophistiqués.

## Giardino segreto

Littéralement « jardin secret », souvent dissimulé en dessous du niveau du sol. Élément de décoration présent dans la plupart des jardins italiens.

## Grotte

Caverne naturelle ou artificielle, décorée de coquillages, minéraux et fossiles. Les grottes de la Renaissance italienne étaient des structures semi-ouvertes, situées dans le jardin. Plus tard, dans l'Angleterre du XVIIIᵉ siècle, les grottes devinrent plus discrètes, parfois souterraines, tapissées de coquillages et de minéraux.

## Ha-ha

Également appelé « saut-de-loup ». « Barrière » en creux, ressemblant à un fossé ou à une douve à sec, avec une paroi verticale en pierre. Ce système permettait au bétail de paître dans un pâturage tout proche de la maison, et donnait un charme pastoral aux jardins paysagés du XVIIIᵉ siècle.

## Heempark, heemtuin

Parc ou jardin hollandais planté de la flore locale ; né au cours des années 1920.

## Hortus Conclusus

Jardin médiéval clos, contenant en général des haies basses, des fleurs et des herbes médicinales.

## Ivan (aussi appelé liwan ou iwan)

Terme persan désignant un espace offrant souvent une haute voûte en berceau ou un hall ouvert à une extrémité. Cet élément se trouve fréquemment dans les mosquées, les palais et les pavillons à travers tout le monde islamique. Dans la Perse ancienne, les grottes de Taq-e Bostan illustrent l'une des premières formes de l'ivan sassanide.

## Jardin anglais, Giardino inglese

Termes utilisés en France et en Italie pour décrire un jardin ou un paysage (en général au XIXᵉ siècle) dans un style naturaliste, c'est-à-dire avec des pelouses ondulantes, des clairières boisées, des lacs et peu d'éléments visiblement créés par l'homme.

## Jardin clos, jardin de broderie

Jardin fermé, s'inspirant des jardins de l'époque Tudor, comprenant des haies basses de plantes à feuilles persistantes, en général du buis, des ifs ou du thym, disposées de manière à former des motifs compliqués, esthétiques et symétriques, avec parfois des ajouts de fleurs ou de gravier coloré.

## Jardin de promenade

Style de jardin japonais, très répandu à partir du XIIIᵉ siècle, destiné à être découvert tout en marchant le long d'un sentier particulier. Ce jardin se révèle ainsi progressivement en une séquence de vues, d'atmosphères et de perspectives. Il rappelle l'acte de regarder une peinture orientale sur un rouleau très long. Il comprend en général un circuit autour d'un lac ponctué de plusieurs tonnelles, des pont et d'îles.

## Jardin d'hiver

Jardin alpin ou jardin de rocaille, ou bien encore véranda intérieure et chauffée pour exposer des plantes exotiques.

## Jardin moghol

Style hybride du jardin indo-persan, ayant existé en Inde du XVIᵉ siècle. La tradition du jardin persan fut tout d'abord introduite en Inde depuis Kaboul, avec la conquête du nord de l'Inde par l'empereur Babur, en 1526. Le dessin symétrique des parterres, et selon des axes, et le chahar-bagh – tracé architectural des jardins typiquement islamiques – combinés avec des éléments comme des terrasses de pierre, des bassins géométriques en forme de feuilles, des fontaines, des chutes d'eau et des ruisseaux, et des pavillons en plein air, est typique du style moghol.

## Jardin sauvage

Sections clôturées où la végétation pousse en liberté dans un jardin paysager ; elles sont plantées d'arbres et d'arbustes, et présentent des sentiers qui serpentent.

## Jardin Tudor

Jardins dessinés en Angleterre pendant la période Tudor (1485-1603), le plus souvent jardins de broderie.

## Latin, noms de plantes en

Système de dénomination des plantes, en deux mots établi par le botaniste suédois Linné, au XVIIIᵉ siècle. Le premier mot est le genre, le second l'espèce. Ce système est utile car précis, fiable et international.

## Modernisme

Style né dans les années 1920 caractérisé par une architecture pouvant être reproduite en série et par l'emploi de matériaux modernes comme le béton. Le bâtiment dit « cube blanc » est l'archétype du style moderniste. Une variété de styles de jardins a été envisagée pour compléter ce style de construction.

## Mosaïculture

Version sophistiquée, française ou italienne, des parterres en tapis britanniques, avec une insistance plus marquée sur les motifs figuratifs identifiables.

## Nymphée

Structure semi-circulaire, souvent à moitié en plein air, contenant des statues sur le thème des nymphes et de l'eau.

## Objet trouvé

Intégration, dans le dessin des jardins, d'objets appartenant à la vie quotidienne comme des miroirs ou de la vaisselle, des coquillages naturels ou des pierres. Principe datant de la Renaissance qui connut son apogée dans les jardins baroques et rococo. Cette technique devint typique des environnements fantastiques et des jardins créés par d'excentriques autodidactes ou des artistes « marginaux ».

## Paridaiza (paradis)

Ancien mot persan signifiant « espace clos de murs ». Xénophon, historien et essayiste grec, entendit pour la première fois ce mot en 401 av. J.-C., au cours de ses voyages en Perse où il combattait des mercenaires grecs. Dans son Discours socratique, l'*Oeconomicus*, Socrate remarque : « Quel que soit le pays où le roi réside [...] il se préoccupe de l'existence des jardins, des jardins dit d'agrément, avec toutes les belles et bonnes choses que la terre veut bien produire, et lui-même y passe la majeure partie de son temps, quand la saison le lui permet. » Le mot « paradis » est une traduction du mot grec *paradeisos* que Xénophon utilisa pour décrire le « jardin persan ».

## Parterre

Espace, dans un jardin ou un parc, aménagé en compartiments, et d'un seul style, allant de simples motifs de pelouse tondue et de gravier (gazon coupé) jusqu'à des dessins compliqués, formés par des haies, de l'herbe, du gravier, du gazon et des fleurs (parterre de broderie).

## Parterre en tapis

Pratique datant du XIXᵉ siècle, consistant à faire pousser de jeunes plants d'espèces annuelles, en masse, pour créer des effets abstraits basés sur de grandes taches de couleurs. Cette technique est encore largement utilisée dans les jardins publics, et dans le monde entier. (Voir Mosaïculture)

## Patio

Traditionnellement, une petite cour pavée espagnole, entourée par une arcade, et souvent remplie de plantes en pots.

## Pergola

Structure en bois et/ou en pierre qui forme une allée protégée, souvent recouverte de plantes grimpantes comme des roses, des vignes ou des glycines.

## Piano nobile

Étage principal d'une grande maison, en général l'étage se trouvant au-dessus d'un sous-sol ou d'un rez-de-chaussée.

## Pittoresque

Picturesque en anglais. Style de paysage de la fin du XVIIIᵉ siècle (presque exclusivement anglais), qui célèbre le pouvoir d'une nature indomptée, souvent dans un environnement très isolé. Employé de manière imprécise pour désigner le style de paysage du « jardin anglais » en Europe. Ce terme provient de l'idée de créer des paysages à la manière de tableaux (pictures).

## Pierre de couronnement

Pierre entourant un élément d'architecture, ou un bassin.

## Plantes annuelles

Plantes (en général dans le contexte d'un jardin, aux fleurs de couleurs vives) qui ne vivent qu'un an. Elles germent à partir de graines, au printemps, et on les repique pour qu'elles fleurissent en été. Elles produisent des graines et meurent à l'approche de l'hiver. Les plantes annuelles sont le plus souvent employées dans les grands parterres.

## Plantes indigènes

Plantes poussant naturellement et à l'état sauvage dans une zone donnée. En horticulture, on se passionna au XIXᵉ siècle pour des espèces et essences exotiques introduites depuis peu, mais à la fin du XXᵉ siècle, on assista à un regain d'intérêt pour la flore locale, ce qui eut un impact sur le dessin des jardins.

## Potager

Jardin « de cuisine » et décoratif dans le style français, bordé de buis et incorporant des légumes plantés principalement pour leur apparence. L'un des meilleurs exemples de ces jardins est Villandry, en France.

## Putti

Pluriel de *putto* en italien, qui signifie petit garçon, gamin, tout jeune homme. On le trouve au XVᵉ siècle en Europe, surtout en Italie, dans des œuvres d'art et architecturales. Les *putti* ornent des urnes, des murs sculptés et des fontaines ; on les voit également dans les mosaïques des pavements antiques. On les mentionne parfois sous le nom de chérubins.

## Qanat

Système de canaux d'irrigation utilisé dans la Perse ancienne et qui dépendait de sources souterraines. On forait un large puits jusqu'à la source, puis on creusait un tunnel sur toute la longueur du terrain à irriguer, et l'eau émergeait à la surface. De manière à assurer la propulsion de l'eau, le canal était légèrement incliné, la gravité assurant une pression suffisante. Tous les 18 ou 20 mètres, ce tunnel était interrompu par des conduits descendant de la surface, qui permettaient l'extraction des gravats issus des excavations et l'accès pour assurer l'entretien et l'alimentation en air des ouvriers. On utilisait des structures en forme d'anneau de céramique pour revêtir intérieurement le tunnel. Le désert d'Iran est ponctué de systèmes d'irrigation qui fournissent encore une bonne partie de l'eau au pays.

### Rehant (ou roue persane)

Méthode indienne prémoghole pour irriguer un jardin, connue aussi sous le nom de *arghatt*. Cette roue était utilisée pour tirer de l'eau des rivières et des lacs, pour l'usage des palais et des grandes propriétés. La roue, crantée par une chaîne de corde et pourvue de récipients pour l'eau, était mise en mouvement par le bétail. Les pots déversaient leur eau dans un aqueduc qui remplissait ensuite les citernes des jardins, les cours d'eau et les bassins. L'eau coulait d'un point plus élevé, et permettait ainsi au système de produire la pression nécessaire au fonctionnement des fontaines. L'empereur Babur trouva ce système installé à Lahore, dans les années 1530, et le mentionna dans son journal personnel, le *Baburnama*.

### Rococo

Style décoratif et exubérant du XVIII<sup>e</sup> siècle, dérivé du rocaille, mot italien désignant une coquille. Dans les jardins rococo, l'ornementation est au moins aussi importante que la forme.

### Romantique (style)

Fait référence à un style de paysage inspiré par le mouvement du paysagisme anglais et répondant au mouvement romantique européen, littéraire et philosophique. Se compose en général de vastes pelouses, de groupes d'arbres, d'étangs, de lacs et de folies. Il se répand en Europe tout au long du XIX<sup>e</sup> siècle, et souvent aux dépens des jardins à la française plus anciens.

### Ruisselet

L'origine des ruisselets remonte aux premiers jardins persans. Il s'agissait d'un petit ruisseau étroit, peu profond, créé par l'homme, s'écoulant en général en pente douce dans une gouttière en pierre pour amener l'eau d'un point du jardin à un autre. Un ruisselet pouvait avoir un trajet serpentant — celui de William Kent à Rousham en est un parfait exemple – ou linéaire, comme c'était le cas dans les *chahar-bagh* islamiques, ou dans les jardins Arts and Crafts de sir Edwin Lutyens et de Gertrude Jekyll.

### Shakkei/Chie Ching

À la fois dans les jardins japonais (*shakkei*) et dans les jardins chinois (*chie ching*) traditionnels, technique qui consistait à « emprunter » un paysage particulier ou une partie d'un paysage pour l'incorporer dans la composition d'un jardin. Correspondait à une application des techniques de la peinture en rouleau, et l'« emprunt » se faisait en jouant sur les différentes « épaisseurs » d'une vue (premier plan, plan central et arrière-plan). Il différait de la forme occidentale des perspectives, ou vues, du paysage environnant, de la même manière qu'une peinture de paysage se démarquait d'un paysage peint sur un rouleau japonais ou chinois.

### Style du jardin anglais

Style de jardin conçu en Angleterre pendant les premières années du XVIII<sup>e</sup> siècle, tout d'abord comme une forme d'art analogue à la littérature, avec des significations complexes, symboliques et politiques. Il se matérialisa en bâtiments et en éléments du paysage. Plus tard, il devint purement visuel ou bien un genre pictural évoquant une idylle pastorale, comme avec Capability Brown. Ce style a été repris dans toute l'Europe, aux XVIII<sup>e</sup> et XIX<sup>e</sup> siècles.

### Topiaire (ou taille ornementale)

Art de tailler des plantes à feuilles persistantes, comme les buis, les ifs, en leur donnant des formes abstraites ou figuratives.

### Trompe-l'œil

Effet destiné à modifier une perception normale. Fréquemment utilisé dans les jardins pour augmenter les distances et changer les perspectives, il peut prendre la forme de plantations hors échelle, de treillages, de miroirs ou même de surfaces peintes.

# Guide des jardins

## Afrique du Sud

**Amanzimnyana**
Privé, fermé au public
*Saunders, Douglas*

**Jardin botanique
de Kirstenbosch**
Rhodes Drive, Newlands
Ouvert sept à mars, 8h à 19h.
Avr à août, 8h à 18h
*Rhodes, Cecil*

**Jardins de la Compagnie
des Indes orientales**
Government Avenue, Le Cap
Ouvert au public
*van Riebeeck, Jan*

**Jardin privé**
Sandhurst, Johannesburg
Privé, fermé au public
*Watson, Patrick*

**Rustenberg Farm**
Stellenbosch
Ouvert au public
*Barlow, Pamela*

**Vergelegen**
Lourensford Road,
Province du Cap
Ouvert tlj, 9h30 à 16h
*Phillips, Lady Florence*

## Allemagne

**Château de Branitz**
Cottbus-Branitz
Ouvert au public
*Pückler-Muskau, prince Hermann*

**Château de Gross-Sedlitz**
Barockpark Gross-Sedlitz
Ouvert avr à sept tlj, 7h à 20h.
Oct à mars tlj, 8h à 20h
*Auguste le Fort, roi de Saxe*

**Château de Pillnitz**
Schloss Pillnitz, Dresde
Ouvert tlj, du lever au coucher
du soleil
*Bouché, Karl*

**Château de Rheinsberg**
Rheinsberg
Ouvert tlj (sf lun), 9h30 à 17h
*Henri de Prusse, prince*

**Château de Schleissheim**
Oberschleissheim, Munich
Ouvert tlj, du lever au coucher
du soleil
*Zucalli, Enrico*

**Château de Schwetzingen**
Schwetzingen
Ouvert tlj, 8h à 20h, ou
coucher du soleil
*Carl-Theodor de Neuburgh-Sulzbach, électeur Palatin*

**Château de Wörlitz**
Dessau
Ouvert tlj, du lever au coucher
du soleil
*Anhalt-Dessau, Leopold Friedrich
Franz von*

**Englischer Garten**
Englischergarten, Munich
Ouvert tlj
*Sckell, Friedrich Ludwig von*

**Herrenhausen**
Herrenhausen, Hanovre
Ouvert tlj, 8h à 20h. Ferme
à 16h en hiver
*Sophia, électrice de Hanovre*

**Hortus Palatinus**
Heidelberg
Ouvert au public
*Caus, Salomon de*

**Jardin du Futur**
Kunstmuseum de Bonn
Rheinaue, Bonn
Ouvert tlj
*Harrison, Newton et Mayer, Helen*

**Jardin E.T.A. Hoffman**
Musée Juif
Lindenstrasse, Berlin
Ouvert tlj, 10h à 18h
*Libeskind, Daniel*

**Karlsruhe (jardins du château
et jardin botanique)**
Hans-Thoma-Strasse,
Karlsruhe
Ouvert tlj, du lever au coucher
du soleil
*Baden-Durlach, Carl Wilhelm von*

**Mainau, île de**
Insel Mainau, Mainau
Ouvert tlj, 7h à 20h. Mi-oct
à mi-mars, 9h à 17h
*Frédéric I", grand-duc de Bade*

**Nymphenburg**
Nymphenburg, Munich
Ouvert tlj, 8h au coucher
du soleil
*Girard, Dominique*

**Parc sur l'Ilm**
Ilm Goethes Gartenhaus,
Weimar
Ouvert tlj, du lever au coucher
du soleil
*Goethe, Johann Wolfgang von*

**Pfaueninsel**
Berlin
Ouvert mai à août, 8h à 18h.
Avr et sept, 8h à 18h. Mars à
oct, 9h à 17h. Nov à fév, 10h à 16h
*Lenné, Peter Josef*

**Résidence Förster**
Environs de Bornim
Ouvert au public
*Förster, Karl*

**Sanspareil**
Wonsees
Ouvert tlj, du lever au coucher
du soleil
*Wilhelmina de Bayreuth,
Margravine*

**Sans-Souci**
Potsdam
Ouvert tlj, du lever au coucher
du soleil
*Frédéric II, roi de Prusse*

**Veitshöchheim Hofgarten**
Veitshöchheim
Ouvert tlj, du lever au coucher
du soleil
*Seinsheim, Adam Freidrich von*

**Villa Moser-Liebfried**
Stuttgart
Ouvert tlj
*Schaal, Hans Dieter*

**Wilhelmsbad**
Ouvert tlj, du lever au coucher
du soleil
*Wilhelm de Hesse-Cassel, prince*

**Wilhelmshöhe**
Cassel
Ouvert tlj, du lever au coucher
du soleil
*Guerniero, Gianfrancesco*

## Argentine

**Parcs municipaux**
Buenos Aires
Ouvert au public
*Thays, Charles*

## Australie

**Cruden Farm**
Victoria
Privé, fermé au public
*Walling, Edna*

**Jardin botanique australien**
Clunies Ross Street
Black Mountain
Canberra, ACT 2601
Ouvert jan et fév, 9h à 20h.
Mars à déc tlj, 9h à 17h
*Burley Griffin, Walter*

**Jardin chinois de l'Amitié**
Darling Harbour, Sydney NSW
Ouvert tlj, 9h30 à 18h30 (16h30
en hiver)
*Guangdong, jardiniers de*

**Nooroo,**
Mount Wilson, Blue Mountains
NSW 2786, près de Richmond
Ouvert mi-sept à déb nov et
mi-avr à déb mai
*Hay, William*

**Résidence Smith**
Sydney
Privé, fermé au public
*Sitta, Vladimir*

## Autriche

**Le Prater**
Prater, Vienne
Ouvert au public
*Hirschfeld, Christian Cay Lorenz*

**Palais du Belvédère**
Prinz Eugenstrasse, Vienne
Ouvert avr à sept (sf lun),
10h à 18h et 17h en hiver
*Hildebrandt,
Johann Lukas von*

**Schönbrunn**
Schönbrunn Garten, Vienne
Ouvert au public
*Fischer von Erlach,
Johann Bernhardt*

## La Barbade

**Jardins d'Andromède**
Bathsheba, St Joseph
Ouvert tlj, 9h à 17h
*Bannochie, Iris*

## Belgique

**Arboretum de Kalmthout**
Kalmthout
Ouvert au public
*Belder, famille de*

**Château d'Annevoie**
Rue des Jardins, Annevoie
Ouvert avr à nov tlj, 9h30 à 18h30
*Montpellier, Charles-Alexis de*

**Château de Beloeil**
Ouvert Pâques à sept tlj et
week-end en oct, 10h à 18h
*Ligne, prince Claude Lamoral II de*

**Château d'Enghien**
Place Pierre Delannoy, Enghien
Ouvert au public
*Arenberg, Antoine d'*

**Jardin Schoten**
Privé, fermé au public
Wirtz, Jacques

**Mariemont**
Musée royal de Mariemont
Morlanwelz, Hainault
Ouvert au public
Albert et Isabella, archiduc et archiduchesse

**Serres royales de Laeken**
Avenue du Parc Royal, Bruxelles
Ouvert une semaine par an au public. Renseignements à l'office du tourisme belge
Balat, Auguste

---

**Brésil**

**Résidence Fernandez**
Correias
Privé, fermé au public
Burle Marx, Roberto

---

**Canada**

**Les Quatre Vents**
Québec
Ouvert au public sur rendez-vous
Cabot, Frank

---

**Canaries**

**Jardin Canario**
Las Palmas De Gran Canaria
Ouvert tlj, 9h à 18h. Fermé 25 déc et 1er jan
Sventenius, Eric

**Jardin de Cactus**
Guatiza, Lanzarote
Ouvert tlj, 10h à 18h
Manrique, César

---

**Chine**

**Bi Shu Shan Zhuang**
(Le Hâmeau de montagne pour fuir la chaleur)
Chengde, province de Hebei
Ouvert au public
Kang Xi, empereur

**Cang Lang Ting** (Pavillon de la Vague verte)
Suzhou
Ouvert au public
Su Zimei

**Ji Chang Yuan**
Wuxi

Ouvert au public
Zhang Shi

**Liu Yuan**
Suzhou
Ouvert au public
Xu Shi-tai

**Shi Zi Lin**
Suzhou
Ouvert au public
Tien Mu

**Wang Shi Yuan**
Suzhou
Ouvert au public
Song Zenhuang

**Ye He Huan** (Palais d'Été)
Pékin
Ouvert au public
Qian Long, empereur

**Yu Yuan**
Shanghai
Ouvert au public
Pan En

**Yuan Ming Yuan**
Pékin
Ouvert au public
Qian Long

**Zhuo Zhen Yuan** (Le Jardin des humbles administrateurs)
Dong Bei Jie
Ouvert au public
Wang Xian Chen

---

**Corée**

**Arboretum de Chollipo**
Namdo, Chung Nam
Ouvert aux membres seulement, aux académiciens et aux étudiants, sur rendez-vous
Miller, Carl Ferris

**Jardin Secret de Changdokkung**
Séoul
Ouvert tlj (sf lun), 9h15 à 17h30
Yi Song Gye

---

**Costa Rica**

**Résidence Miguel Gomez**
San José
Privé, fermé au public
Yturbe, José de

---

**Danemark**

**Château de Fredensborg**
Hellerød, Zélande

Ouvert juil tlj, 9h à 17h
Krieger, Johann Cornelius

**Foresters House**
Sherston
Privé, fermé au public
Jakobsen, Preben

**Jardins de Tivoli**
Copenhague
Ouvert avr à mi sept, dim à mer, 11h à minuit, jeu à sam, 11h à 1h du matin
Brandt, G. N.

**Université d'Aarhus**
Aarhus
Site ouvert au public
Sørensen, Carl Theodor

---

**Égypte**

**Académie**
Jardin disparu
Platon

**Jardin botanique de Karnak**
Karnak
Ouvert au public
Thoutmosis III, roi

**Temple funéraire de la reine Hatshepsout**
Deir el-Bahari
Ouvert au public
Ineni

---

**Équateur**

**Jardins de Tulcan**
Ouvert au public
Franco Guerrero, José Maria Azuel

---

**Espagne**

**Alfàbia**
Majorque
Ouvert sept à mai, 9h30 à 17h30. Juin à août, 9h30 à 18h30. Sam, 9h30 à 13h. Fermé dim
Gouverneurs maures

**Cour des Lions**
Palais de l'Alhambra, Grenade
Ouvert mars à oct tlj, 8h30 à 20h. Nov à fév tlj (sf 25 déc et 1er jan), 8h30 à 18h. Visites nocturnes possibles
Muhammad V

**Jardin de Blé**
Palma de Majorque
Privé, fermé au public
Caruncho, Fernando

**Jardins de Buen Retiro**
Paseo del Prado, Madrid
Ouvert mar à sam, 9h à 19h, dim et vacances, 9h à 14h
Lotti, Cosimo

**Jardin du Generalife**
Grenade
Ouvert tlj, 9h à 20h, été. 9h à 18h, hiver
Nazarite

**Jardin du palais d'Aranjuez**
Aranjuez
Ouvert au public
Philippe II, roi d'Espagne

**Jardin privé**
Majorque
Privé, fermé au public
Gildemeister, Heidi

**La Granja**
Ségovie
Ouvert mar à dim, 10h à 17h, été. 10h à 18h30, hiver
Philippe V, roi d'Espagne

**Maison de Pilatos**
Plaza de Pilatos, Séville
Ouvert, rez-de-chaussée, 9h à 20h. 1er étage, 10h à 14h et 16h à 18h
Tortella, Benevenuto

**Maison Neuendorf**
Majorque
Privé, fermé au public
Pawson, John et Silvestrin, Claudio

**Médina Azahara**
Cordoue
Ouvert mar à dim
Abd al-Rahman III, calife de Cordoue

**Monastère de San Lorenzo de Trassouto**
Saint-Jacques-de-Compostelle
Ouvert lun à jeu, 11h à 13h et 16h30 à 18h30
Monastère de San Lorenzo de Trassouto

**Parc Güell**
Carrer d'Ot, Barcelone
Ouvert tlj, mai à août, 10h à 21h. Heure de fermeture variable selon les mois
Gaudí, Antonio

**Pavillon allemand**
Montjuic, Barcelone
Ouvert tlj, 10h à 20h
Mies van der Rohe

**Pazo de Oca**
Saint-Jacques-de-Compostelle
Ouvert tlj, 9h à 13h et 16h à 21h
en été
*Medinacelli, famille*

**Sol y Ombra**
Barcelone
Ouvert au public
*Pepper, Beverly*

---

## États-Unis

**Académie des Arts de Cranbrook**
North Woodward Avenue
Bloomfield Hills, Michigan
Site ouvert au public
*Saarinen, Eliel*

**Arboretum d'Arnold**
Boston, Massachusetts
Ouvert tlj, du lever au coucher
du soleil
*Sargent, Charles Sprague*

**Bank of America** (Windsocks)
Privé, fermé au public
*Delaney, Topher*

**Casa Bienvenita**
Los Angeles, Californie
Privé, fermé au public
*Mizner, Addison*

**Casa del Herero**
Santa Barbara, Californie
Privé, fermé au public
*Washington Smith, George*

**Central Park**
New York, New York
Ouvert tlj
*Olmsted, Frederick Law*

**Centre James Rose**
Ridgewood, New Jersey
Ouvert au public
*Rose, James*

**Cimetière de Mount Auburn**
Cambridge, Massachusetts
Ouvert tlj, 8h à 17h et 8h à 19h
pendant l'été
*Bigelow, Jacob*

**Dawnridge**
Los Angeles, Californie
Jardin disparu
*Duquette, Tony*

**Desert Garden, Fondation Huntington**
San Marino, Californie
Ouvert mar à ven, 12h à 16h30.
Week-end, 10h30 à 16h30.
(Fermé lun et jours fériés.) Juin

à août 10h30 à 16h30
*Hertrich, William*

**Domaine de Stan Hywet**
N. Portage, Akron, Ohio
Ouvert fin jan à mars, mar
à sam, 10h à 16h et dim 13h
à 16h. Avr à début jan tlj, 9h
à 16h
*Manning, Warren Henry*

**Douglas Garden**
Phoenix, Arizona
Privé, fermé au public
*Martino, Steve*

**Dumbarton Oaks**
Washington, DC
Ouvert tlj, avr à oct, 14h à 18h.
Nov à mars, 14h à 17h (fermé
jours fériés)
*Farrand, Beatrix*

**El Novillero**
Dewey Donnell Garden,
Sonoma, comté de Sonoma,
Californie
*Church, Thomas*

**Fallingwater** (Maison sur
la cascade)
Bear Run, Pennsylvanie
Visites sur rendez-vous
*Wright, Frank Llyod*

**Forest Lawn Memorial Park**
Glendale, Californie
Ouvert tlj
*Eaton, Dr Hubert*

**Gamble House**
Westmoreland Place,
Pasadena, Californie
Visites jeu à dim, 12h à 16h
(dernière visite 15h). Fermé les
jours fériés
*Greene et Greene*

**Grande Isle Pathway**
Grand Isle, Vermont
Privé, fermé au public
*Child, Susan*

**Hearst Castel**
San Simeon, Californie
Visites tlj (sf Thanksgiving,
dernier jeu de nov, 25 déc et
1ᵉʳ jan). Réservation
recommandée
*Hearst, William Randolph*

**IBM Solana**
Solana, Texas
Privé, fermé au public
*Walker, Peter*

**Innisfree**
Tyrell Rd, Millbrook, New York

Ouvert mai à oct, mer à ven,
10h à 16h et week-end, 11h
à 17h
*Beck, Walter et Collins, Lester*

**Jardin botanique du Missouri**
Missouri
Ouvert du Memorial Day
(dernier lun de mai) au Labor
Day (1ᵉʳ lun de sept), 9h à 20h
tlj. Reste de l'année tlj, 9h à 17h
*Raven, Peter*

**Jardin central du J. Paul Getty
Museum**
Malibu, Californie
Ouvert mar et mer, 11h à 17h. Jeu
et ven, 11h à 21h. Week-end, 10h
à 18h. Fermé lun et jours fériés
*Irwin, Robert*

**Jardin d'Alcoa Forecast**
Los Angeles, Californie
Jardin disparu
*Eckbo, Garrett*

**Jardin d'Irwin**
Columbus, Iowa
Ouvert mar à ven, 9h à 16h
*Phillips, Henry Alexander*

**Jardin de Bartram**
Philadelphie, Pennsylvanie
Ouvert tlj, 10h à 15h. Fermé
jours fériés
*Bartram, John*

**Jardin de Dow**
Midland, Michigan
Ouvert tlj (sf Thanksgiving,
dernier jeu de nov, 25 déc et 1ᵉʳ
jan), 10h jusqu'au coucher du
soleil
*Dow, Herbert*

**Jardin de Linda Taubman**
Bloomfield Hills, Michigan
Privé, fermé au public
*Pfeiffer, Andrew*

**Jardin de Plastique**
Northampton, Maryland
Privé, fermé au public
*Cardasis, Dean*

**Jardin de sculptures du MOMA**
New York, New York
Ouvert sam, dim, lun, mar et
jeu, 10h30 à 17h45. (Fermé
mer, Thanksgiving, dernier jeu
de nov, et 25 déc)
*Johnson, Philip*

**Jardin de verre**
Los Angeles, Californie
Privé, fermé au public
*Cao, Andy*

**Jardin Dickenson**
Santa Fe, Nouveau-Mexique
Privé, fermé au public
*Schwartz, Martha*

**Jardin du Lincoln Memorial**
East Lake Drive, Springfield,
Illinois
Ouvert tlj (fermé au public
pendant les vacances), du lever
au coucher du soleil
*Jensen, Jens*

**Jardin McIntyre**
Bay Area, Californie
Privé, fermé au public
*Halprin, Lawrence*

**Jardin Meyer**
Harbert, Michigan
Privé, fermé au public
*Oehme, Wolfgang et van Sweden
James*

**Jardin privé**
Virginie
Privé, fermé au public
*Winkler, Tori*

**Jardin rouge de LongHouse**
East Hampton, New York
Ouvert fin avr à sept, 14h à
17h mer, et le 1ᵉʳ et le 3ᵉ sam
du mois
*Larsen, Jack Lenor*

**Jardins suspendus du
Rockefeller Center**
New York, New York
Privé, fermé au public
*Hosack, David*

**Kykuit**
Pocantico Hills, New York
Visites possibles, tlj (sf mar),
fin avr à oct
*Bosworth, William Welles*

**Laughlin House**
Santa Monica, Californie
Jardin disparu
*Gill, Irving*

**Le Capitole**
Washington, DC
Ouvert tlj, mars à août, 9h à
18h. Sept à fév, 9h à 16h30
*Downing, Andrew Jackson et Vaux,
Calvert*

**Lawai Kai** (Jardins d'Allerton)
National Tropical Botanical
Garden, Kaua'i, Hawaï
Visites possibles mar à sam
à 9h, 10h, 13h et 14h sur
rendez-vous
*Emma, reine*

**Leitzsch Residence**
Connecticut
Privé, fermé au public
Bye, Arthur Edwin

**Longue Vue House**
Nouvelle-Orléans, Louisiane
Ouvert lun à sam, 10h à 16h30,
dim, 13h à 17h (fermé les jours
fériés)
Shipman, Ellen Biddle

**Longwood**
Philadelphie, Pennsylvanie
Ouvert tlj, nov jusqu'à
Thanksgiving, dernier jeu de
nov, 9h à 17h. Juin à août, lun,
mer, ven et sam, 9h à 18h. Avr
et mai, sept à oct, 9h à 18h.
Thanksgiving à 1er jan, 9h à 21h
Dupont, Pierre S.

**Lotusland**
Santa Barbara, Californie
Visites possibles sur
réservation. Bureau des
réservations ouvert en semaine,
9h à 12h
Walska, Ganna

**Maison Valentine**
Santa Barbara, Californie
Privé, fermé au public
Greene, Isabelle

**Manoir de Biltmore**
Asheville, Caroline du Nord
Ouvert tlj (sf Thanksgiving,
dernier jeu de nov, et 25 déc).
Avr à déc, 8h30 à 17h
Vanderbilt, George W.

**Meister Garden**
Palm Beach, Floride
Privé, fermé au public
Sanchez, Jorge

**Monticello**
Thomas Jefferson Memorial
Foundation
Charlottesville, Virginie
Ouvert mars à oct, 8h à 17h.
Nov à jan, 9h à 16h30
Jefferson, Thomas

**Mount Vernon**
Washington, DC
Ouvert tlj, avr à août, 8h à 17h.
Mars, sept et oct, 9h à 17h. Nov
à fév, 9h à 16h
Washington, George

**Naumkeag**
Prospect Hill, Stockbridge,
Maryland
Ouvert du Memorial Day

(dernier lun de mai) à
Columbus Day (2e lun d'oct),
10h à 17h
Steele, Fletcher

**Ranch de Stoney Hill**
San Francisco
Privé, fermé au public
Lutsko, Ron

**Réserve de Bloedel**
Bainbridge Island, Washington
Ouvert sur rendez-vous
Haag, Richard

**Résidence de Mount Cuba**
Wilmington, Delaware
Copeland, Pamela et Lighty, Richard

**Résidence Ellison**
San Francisco, Californie
Privé, fermé au public
Herman, Ron

**Résidence J. Irwin Miller**
Columbus, Iowa
Privé, fermé au public
Kiley, Dan

**Résidence Jungle-Yates**
Coconut Grove, Floride
Privé, fermé au public
Jungles, Raymond

**Résidence Loring**
Los Angeles, Californie
Privé, fermé au public
Neutra, Richard

**Schnabel House**
Brentwood, Californie
Privé, fermé au public
Gehry, Frank

**Show Case House**
New York, New York
Jardin disparu
Cox, Madison

**Villa Zapu**
Napa Valley, Californie
Privé, fermé au public
Hargreaves, George

**Vizcaya**
Biscayne Bay, Miami
Ouvert tlj, 9h30 à 16h30
Suarez, Diego

**Waterland**
Connecticut
Privé, fermé au public
Hall, Janis Helen

**Williamsburg colonial**
Williamsburg, Virginie
Ouvert juin à août
Shurcliff, Arthur A.

**Finlande**

**Villa Mairea**
Noormarkku
Privé, fermé au public
Aalto, Alvar

**France**

**Ancy-le-Franc**
Bourgogne
Ouvert avr à mi-nov, tlj
Serlio, Sebastiano

**Arboretum national des Barres**
Nogent-sur-Vernisson
Ouvert mi-mars à mi-nov tlj,
10h à 12h, 14 h à 18h
Groupe sur rendez-vous
Vilmorin, famille de

**Château d'Anet**
Environs de Dreux, Île-
de-France
Ouvert certains jours de l'année
l'Orme, Philibert de

**Château de Blois**
Vallée de la Loire, Loir-et-Cher
Ouvert tlj (sf 25 déc et 1er jan)
Mercogliano, Pacello di

**Château de Brécy**
Saint-Gabriel-Brécy, Caen
Ouvert Pâques à oct, mar, jeu,
et dim, 14h30 à 18h30, sinon
sur rendez-vous
Le Bas, Jacques

**Château de Chantilly**
Chantilly
Ouvert mars à oct tlj, 10h à 18h
(fermé mar de 12h45 à 14h).
Nov à fév tlj, 10h30 à 12h45
et 14h à 17h
Bullant, Jean

**Château de Chaumont**
Vallée de la Loire, Chaumont
Ouvert tlj, sf 1er jan
Blanc, Patrick et Latz, Peter

**Château de Chenonceaux**
Chenonceaux
Ouvert mi-mars à mi-sept, 9h
à 19h. Mi-sept à mi-mars, 9h
à 16h30
Poitiers, Diane de

**Château de Courances**
Courances, Île-de-France
Ouvert avr à oct, sam, dim et
jours fériés, 14h à 18h30.
Groupes sur rendez-vous
Gallard, Claude

**Château de Fontainebleau**
Fontainebleau, Île-de-France
Ouvert printemps et été tlj, 8h
à 17h45. Automne et hiver tlj,
9h à 16h45
Mollet, Claude

**Château de Méréville**
Méréville
Ouvert Pâques à oct dim, lun,
jours fériés et Ascension, 14h
à 17h. Groupes toute l'année
sur rendez-vous
Laborde, marquis Jean Joseph de

**Château de Miromesnil**
Tourville-sur-Arques
Ouvert mai à mi-oct tlj
(sf mardi), 14h à 18h
Vogue, comte et comtesse de

**Château de Versailles**
Versailles
Ouvert mai à sept tlf (sf lun),
9h à 18h30. Oct à avr, 9h à
17h30
Le Nôtre, André

**Château de Villandry**
Villandry
Ouvert tlj. Heures d'ouverture
et de fermeture variables au
cours de l'année
Carvallo, Dr Joachim

**Désert de Retz**
Allée Frédéric Passy
Chambourcy
Ouvert mars à oct, visites le
4e sam du mois à 14h30 et 16h.
Groupes sur rendez-vous
Monville, baron de

**Domaine de Marly**
Marly-le-Roi
Ouvert tlj, du lever au coucher
du soleil
Hardouin-Mansart, Jules

**Giverny, musée Claude Monet**
Giverny, Haute-Normandie
Ouvert avr à oct tlj (sf lun), 10h
à 18h
Monet, Claude

**Jardin avec arbres en béton**
Paris
Jardin disparu
Mallet-Stevens, Robert

**Jardin de Bonnieux**
Bonnieux
Privé, fermé au public
Vesian, Nicole de

**Jardin de sculptures de la
Fondation de l'UNESCO**
Place de Fontenoy, Paris

Ouvert lun à ven, 9h30 à 12h30 et 14h30 à 18h. Fermé les jours fériés
*Noguchi, Isamu*

**Jardins du Luxembourg**
Boulevard Saint-Michel, Paris
Ouvert tlj, 7h jusqu'à une heure avant le coucher du soleil. (8h en hiver)
*Boyceau, Jacques*

**Jardin Tachard**
Jardin disparu
*Legrain, Pierre-Émile*

**Jas Crema**
Privé, fermé au public
*Waldner, baronne de*

**Kerdalo**
Trédarzec
Ouvert mars à nov, le 1er samd de chaque mois, 14h à 18h, sinon sur rendez-vous
*Wolkonsky, prince Peter*

**La Malmaison**
Avenue du Château, Rueil-Malmaison, Hauts-de-Seine
Ouvert semaine (sf mardi), 9h30 à 12h et 13h30 à 17h30. Avr à sept, sam et dim 10h à 18h30. Oct à mars, sam et dim, 10h à 18h
*Joséphine, impératrice*

**La Thébaïde**
Jardin disparu
*Vera, André et Paul*

**Laiterie du Château de Rambouillet**
Rambouillet
Ouvert tlj. Heures d'ouverture et de fermeture variables au cours de l'année
*Robert, Hubert*

**Le Labyrinthe**
Fondation Marguerite et Aimé Maeght
Saint-Paul-de-Vence
Ouvert oct à juin, 10h à 12h30 et 14h30 à 18h. Juil à sept, 10h à 19h
*Miró, Joan*

**Le Père-Lachaise**
Paris
Ouvert mars à nov tlj, 7h30 à 18h. Déc à fév tlj, 8h à 17h30. Ouvert 8h30 week-end et jours fériés
*Brongniart, Alexandre-Théodore*

**Le Vasterival**
Sainte-Marguerite

Ouvert sur rendez-vous uniquement
*Sturdza, princesse Greta*

**Les Bois des Moutiers**
Varengeville-sur-Mer, environs de Dieppe
Ouvert tlj, mi-mars à mi-nov, 10h à 19h30
*Mallet, famille*

**Les Buissons Optiques**
Jardin disparu
*Lassus, Bernard*

**Les Colombières**
Menton
Sur rendez-vous uniquement
*Bac, Ferdinand*

**Palais idéal du facteur Cheval**
Hauterives
Ouvert avr à sept, 9h à 19h. Oct à nov tlj, 9h30 à 17h30. Déc à jan tlj, 10h à 16h30. Fév à mars tlj, 9h30 à 17h30
*Cheval, Joseph Ferdinand*

**Parc André Citroën**
Paris
Ouvert tlj
*Clément, Gilles et Provost, Alain*

**Parc de Bagatelle**
Bois de Boulogne, Paris
Ouvert tlj, 8h30 à 20h (9h à 17h30 hiver)
*Bélanger, François Joseph et Blaikie, Forestier, J. C. N.*

**Parc de la Villette**
Paris
Ouvert tlj
*Tschumi, Bernard*

**Parc de Terrasson**
Place du Fioral
Terrasson-Lavilledieu
Ouvert avr, mai, juin, sept jusqu'à mi-oct tlj (sf mar), 9h50 à 11h20 et 13h50 à 17h20. Juil et août, fermeture à 18h
*Gustafson, Kathryn*

**Parc des Buttes-Chaumont**
Rue Manin, Paris
Ouvert tlj, 9h au coucher du soleil
*Barillet-Deschamps, Jean-Pierre*

**Parc Jean-Jacques Rousseau**
Ermenonville
Ouvert tlj (sf mar), 14h à 18h15. Fermé du 20 déc au 10 jan
*Girardin, René-Louis, marquis de*

**Parc Monceau**
Boulevard de Courcelles, Paris
Ouvert tlj, 9h au coucher du soleil
*Carmontelle, Louis Carrogis de*

**Potager du Roi**
4, rue Hardy, Versailles
Ouvert au public
*La Quintinie, Jean-Baptiste de*

**Roseraie du Val-de-Marne**
L'Haÿ-les-Roses
Ouvert mi-mai à sept tlj, 10h à 20h30
*André, Édouard*

**Saint-Germain-en-Laye**
Rue Maurice Denis
Saint-Germain-en-Laye
Ouvert mer à dim, 10h à 17h30
*Francini, Tommaso et Alessandro*

**Verneuil-sur-Oise**
Jardin disparu
*du Cerceau, Jacques Androuet*

**Villa Bomsel**
Jardin disparu
*Lurçat, André*

**Villa Ephrussi-Rothschild**
Avenue E. de Rothschild
Saint-Jean-Cap-Ferrat
Ouvert fév à nov, 10h à 18h. Nov à fév, week-end et jours fériés, 10h à 18h et semaine, 14h à 18h
*Rothschild, Béatrix de*

**Villa Noailles**
Avenue Guy de Maupassant, Grasse
Ouvert au printemps, sur rendez-vous. Contacter l'office du tourisme de Grasse
*Noailles, Charles et Marie-Laure de*

**Villa Noailles**
Hyères
Ouvert tlj, 8h à 18h
*Guevrékian, Gabriel*

**Villa Savoye**
Rue de Villiers, Poissy
Ouvert tlj (sf mar), avr à oct, 9h30 à 12h30 et 13h30 à 18h. Nov à mars, 9h30 à 12h30 et 13h30 à 16h30. Fermé le 1er jan, 1er mai, 1er et 11 Nov et 25 déc
*Le Corbusier*

**Grèce**

**Sparoza**
Attique

Ouvert au public
*Tyrwhitt, Jacqueline*

**Hongrie**

**Esterháza**
Fertöd, Eisenstadt
Ouvert au public
*Esterházy, prince Miklós*

**Inde**

**Dilaram Bagh, Palais d'Amber**
Jaipur
Ouvert 9h à 17h30
*Bai, Jodh*

**Fatehpur Sikri**
Environs d'Agra
Ouvert au public
*Akbar, empereur*

**Jardins du Clair de lune du palais de Dig**
Agra
Ouvert au lever au coucher du soleil
*Suraj Mal, Raja de Bharatpur*

**Jardin du Rocher**
Chandigarh
Ouvert tlj (sf jeu et jours fériés), 10h à 19h
*Chand Saini, Nek*

**Nishat Bagh**
Srinagar
Ouvert au public
*Asaf Khan IV*

**Ram Bagh**
Agra
Ouvert 10h à 16h30
*Babur, empereur*

**Saheliyon ki Bari (jardins des Demoiselles d'Honneur)**
Ouvert tlj, 9h à 18h
*Sangram Singh, Maharana*

**Taj Mahal**
Agra
Ouvert tlj (sf lun), 6h à 19h
*Shah Jahan*

**Iran**

**Bagh-e Shahzadeh**
Mahann
Ouvert au public
*Musgrave, gouverneur de Kerman*

**Bagh-e Takht**
Chiraz
Ouvert au public

Atabak Qaracheh, gouverneur
de Chiraz

**Grotte de Taq-e-Bostan**
Kermanshah
Ouvert au public
*Khosro II Abharvez*

**Palais Apadana**
Persépolis
Ouvert au public
*Darius I$^{er}$*

**Palais de Golestan**
Téhéran
Ouvert au public
*Fath Ali Shah*

**Palais de Ninive**
Ouvert au public
*Assurbanipal, roi*

**Palais de Pasargades**
Ouvert au public
*Cyrus le Grand*

## Irlande

**Carton**
Comté de Kildare
Privé, fermé au public
*Leinster, I$^{er}$ duc et duchesse
d'Irlande*

**Château de Coole**
Comté de Fermanagh
Ouvert tlj (sf jeu), 13h à 18h
*Fraser, James*

**Château de Glenveagh**
Churchill, Letterkenny, comté
Donegal
Ouvert mi-avr à nov tlj, 10h
à 18h30
*Roper, Lanning*

**Glasnevin**
National Botanic Gardens
Glasnevin, Dublin
Ouvert tlj (sf 25 déc), 9h à 18h
en été et 10h à 16h30 en hiver.
Ouvert à 11h le dim
*Niven, Ninian*

**Kilruddery**
Bray, comté de Wicklow
Ouvert avr à sept tlj, 13h à 17h
*Meath William, 11$^e$ comte de*

**Powerscourt**
Enniskerry, comté de Wicklow
Ouvert tlj (sf 25 et 26 déc),
9h30 à 17h30 ou coucher du
soleil
*Powerscourt, 7$^e$ vicomte*

## Italie

**Château de Ruspoli**
Vignanello
Ouvert dim, 10h à 14h
*Orsini, Ottavia*

**Cour du Belvédère**
Jardins du Vatican, Cité du
Vatican, Rome
Ouvert sur rendez-vous
uniquement
*Bramante, Donato d'Angelo dit*

**Isola Bella**
Lac Majeur
Ouvert mars à sept tlj, 9h à 12h
et 13h30 à 17h. Oct tlj, 13h30
à 17h
*Borromeo, comte Carlo III*

**Jardin botanique**
Via Orto Botanico, Padoue
Ouvert avr à oct tlj, 8h30 au
coucher du soleil
*Moroni, Andrea*

**Jardins Boboli**
Palais Pitti, Florence
Ouvert tlj (sf I$^{er}$ et dernier lun
du mois), 9h. Fermeture selon
la saison
*Tribolo, Niccolò*

**Jardin de Ninfa**
Rome
Ouvert avr à nov, I$^{er}$ sam et
dim du mois. Avr à juin, 3$^e$ dim
de chaque mois. I$^{er}$ mai, visite
guidée uniquement
*Caetani, famille*

**Jardin du repos**
Brion
Ouvert au public
*Scarpa, Carlo*

**Jardin du Tarot**
Pescia Fiorentina, Capalbio
Visites de groupes le I$^{er}$ sam de
chaque mois sur rendez-vous
*Saint-Phalle, Niki de*

**Jardin Guisti**
Via Guisti 2, Vérone
Ouvert tlj, 8h à 20h en été,
jusqu'au coucher du soleil
en hiver
*Trezza, Luigi*

**La Mortella**
Via Calise, Fofia, Île d'Ischia
Ouvert avr à oct, mar, jeu, sam
et dim, 9h à 17h
*Page, Russell*

**La Mortola**
Jardins botaniques de
La Mortola
Ouvert nov à mars tlj (sf mer), 10h
à 16h. Avr à mi-juin et oct, 10h
à 17h. Mi-juin à sept, 9h à 18h
*Hanbury, sir Thomas*

**La Pietra**
Via Bolognese, Florence
Sur rendez-vous uniquement
*Acton, Arthur*

**La Reggia de Caserta**
Caserta, Naples
Ouvert tlj (sf 25 déc, I$^{er}$ jan et I$^{er}$
mars), au coucher du soleil
*Vanvitelli, Carlo*

**Maison de Tibernitus Loreius**
Ouvert au public
*Tibernitus*

**Préneste**
Jardin disparu
*Sulla*

**Sacro Bosco**
Parco dei Mostri, Bomarzo
Ouvert tlj
*Bomarzo, Orsini, duc de*

**Villa Adriana**
Tivoli
Ouvert tlj, 9h à 18h30
*Hadrien, empereur*

**Villa Aldobrandini**
Via G. Massaia, Tivoli, Latium
Sur rendez-vous uniquement, lun
à sam, 8h30 jours fériés, 9h à 13h
*Maderno, Carlo*

**Villa Barbaro**
Village de Maser
District de Trévise
Ouvert mars à sept, mar, sam
et dim, 15h à 18h. Oct à fév,
14h30 à 17h
*Palladio, Andrea*

**Villa Borghèse**
Rome
Ouvert tlj (sf le jardin secret),
du lever au coucher du soleil
*Borghèse, cardinal Scipione*

**Villa Chigi Cetinale**
Sovicille, Sienne
Ouvert sur rendez-vous
uniquement
*Fontana, Carlo*

**Villa Cicogna Mozzoni**
Lac de Côme, Piazza Cicogna,
Bisuchio
Ouvert fin mars à sept, dim et

jours fériés, 9h30 à 12h et 14h30
à 17h. Août tlj, 14h30 à 19h
*Mozzoni, comte Ascanio*

**Villa Cimbrone**
Via Santa Chiara, Ravello
Ouvert tlj, 9h jusqu'au coucher
du soleil
*Mansi, Nicola*

**Villa d'Este**
Piazza Trento, Tivoli
Ouvert tlj (sf 25 déc, I$^{er}$ jan et
I$^{er}$ mai), 9h à une heure avant le
coucher du soleil
*Ligorio, Pirro*

**Villa Gamberaia**
Via del Rossellino, Florence
Ouvert sur rendez-vous
uniquement
*Capponi, famille*

**Villa Garzoni**
Via di Castello, Collodi,
Toscane
Ouvert tlj, fév à nov, 9h
jusqu'au coucher du soleil
*Garzoni, Romano*

**Villa I Tatti**
Près de Florence,
Ouvert sur rendez-vous
uniquement
*Pinsent, Cecil*

**Villa Il Roseto**
Via Beato Angelico, Fiesole
Ouvert du lun au ven, 9h à 13h
*Porcinai, Pietro*

**Villa Lante**
Via J. Barozzi, Bagnaia
Ouvert tlj (sf jours fériés), 9h à
une heure avant le coucher du
soleil
*Vignole, Giacomo Barozzi dit le*

**Villa laurentienne**
Rome antique
Jardin disparu
*Pline le Jeune*

**Villa Madama**
Jardin disparu
*Raphaël*

**Villa Médicis**
Via Mantellini, Fiesole
Ouvert sur rendez-vous
uniquement
*Michelozzi, Michelozzo*

**Villa Pisani**
Padoue
Ouvert tlj (sf lun)
*Frigimelica, Girolamo*

**Villa Pratolino**
Parco Demidoff, Via
Bolognese, Florence
Ouvert dim uniquement
*Buontalenti, Bernardo*

**Villa Reale**
Via Villa Reale, Marlia,
Lucques
Ouvert mars à nov tlj (sf lun)
*Bacciocchi, Elisa*

**Villa Taranto**
Lac Majeur, Via Nazionale del
Sempione Sud, Stresa
Ouvert mi-mars à fin oct tlj,
9h à 18h
*McEarcharn, Neil*

## Japon

**École d'Omote Senke**
Kyoto
Sur rendez-vous uniquement
*Rikkyu, Sen no*

**Entsu-ji**
Kyoto
*Gyokuen*

**Ginkaku-ji** (pavillon d'Argent)
Kyoto
Ouvert mi-mars à fin nov, 8h30
à 17h30. Déc à mi-mars, 9h à
16h30
*Ashikaga, Yoshimasa*

**Jardin des Beaux-Arts**
Musée national de Kyoto
Ouvert tlj 9h à 16h30. Fermé
lun et entre le 26 déc et le
3 jan
*Ando, Tadao*

**Kinkaku-ji** (pavillon d'Or)
Kyoto
Ouvert avr à sept, 8h30 à
17h30. Oct à mars, 8h30 à 17h
*Yoshimitsu, Ashikaga*

**Kodai-ji**
Kyoto
Ouvert déc à mars, 9h à 16h.
Avr à nov, 9h à 14h30
*Mandokora, Kita no*

**Nanzen-ji**
Kyoto
Ouvert déc à fév, 8h40 à 16h30.
Mars à nov, 8h40 à 17h
*Enshu, Kobori*

**Palais détaché de Katsura**
Kyoto
Sur rendez-vous uniquement
*Toshihito, prince*

**Parc Joju-en**
Kumamoto
Ouvert 9h à 17h. Fermé lun
*Hosogawa, Tadayoshi*

**Résidence Chichibu**
Tokyo
Privé, fermé au public
*Suzuki, Shodo*

**Ryôan-ji**
Kyoto
Ouvert déc à fév, 8h30 à 16h30.
Mars à nov, 8h40 à 17h
*Sôami*

**Saiho-ji**
Kyoto
Prendre rendez-vous au temple
*Kokushi, Muso*

**Sambo-in**
Fushimi (près de Kyoto)
Ouvert mars à oct, 9h à 17h.
Ferme une heure plus tôt
chaque mois
*Hideyoshi, Toyotomi*

**Shoden-ji**
Kyoto
Ouvert 9h à 17h
*Shoden-ji, Sensai de*

**Shugaku-in**
Kyoto
Prendre rendez-vous à la
Maison impériale
*Gomizunoô, empereur*

**Site des Destinées réversibles**
Kyoto
Ouvert 9h à 17h. Fermé lun,
25 déc et 1er jan
*Arakawa Shushaku et Gins Madelin*

**Tenryu-ji**
Kyoto
Ouvert avr à oct, 8h30 à 17h30.
Nov à mars, 8h30 à 17h
*Ashikaga, Takauji*

**Tofuku-ji**
Kyoto
*Shigemori, Mirei*

**Villa Murin-an**
Kyoto
*Ogawa, Jigei*

## Maroc

**Jardins de la Ménara**
Marrakech
Ouvert au public
*Almohade, empire*

**Jardin de Majorelle**
Marrakech
Ouvert tlj
*Majorelle, Jacques*

## Mexique

**Las Pozas**
Las Pozas, San Luis Potosí
Ouvert au public
*James, Edward*

**San Cristobal**
Ouvert sur rendez-vous
*Barragán, Luis*

## Nouvelle-Zélande

**Jardins botaniques d'Otari**
Wellington
Centre de renseignements
ouvert 9h à 16h du lun au ven ;
10h à 16h les week-end
*Wilton, Job et Cockayne, Dr
Leonard*

**Jardin de rhododendrons
de Pukeiti**
Carrington Road
New Plymouth, Taranaki
Ouvert tlj
*Cook, Douglas William*

**Jardin Sanders**
Auckland
Privé, fermé au public
*Smyth, Ted*

## Pakistan

**Jardins de Shalimar**
Lahore
Ouvert au public
*Jahangir*

## Pays-Bas

**Arboretum de Trompenberg**
Rotterdam
Ouvert avr à sept, lun à ven, 9h
à 17h. Oct à mars, lun à sam.
*Van Hoey Smith, famille*

**Het Loo**
Koninklijk Park, Apeldoorn
Ouvert mar à dim, 10h à 17h.
Ailes est et ouest, 13h. Fermé
lun et 1er jan
*Marot, Daniel et Roman, Jacob*

**Hofwijfck**
Jardin disparu
*Huygens, Constantijn*

**Honselaarsdijk**
Jardin disparu
*Frédéric-Henri, prince*

**Huis ten Bosch**
Jardin disparu
*Post, Pieter*

**Hummelo**
Kwekerij Piet Oudolf, Arnhem
Privé, fermé au public
*Oudolf, Piet*

**Jardin botanique de Leiden**
Université de Leiden
Ouvert au public
*Clusius, Carolus (Charles de
l'Écluse)*

**Jardin Ton ter Linden**
Achterma, Ruinen
Ouvert au public
*Linden, Ton ter*

**Kleve**
Jardin disparu
*Van Campen, Jacob*

**Mien Ruys Tuinen**
Dememsvaart
Ouvert avr à oct, lun à sam,
10h à 17h, dim, 13h à 17h
*Ruys, Mien*

**Parc du musée Kröller-Müller**
Hoge Veluwe
Houtkampweg, Otterlo
Ouvert tlj (sf lun), 10h à 16h30
*Bijhouwer, Jan*

**Parc Thijsse**
Amstelveen
Ouvert au public
*Thijsse, Jacob P.*

**VSB Bank**
Utrecht
Ouvert au public
*Geuze, Adriaan*

## Pologne

**Arkadia**
Nieborow
Ouvert au public
*Radziwill, princesse Helena*

**Lancut**
Village de Lancut
Ouvert au public
*Czartoryska, duchesse Izabelle*

**Nieborów**
Annexe du musée national de
Varsovie
Ouvert au public
*Zug, Szymon Bogumil*

**Parc de Lazienki**
Varsovie
Ouvert au public
*Stanislas II Poniatowski*

**Wilanów**
Varsovie
Ouvert tlj, 9h jusqu'au coucher du soleil
*Boy, Adolf et Ciolek, Gerard*

## Portugal

**Casa de Mateus**
Vila Real
Ouvert tlj, 9h à 17h en été, 10h à 17h en hiver
*Nasoni, Niccolò*

**Palais du marquis de Pombal**
Oeiras, Lisbonne
Ouvert au public
*Mardel, Carlos*

**Palais de Queluz**
Queluz, Lisbonne
Ouvert tlj (sf mar et jours fériés). Mai à oct, 10h à 18h30.
Nov à avr 10h à 17h
*Oliveira, Mateus Vicente de et Robillon, Jean-Baptiste*

**Palais des marquis de Fronteira**
Lisbonne
Ouvert tlj (sf dim et jours fériés)
*Fronteira, marquis de*

**Quintas da Regaleira**
Fundaçao Cultursintra, Sintra
Ouvert tlj. Fermé en fév
*Monteiro, Antonio Carvalho et Manini, Luigi*

**Quinta de Aveleda**
Penafiel
Ouvert tlj, 9h à 17h30
*Guedes, Manoel Pedro*

**Quinta do Palheiro Ferreiro**
Madère
Ouvert lun au vend, 9h30 à 12h30. Fermé 25 déc, 1ᵉʳ jan, 1ᵉʳ mai et Pâques
*Blandy, famille*

## Roumanie

**Parc de sculptures de Targu Jiu**
Ouvert au public
*Brancusi, Constantin*

## Royaume-Uni

**48 Storey's Way**
Cambridge
Privé, fermé au public
*Baillie Scott, M. Hugh*

**Abbaye d'Anglesey**
Lode, Cambridgeshire
Ouvert mars à juil, mer à dim et jours fériés. Juil à sept tlj, 11h à 17h30
*Fairhaven, 1ᵉʳ baron*

**Abbaye de Tresco**
Îles Sorlingues, Cornouailles
Ouvert, 10h à 16h
*Smith, Augustus*

**Abbaye de Woburn**
Woburn, Bedfordshire
Ouvert mars à sept tlj
*Caus, Isaac de*

**Alton Towers**
Alton, Staffordshire
Ouvert tlj, 9h30 à 18h
*Allason, Thomas et Abraham, Robert*

**Arboretum de Derby**
Derby, Elvaston, Derbyshire
Ouvert tlj
*Loudon, John Claudius*

**Arboretum de Westonbirt**
Sud-ouest de Tetbury, Gloucestershire. Ouvert tlj
*Holford, Robert Stayner*

**Arley Hall**
Près de Northwich, Cheshire
Ouvert à oct, mar à dim et jours fériés, 11h à 17h
*Egerton-Warburton, R. E.*

**Arundel House**
Londres
Jardin disparu
*Jones, Inigo*

**Ascott**
Ascott, Wing, Leighton Buzzard, Buckinghamshire
Ouvert mai à août, mer et dernier dim du mois. Avr et sept tlj (sf lun), 14h à 18h
*Veitch, sir Harry*

**Ashton Wold**
Ashton, Northants
Privé, fermé au public
*Rothschild, Miriam de*

**Athelhampton Manor**
Athelhampton, Dorset
Ouvert mars à oct tlj (sf sam).
Nov à fév, dim, 10h30 à 17h
*Thomas, Inigo*

**Beckford's Ride**
Lansdowne Cemetery, environs de Bath
Jardin disparu
*Beckford, William*

**Belsay Hall**
Belsay, près de Ponteland, Northumberland
Ouvert tlj (sf du 24 au 26 déc et 1ᵉʳ jan), 10h à 18h ou au coucher du soleil
*Middleton, sir Arthur*

**Bentley Wood**
Sussex
Privé, fermé au public
*Tunnard, Christopher*

**Biddulph Grange**
Biddulph, Staffordshire
Ouvert 25 mars au 29 oct, mer, jeu et ven, 12h à 18h. Sam, dim et jours fériés, 11h à 18h. Fermé le 21 avr
*Bateman, James et Cooke, Edward*

**Brantwood**
Coniston, Cumberland
Ouvert mi-mars à mi-nov tlj, 11h à 17h30
*Ruskin, John*

**Broughton House**
Kirkcudbright, Dumfries et Galloway
Ouvert tlj, avr à oct, 13h à 17h30. Juil et août ouvert à partir de 11h
*Hornel, Edward Atkinson*

**Castle Howard**
York, North Yorkshire
Ouvert mi-mars à oct tlj, 10h à 16h30
*Vanbrugh, sir John*

**Castel Scotney**
Lamberhurst, Kent
Ouvert mars, week-end, jeu et ven, 11h à 18h ; sam et dim, 14h à 18h ; jours fériés, 12h à 18h
*Gilpin, William Sawrey*

**Castel Tor**
Devon
Privé, fermé au public
*Harrild, Frederick*

**Château d'Elvaston**
Derby, Derbyshire
Ouvert tlj
*Barron, William*

**Château de Caerhays**
St Austell, Cornouailles
Ouvert mars à mai, lun à ven, 11h à 16h
*Williams, John Charles*

**Château de Downton**
Près de Ludlow, Herefordshire
Privé, fermé au public
*Knight, Richard Payne*

**Château de Drummond**
Muthill, Perthshire, Écosse
Ouvert mai à oct tlj et Pâques, 14h à 18h
*Kennedy, Lewis et George*

**Château de Kellie**
Pittenweem, Fife, Écosse
Ouvert tlj
*Lorimer, sir Robert Stodart*

**Château de Powis**
Powys, Pays de Galles
Ouvert avr à oct tlj, sf lun et mar (mais ouvert jours fériés), 11h à 18h. Ouvert mar en août
*Rochford, comte de*

**Chatsworth**
Bakewell, Derbyshire
Ouvert mi-mars à oct tlj, 11h à 17h
*Paxton, sir Joseph*

**Chelsea Physic Garden**
Royal Hospital Road, Londres
Ouvert avr à oct, mer, 12h à 17h. Dim, 14h à 18h
*Sloane, sir Hans*

**Chelsea Flower Show**
Jardin temporaire
*Bradley-Hole, Christopher*

**Chiswick House**
Chiswick, Londres
Ouvert tlj, 8h30 au coucher du soleil
*Burlington, Lord*

**Coleton Fishacre**
Kingswear, Dartington, Devon
Ouvert avr à oct, mer, dim et jours fériés, 10h30 à 17h30. Ouvert aussi le dim en mars, 14h à 17h
*Milne, Oswald*

**Cottesbrooke Hall**
Creaton, Northamptonshire
Ouvert de Pâques à fin sept,

515

mer, jeu, ven et jours fériés, le
lun (dim après-midi en sept),
14h à 17h30
*MacDonald-Buchanan, famille*

**Cowley Manor**
Cowley, Gloucestershire
Ouvert mai à oct tlj (sf lun, ven
et jours fériés), 10h à 18h.
Sinon sur rendez-vous
*Kingsbury, Noël*

**Cragside**
Rothbury, Morpeth,
Northumberland
Ouvert avr à oct tlj (sf lun), et
jours fériés, 10h30 à 19h. Nov
à déc, week-end, 10h30 à 19h
*Armstrong, Lord*

**Dartington Hall**
Dartington, Devon
Ouvert tlj, du lever au coucher
du soleil
*Cane, Percy*

**Denmans**
Fontwell, West Sussex
Ouvert mars à oct tlj, 9h à 17h
*Brookes, John*

**Dôme du Millennium**
North Greenwich, Londres
*Pearson, Dan*

**Downe House**
Downe, Kent
Ouvert avr à oct, mer à dim,
10h à 18h. Mars, nov à jan, mer
à dim, 10h à 16h
*Darwin, Charles*

**Dunmore Park**
Au nord de Airth, Écosse
Ouvert tlj, 9h30 au coucher
du soleil
Réservation au Landmark Trust
*Dunmore, Lord*

**Eagles' Nest**
Zennor, Cornouailles
Privé, fermé au public
*Heron, Patrick*

**East Lambrook Manor**
South Petherton, Somerset
Ouvert lun à sam, 10h à 17h
*Fish, Margery*

**Eden Project**
Bodelva, Cornouailles
*Grimshaw, Nicholas et Partners*

**Enstone**
Oxfordshire
Jardin disparu
*Bushell, Thomas*

**Erddig**
Clwyd, Pays de Galles
Ouvert mars à nov, sam à mer,
11h à 18h ou jusqu'au coucher
du soleil
*Emes, William*

**Ferme de Bayleaf**
Weald et Downland Open Air
Museum
Singleton, Chichester, Sussex
Ouvert mars à oct tlj, 10h30 à
18h. Nov à fév, mer, sam et
dim, 10h30 à 16h. Du 26 déc au
1er jan tlj, 10h30 à 16h
*Landsberg, Sylvia*

**Folly Farm**
Reading, Berkshire
Ouvert dans le cadre des
Journées des National Gardens
*Lutyens, sir Edwin Landseer*

**Fondation Henry Moore**
Much Hadham, Hertfordshire
Ouvert sur rendez-vous, avr à
mi-oct tlj, visites guidées,
14h30
*Moore, Henry*

**Forêt de Grizedale**
Grizedale, Hawkshead
Ambleside, Cumberland
Ouvert tlj, du lever au coucher
du soleil
*Goldsworthy, Andy*

**Friar Park**
Henley on Thames,
Oxfordshire
Privé, fermé au public
*Crips, sir Frank*

**Fulham Garden**
Londres
Privé, fermé au public
*Noel, Anthony*

**The Garden in Mind**
Stansted Park, Rowlands
Castle, Derbyshire
Ouvert mars à oct, 13h à 17h
*Hicks Ivan*

**Goldney Hall**
Lower Clifton Hill, Bristol
Privé, fermé au public
*Goldney, Thomas*

**Gravetye Manor**
East Grinstead, West Sussex
Ouvert aux résidents de l'hôtel
*Robinson, William*

**Great Dixter**
Northiam, Rye, East Sussex
Ouvert avr à oct tlj (sf lun, mais
ouvert les jours fériés), 14h à
17h
*Lloyd, Christopher*

**Great Maytham Hall**
Près de Ashford, Kent
Ouvert mai à sept, mer et jeu,
14h à 17h
*Burnett, Frances Hodgson*

**Hackfall**
Grewelthorp, North Yorkshire
Ouvert tlj
*Aislabie, William*

**Hafod**
Pwllpeiran, Pays de Galles
Ouvert tlj
*Johnes, Thomas*

**Hanbury Hall**
Droitwich, Worcestershire
Ouvert mi-mars à mi oct, dim à
mer, 14h à 18h
*London, George*

**Harewood House**
Harewood, Leeds,
West Yorkshire
Ouvert avr à oct tlj. Nov à mi-
déc, week-end, 10h à 18h ou
jusqu'au coucher du soleil
*Barry, sir Charles*

**Hatfield House**
Hatfield, Hertfordshire
Ouvert mi-mars à mi-sept tlj
(sf lun, mais ouvert les jours
fériés), 10h30 à 20h. West
Gardens (sf lun et ven),
11h à 18h
*Salisbury, marquise de*

**Heveningham Hall**
Privé, fermé au public
*Wilkie, Kim*

**Hever Castle**
Edenbridge, Kent
Ouvert mars à nov tlj, 11h à 18h
*Pearson et Cheal*

**Hidcote Manor**
Chipping Campden,
Gloucestershire
Ouvert avr à nov tlj (sf mar et
ven). Juin et juil, ouvert aussi le
mar, 11h à 19h ou jusqu'au
coucher du soleil
*Johnston, Lawrence*

**Highnam Court**
Highnam, Gloucestershire
Ouvert avr à oct, le 1er dim du
mois, 11h à 17h
*Pulham, James*

**Hill Top**
Jardin de Beatrix Potter
Près de Sawrey, Ambleside
Ouvert tlj (sf jeu et ven) et le
vendredi saint, 11h à 17h
*Potter, Beatrix*

**Holkham Hall**
Well-next-the-Sea, Norfolk
Ouvert fin mai à fin sept, tlj
(sf ven et sam), 13h à 17h
*Nesfield, William Andrews*

**Iford Manor Garden**
Bradford-on-Avon, Wiltshire
Ouvert mai à sept tlj (sf lun,
mais ouvert les jours fériés),
avr et oct, dim, 14h à 17h
*Peto, Harold*

**Inverewe**
Inverewe Garden
Poolewe, Ross et Cromarty
Ouvert tlj
*Mackenzie, Osgood*

**Jardins d'agrément de Vauxhall**
Jardin disparu
*Tyers, Jonathan*

**Jardin de Bodnant**
Gwynedd, Pays de Galles
Ouvert mi-mars à oct tlj, 10h à 17h
*Aberconway, 2e baron*

**Jardin de Claremont**
Esher, Surrey
Ouvert tlj (sf lun), nov à mai,
10h à 17h (en été, jours
ouvrables jusqu'à 18h et week-
end jusqu'à 19h)
*Bridgeman, Charles*

**Jardin de Gibberd**
Harlow
Ouvert avr à sept, sam à dim,
14h à 18h
*Gibberd, sir Frederick*

**Jardin de Golders Green**
Londres
Privé, fermé au public
*Cooper, Paul*

**Jardins de gravier**
Colchester, Essex
Ouvert mars à oct, lun à sam,
9h à 17h
*Chatto, Beth*

**Jardin de Painshill**
Cobham, Surrey
Ouvert avr à oct tlj (sf lun, mais
ouverts les jours fériés), 10h30
à 18h30 ; nov à mars tlj (sf lun
et ven), 11h à 16h
*Hamilt*

Jardin de rosée
Aylesbury, Buckinghamshire
Jardins temporaires
Parsons, Chris

Jardin de Savill
Windsor Great Park
Windsor, Berkshire
Ouvert mars à oct tlj, 10h à 18h
(nov à fév, 16h)
Savill, sir Eric

Jardin de sculptures de
Barbara Hepworth
Barnoon Hill, St Ives,
Cornouailles
Ouvert toute l'année, mar à dim.
Juil et août tlj, 10h30 à 17h30
Hepworth, Barbara

Jardin de Sissinghurst
Sissinghurst, Kent
Ouvert avr à mi-octs, mar à ven,
13h à 18h30 ; week-end, 10h à
17h30
Sackville-West, Vita

Jardin des Spéculations
cosmiques
Portrack, Écosse
Privé, fermé au public
Jencks, Charles

Jardins de Stowe
Buckingham,
Buckinghamshire
Ouvert avr à oct, mer à dim et
jours fériés
Grenvill-Temple, Richard, comte de
Temple

Jardin de Twickenham
Grotte de Pope, Londres
Ouvert sur rendez-vous
Pope, Alexander

Jardin de Westbury Court
Westbury-on-Severn,
Gloucestershire
Ouvert avr à oct, mer à dim et
jours fériés, 11h à 18h
Colchester, Maynard

Jardin Forsters
Londres
Privé, fermé au public
Silva, Roberto

Jardin privé
Ascott, Wing, Leighton
Buzzard,
Buckinghamshire
Privé, fermé au public
Lennox-Boyd, Arabella

Jardin rococo de Painswick
Painswick, Gloucestershire

Ouvert jan à nov, mer à dim ;
juil à août tlj, 11h à 17h
Robins, Thomas

Jardin suspendu de Derry et
Toms
Kensington High Street,
Londres
Ouvert sur rendez-vous tlj, de
9h à 17h
Hancock, Ralph
on, Charles et Lane, Joseph

Kelmscott Manor
Kelmscott, Gloucestershire
Ouvert avr à sept, mer et 3ᵉ sam
de chaque mois, 11h à 13h et
14h à 17h
Morris, William

Kew Gardens
Kew, Richmond, Londres
Ouvert tlj (sf 25 déc et 1ᵉʳ jan),
9h30 à 19h30 ou jusqu'au
coucher du soleil. Palmeraie
ouverte à des heures
différentes au cours de l'année
Burton, Decimus et Richard Turner,
Chambers, William

Lamport Hall
Lamport, Northamptonshire
Ouvert Pâques à oct, dim et
jours fériés, 14h15 à 17h15
Isham, sir Charles

Le jardin suisse
Old Warden, Bedford
Bedfordshire
Ouvert mars à sept tlj
Ongley, Lord

Les jardins perdus de Heligan
Pentewan, St Austell,
Cornouailles
Ouvert tlj (sf 24 et 25 déc),
10h à 18h (17h en hiver)
Smit, Tim

Levens Hall
Kendal, Cumberland
Ouvert avr à oct tlj (sf ven
et sam), 10h à 17h
Beaumont, Guillaume

Little Peacocks
Filkins, Lechlade,
Gloucestershire
Ouvert dans le cadre des
National Gardens
Colvin, Brenda

Little Sparta
Lanarkshire, Écosse
Fermé au public
Hamilton Finlay, Ian

Maison en os de Caledon
Comté de Tyrone
Privé, fermé au public
Orrery, John, 5ᵉ comte de

Manoir de Barnsley
Barnsley, Gloucestershire
Ouvert fév à mi-déc, lun, mer,
jeu et sam, 10h à 17h30
Verey, Rosemary

Mellerstain House
Gordon, Berwickshire, Écosse
Ouvert avr à sept tlj (sf sam) ;
et Pâques, 12h30 à 17h30
Blomfield, sir Reginald

Montacute House
Montacute, Yeovil, Somerset
Ouvert avr à oct tlj (sf mar), 11h
à 17h30. Nov à mars, mer à
dim, 11h30 à 16h30 ou
jusqu'au coucher du soleil
Phelips, sir Edward

Moonhill
Jardin disparu
Mawson, sir Thomas

Moorhouse
Londres
Jardin disparu
More, Thomas

Mottisfont Abbey
Mottisfont, Hampshire
Ouvert mi-mars à mi-oct, sam
à mer, 12h à 18h ou jusqu'au
coucher du soleil
Thomas, Graham Suart

Mount Stewart
Newtownards, comté de Down
Ouvert avr à sept tlj ; mars,
dim. Oct, sam et dim, 11h à 18h
Londonderry, Edith, 7ᵉ marquise de

Munstead Wood
Goldalming, Surrey
Ouvert certains jours, 14h à 18h
Jekyll, Gertrude

Myddelton House
Bulls Cross, Enfield, Londres
Ouvert jours ouvrables, 10h à
16h30. Avr à oct, également
dim et jours fériés, 14h à 17h30
Bowles, Edouard Augustus

Nymans
Handcross, près de Haywards
Heath, West Sussex
Ouvert mars à oct, mer à dim
et les jours fériés ; nov à fév,
week-end, 11h à 18h ou
jusqu'au coucher du soleil
Messel, Ludwig et Leonard

Old Vicarage
East Ruston Old Vicarage,
près de Stalham, Norfolk
Ouvert avr à fin oct, mer, dim
et jours fériés, 14h à 17h
Robeson et Gray

Packwood House
Solihull, Warwickshire
Ouvert mars à oct, mer à dim
et jours fériés, 10h à 17h30 ou
jusqu'au coucher du soleil
Baron Ash, Graham

Palais de Blenheim
Woodstock, Oxfordshire
Parc ouvert tlj (sf 25 déc), 9h
au coucher du soleil
Brown, Lancelot « Capability »,
Duchêne, Achille

Parc de Bramham
Wetherby, West Yorkshire
Ouvert fév à sept tlj, 10h30 à 17h30
Bingley, Robert Benson, Lord

Parc Tatton
Knutsford, Cheshire
Ouvert avr à oct, mar à dim et
jours fériés, 10h30 à 18h
(11h à 16h en hiver)
Egerton, 3ᵉ baron

Parc de Sheringham
Upper Sheringham, Norfolk
Ouvert tlj, du lever au coucher
du soleil
Repton, Humphry

Palais de Nonsuch
Surrey
Jardin disparu
Lumley, Lord

Parc d'Hawkstone
Shrewsbury, Shropshire
Ouvert juil à août tlj. Avr à juin
et sept à oct, mer à dim. Jan à
mars, week-end, 10h30 à 18h
ou jusqu'au coucher du soleil
Hill, sir Rowland et sir Richard

Pavillon royal
Brighton, East Sussex
Ouvert tlj
Nash, John

Penicuik
Près d'Édimbourg, Écosse
Privé, fermé au public
Clerk, sir John

Plas Brondanw
Nord du Pays de Galles
Ouvert tlj, 9h30 à 17h30
Williams-Ellis, Clough

**Port Lympne**
Lympne, près de Hyde, Kent
Ouvert tlj
*Tilden, Philip Armstrong*

**Prior Park**
Bath, Somerset
Ouvert fin avr à sept tlj (sf
mar), 11h à 17h30
*Allen, Ralph*

**Privy Garden de Hampton
Court**
East Mosely, Londres
Ouvert tlj, du lever au coucher
du soleil
*Guillaume III et Wise, Henry*

**Prospect Cottage**
Dungeness, Kent
Privé, fermé au public
*Jarman, Derek*

**Renishaw Hall**
Eckington, Derbyshire
Ouvert avr à sept, ven, sam,
dim et jours fériés, 10h30 à
16h30
*Sitwell, sir George*

**Rodmarton Manor**
Rodmarton, Gloucestershire
Ouvert mai à août, mer, sam et
jours fériés, 14h à 17h
*Barnsley, Ernest*

**Rousham**
Steeple Aston, Oxfordshire
Ouvert tlj, 10h à 16h30
*Kent, William*

**Royal Botanic Garden**
Inverleith Row, Édimbourg
Ouvert tlj (sf 25 déc et 1er jan)
*McNab, James*

**Rydal Mount**
Ambleside, Cumberland
Ouvert mars à oct tlj, 9h30 à
14h. Nov à fév tlj (sf mar), 10h
à 16h
*Wordsworth, William*

**Saint Paul's Waldenbury**
Whitwell, Hertfordshire
Ouvert certains jours de
l'année,
14h à 19h
*Bowes-Lyon, sir David*

**Sezincote**
Moreton-in-Marsh,
Gloucestershire
Ouvert jan à nov, jeu, ven et
jours fériés, 14h à 18h ou
jusqu'au coucher du soleil
*Cockerell, Samuel Pepys*

**Shugborough**
Great Haywood, Staffordshire
Ouvert fin mars à sept tlj (sf
lun). Oct, dim seulement, 11h à
17h
*Wright, Thomas*

**Silverstone Farm**
Privé, fermé au public
*Carter, George*

**Stourhead**
Près de Warminster, Wiltshire
Ouvert tlj
*Hoare II, Henry*

**Strawberry Hill**
St Mary's University College
Twickenham, Londres
Ouvert Pâques à oct, dim
*Walpole, Horace*

**Studley Royal**
Ripon, North Yorkshire
Ouvert tlj (sf 24 déc, 25 déc
et le ven, nov à jan)
*Aislabie, John*

**Sutton Courtenay**
Sutton Park, Sutton-on-the
Forest, North Yorkshire
Ouvert avr à sept, dim et mer.
Pâques, 13h30 à 17h
*Lindsay, Norah*

**Sutton Place**
Guildford, Surrey
Ouvert aux groupes, sur
rendez-vous
*Jellicoe, sir Geoffrey*

**Syon House**
Syon Park, Brentford, Londres
Ouvert tlj (sf 25 et 26 déc), 10h
à 17h30 ou jusqu'au coucher
du soleil
*Fowler, Charles*

**Terrace de Rievaulx**
Rievaulx, North Yorkshire
Ouvert avr à sept tlj, 10h30 à
18h (ou 17h en avr jusqu'en
oct)
*Duncombe III, Thomas*

**The Grove**
Oxfordshire
Privé, fermé au public
*Hicks, David*

**The Laskett**
Hertfordshire
Ouvert sur rendez-vous
uniquement
*Strong, sir Roy et Oman, Dr Julia
Trevelyan*

**The Leasowes**
Halesowen, Warwickshire
Ouvert tlj
*Shenstone, William*

**Turn End**
Townside, Haddenham
Buckinghamshire
Ouvert certains jours de l'année
*Aldington, Peter*

**Waddesdon Manor**
Waddesdon, Buckinghamshire
Ouvert mars à déc, mer, dim et
jours fériés, 10h à 17h
*Lainé, Elie*

**Warley Place**
Brentwood, Essex
Ouvert une fois par an sur
rendez-vous
*Willmott, Ellen Ann*

**West Wycombe Park**
High Wycombe,
Buckinghamshire
Ouvert avr à mai, dim et mer.
Juin à août, dim à jeu. Jours
fériés 14h à 18h
*Dashwood, sir Francis*

**Wexham Springs**
Jardin disparu
*Crowe, Sylvia*

**Wightwick Manor**
Wightwick Bank,
Wolverhampton, West
Midlands
Ouvert mars à déc, mer, jeu,
sam et jours fériés, dim et lun,
14h à 18h
*Parsons, Alfred*

**Wilton House**
Wilton, Wiltshire
Ouvert avr à oct tlj, 10h30 à
17h30
*Pembroke, Philip Herbert, 4e comte de*

**Woburn Farm**
Surrey
Privé, fermé au public
*Southcote, Philip*

## Russie

**Alupka**
Yalta
Ouvert au public
*Kebach, Karl*

**Domaine de Petrodvorets**
Près de Saint-Pétersbourg
Ouvert 10h30 à 17h. Fermé mar
*Le Blond, Jean-Baptiste Alexandre*

**Jardin botanique Nikitsky**
Près de Yalta
Ouvert au public
*Steven, Christian*

**Jardin d'Été**
Saint-Pétersbourg
Ouvert 10h30 à 17h. Fermé mar
*Pierre Ier le grand, Tsar de Russie*

**Palais d'Oranienbaum**
Yalta
Privé, fermé au public
*Rinaldi, Antonio*

**Pavlovsk**
Près de Saint-Pétersbourg
Ouvert tlj, 14h à 18h. Fermé ven
*Cameron, Charles*

**Tsarskoye Selo**
Pouchkine, environs de Saint-
Pétersbourg
Ouvert tlj (sauf mar et dernier
lun du mois), 10h à 17h
*Catherine II*

## Singapour

**Jardins botaniques de
Singapour**
Holland et Cluny Roads
Ouvert tlj, 5h du matin à minuit
*Raffles, sir Stamford*

## Sri Lanka

**Jardin botanique de Peradeniya**
Kandy
Ouvert au public
*Thwaites, G. H. K.*

**Lunuganga**
Près de Bentota
Privé, fermé au public
*Bawa, Geoffrey*

## Suède

**Cimetière Woodland**
Stockholm
Ouvert au public
*Asplund, Gunnar*

**Haga**
Haga Norra, Stockholm
Ouvert avr à sept, mar à ven,
10h à 16h, sam et dim, 11h à
17h30. Oct à mars, mar à ven,
10h à 15h. Sam et dim, 11h à 16h
*Piper, Frederik*

**Mousses fumantes**
Installation temporaire
*Toll, Julie*

# Remerciements

**Palais de Drottninghölm**
Lac Mälaren, Stockholm
Ouvert mai à sept, 11h à 16h30.
Fermé le 20 juin
Tessin, Nicodemus le Jeune

**Résidence à Stockholm**
Privé, fermé au public
Nordfjell, Ulf

**Sundborn**
Carl Larsson-gården
Ouvert mai à sep tlj, 10h à 17h
Larsson, Carl

---

## Suisse

**Jardins Uetliberg**
Zürich
Ouvert au public
Kienast, Dieter

**Villa Smithers**
Vico Morcote
Sur rendez-vous uniquement
Smithers, sir Peter

---

## Tchécoslovaquie

**Buchlovice**
Bulchlovice, Zamek
Ouvert mar à dim, 8h à 16h.
Fermé 1er nov au 31 mars
Martinelli, Domenico

**Jardins botaniques et arboretum**
École d'Agriculture et des Eaux
et Forêts Mendel
Zem d Iská, Brno
Ouvert lun à ven, 7h à 15h
Otruba, Ivar

**Lysice**
Blansko, près de Brno
Ouvert mai, juin et sept, 9h à 17h.
Juil et août, 8h à 18h. Fermé de
12h à 13h
Dubsky, Emanuel

**Maison Müller**
Prague 6, Stresovice
Ouvert au public
Loos, Adolf

**Parc Lednice Valtice**
Moravie du Sud, Brno
Ouvert tlj (sf lun). Avr à août 8h
à 18h. Sept à oct 9h à 16h
Hardtmuth, Joseph

---

## Turquie

**Palais de Topkapi**
Ankara
Ouvert toute l'année tlj

(sf mardi), 9h30 à 17h
Mehmed II

**Villa Kiraç**
Tarabya
Privé, fermé au public
Eldem, Sedad

---

Les heures d'ouverture des
jardins peuvent varier au cours
de l'année, et leur accès peut
être limité pendant les travaux
de restauration. Il est
recommandé de vérifier les
heures et dates d'ouverture
avant d'organiser une visite.

**Consultant éditorial** Tim Richardson

**Textes écrits par** Barbara Abbs, David Askham, Iona Baird, Sonya
Bjerman, Patrick Bowe, Kathryn Bradley-Hole, Anne de Charmant,
Guy Cooper, Stuart Cooper, Jo Hare, Peter Hayden, Emma
Mahony, Aulani Mulford, Toby Musgrave, Jennifer Potter, Charles
Quest-Ritson, Tim Richardson, Barbara Segal, Barbara Simms,
Gordon Taylor.

**Les éditeurs souhaitent remercier tout particulièrement Tim
Richardson pour ses précieux conseils.** Nous tenons aussi à
remercier Patrick Bowe, Anne de Charmant, Michel Conan, Brent
Elliott, David Lambert, Leonard Mirin, Aulani Mulford, Toby
Musgrave et Jess Walton.

Et Quentin Newark pour la conception de la jaquette.

## Crédits photographiques